개념 해결의
법칙

KB100507

중학
수학 1-2

개념 해결의 법칙

이 책을 기획·검토해 주신 245명의
선생님들께 감사드립니다.

개념 해결의 법칙

머리말

이 책은 수학을 어려워하는 학생의 눈높이에 맞춰 꼭 알아야 하는 개념을 쉽고 자세하게 설명한 책입니다. 수학을 처음 시작하는 학생이나 수학의 기초가 닦여 있지 않은 학생은 나도 할 수 있다!는 자신감을 가지고 학습하시기 바랍니다.

○ 개념을 쉽고 정확하게 이해할 수 있도록 정리

○ 개념을 확실하게 이해할 수 있도록 개념 이해 문제와 적용 문제 제시

○ 교과서 수준의 대표 유형 문제와 대표 유형을 반복 연습할 수 있는 쌍둥이 문제 제시

○ 빈칸 채우기를 통한 개념 정리와 대표 유형에서 학습한 문제와 유사한 문제들로 단원 마무리 구성

수학은 단계적인 학문이기 때문에 빠른 시간 안에 성적을 끌어올리기는 쉽지 않습니다.
비록 거북이 걸음이라 할지라도 꾸준하게 노력하는 사람만이 수학에서 승리할 수 있습니다.
개념 해결의 법칙은 쉽고 빠르게 기본 실력을 다지는데 그 목표를 두었습니다.
이 책을 사용하는 학생 모두가 수학에 자신감을 갖게 되기를 바랍니다.

Structure
구성과
특징

개념 정리

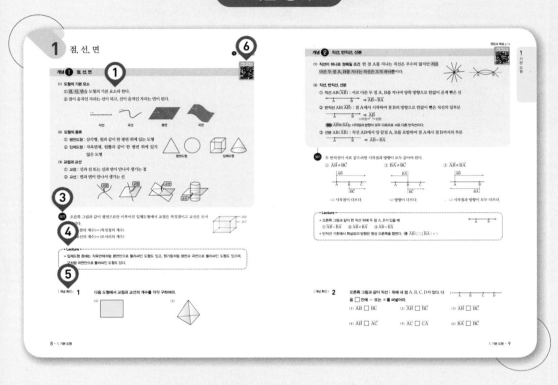

① **개념 설명** : 개념을 쉽고 정확하게 이해할 수 있도록 정리

② **용어** : 이전 학년 또는 앞 단원에서 배웠던 용어가 다시 나오는 경우에 대한 설명

③ **보기** : 개념을 어떻게 적용시키는지 예를 보여줌

④ **Lecture** : 중요한 내용 또는 반드시 짚고 가야할 내용을 정리

⑤ **개념 확인** : 개념만으로 풀 수 있는 문제로 개념을 바르게 이해했는지 확인

⑥ **개념 동영상** : QR코드를 스마트폰으로 스캔하여 동영상 강의를 시청!

⑦ **교과서 속 원리 알아보기** : 교과서에 나오는 개념 중에서 보충 설명이 필요한 개념을 알아보기 쉽게 별도로 구성

Step 1 기초 개념 드릴

- 개념 기초 : 쉬운 개념 이해 문제와 적용 문제를 제시
- 쌍둥이 문제 : 유사한 문제로 반복 연습

Step 2 대표 유형으로 개념 잡기

- 교과서 또는 학교 시험에 나오는 필수 유형들을 개념과 함께 제시
- 예제와 풀이, 쌍둥이 문제로 구성

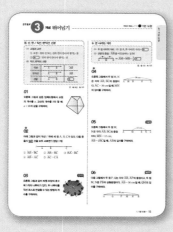

Step 3 개념 뛰어넘기

- 빈칸 채우기를 통해 개념 정리 부분을 다시 한번 짚고 넘어가기
- 대표 유형에서 학습한 문제와 유사한 문제들로 다시 한번 확인
- 창의, 융합 : 새로운 문제 및 개념을 응용한 문제에 대한 적응력 기르기

부록   단원 종합 문제

Contents
차 례

1

기본 도형

학습 목표

- 도형을 이루는 기본 요소인 점, 선, 면을 이해한다.
- 직선, 반직선, 선분의 뜻과 표현 방법을 알 수 있다.
- 두 점 사이의 거리의 뜻을 알 수 있다.
- 각을 기호로 나타낼 수 있다.
- 맞꼭지각의 뜻과 성질을 알 수 있다.
- 직교, 수직이등분선, 수선의 발의 뜻을 알 수 있다.

1 점, 선, 면

개념 ❶ 점, 선, 면

(1) 도형의 기본 요소

① 점, 선, 면을 도형의 기본 요소라 한다.

② 점이 움직인 자리는 선이 되고, 선이 움직인 자리는 면이 된다.

직선 　　　 곡선 　　　 평면 　　　 곡면

(2) 도형의 종류

① 평면도형 : 삼각형, 원과 같이 한 평면 위에 있는 도형

② 입체도형 : 직육면체, 원뿔과 같이 한 평면 위에 있지 않은 도형

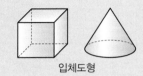

평면도형 　　　 입체도형

(3) 교점과 교선

① 교점 : 선과 선 또는 선과 면이 만나서 생기는 점

② 교선 : 면과 면이 만나서 생기는 선

   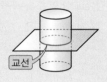

 오른쪽 그림과 같이 평면으로만 이루어진 입체도형에서 교점은 꼭짓점이고 교선은 모서리이다.

⇨ (교점의 개수)=(꼭짓점의 개수)

(교선의 개수)=(모서리의 개수)

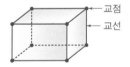

교점
교선

• **Lecture** •

● 입체도형 중에는 직육면체처럼 평면만으로 둘러싸인 도형도 있고, 원기둥처럼 평면과 곡면으로 둘러싸인 도형도 있으며, 구처럼 곡면만으로 둘러싸인 도형도 있다.

‖ 개념 확인 ‖ **1**　　다음 도형에서 교점과 교선의 개수를 각각 구하여라.

(1)

(2)
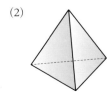

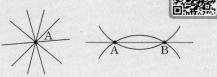

개념 ② 직선, 반직선, 선분

(1) **직선이 하나로 정해질 조건** 한 점 A를 지나는 직선은 무수히 많지만 서로 다른 두 점 A, B를 지나는 직선은 오직 하나뿐이다.

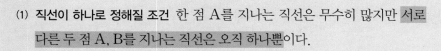

(2) **직선, 반직선, 선분**

① 직선 AB($\overleftrightarrow{AB}$) : 서로 다른 두 점 A, B를 지나며 양쪽 방향으로 한없이 곧게 뻗은 선

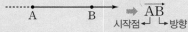 ➡ $\overleftrightarrow{AB}=\overleftrightarrow{BA}$

② 반직선 AB($\overrightarrow{AB}$) : 점 A에서 시작하여 점 B의 방향으로 한없이 뻗은 직선의 일부분

➡ $\overrightarrow{AB}$ 시작점 ↳방향

주의 $\overrightarrow{AB}$와 $\overrightarrow{BA}$는 시작점과 방향이 모두 다르므로 서로 다른 반직선이다.

③ 선분 AB($\overline{AB}$) : 직선 AB에서 양 끝점 A, B를 포함하여 점 A에서 점 B까지의 부분

➡ $\overline{AB}=\overline{BA}$

 보기 두 반직선이 서로 같으려면 시작점과 방향이 모두 같아야 한다.

① $\overrightarrow{AB}\neq\overrightarrow{BC}$ ② $\overrightarrow{BA}\neq\overrightarrow{BC}$ ③ $\overrightarrow{AB}\neq\overrightarrow{BA}$

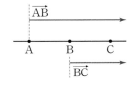   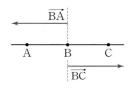   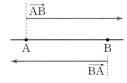

⇨ 시작점이 다르다.   ⇨ 방향이 다르다.   ⇨ 시작점과 방향이 모두 다르다.

Lecture

- 오른쪽 그림과 같이 한 직선 위에 두 점 A, B가 있을 때
  ① $\overleftrightarrow{AB}=\overleftrightarrow{BA}$ ② $\overrightarrow{AB}\neq\overrightarrow{BA}$ ③ $\overline{AB}=\overline{BA}$
- 반직선 기호에서 화살표의 방향은 항상 오른쪽을 향한다. 예 $\overrightarrow{AB}$(○), $\overleftarrow{BA}$(×)

개념 확인 2 오른쪽 그림과 같이 직선 l 위에 네 점 A, B, C, D가 있다. 다음 □ 안에 = 또는 ≠를 써넣어라.

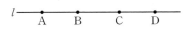

(1) $\overleftrightarrow{AB}$ □ $\overleftrightarrow{BC}$ (2) $\overleftrightarrow{AB}$ □ $\overrightarrow{BC}$ (3) $\overrightarrow{AB}$ □ $\overrightarrow{BC}$

(4) $\overrightarrow{AB}$ □ $\overrightarrow{AC}$ (5) $\overline{AC}$ □ $\overline{CA}$ (6) $\overrightarrow{BA}$ □ $\overrightarrow{BC}$

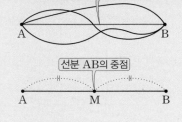

개념 ③ 두 점 사이의 거리

(1) **두 점 사이의 거리** 두 점 A, B를 양 끝점으로 하는 선 중에서 **길이가 가장 짧은 선인 선분 AB의 길이**

참고 선분 AB의 길이가 2 cm인 것을 $\overline{AB}=2$ cm와 같이 나타낸다.

(2) **선분의 중점** 선분 AB 위에 있는 점으로 양 끝점에서 같은 거리에 있는 점 M

➡ $\overline{AM}=\overline{BM}=\dfrac{1}{2}\overline{AB}$ → $\overline{AB}=2\overline{AM}=2\overline{BM}$

참고 선분 AB의 삼등분점

오른쪽 그림과 같이 선분 AB를 삼등분하는 두 점을 M, N이라 하면

➡ $\overline{AM}=\overline{MN}=\overline{NB}=\dfrac{1}{3}\overline{AB}$

보기 오른쪽 그림에서 점 M은 선분 AB의 중점이고 $\overline{AB}=8$ cm일 때, $\overline{AM}$의 길이와 $\overline{BM}$의 길이를 구해 보자.

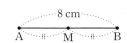

⇨ $\overline{AM}=\overline{BM}=\dfrac{1}{2}\overline{AB}=\dfrac{1}{2}\times 8=4\ (\text{cm})$

• **Lecture** •

● $\overline{AB}$는 도형으로서 선분 AB를 나타내기도 하고, 그 선분의 길이를 나타내기도 한다.

┃개념 확인┃ **3** 오른쪽 그림에서 다음을 구하여라.

(1) 두 점 A와 C 사이의 거리

(2) 두 점 B와 C 사이의 거리

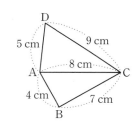

┃개념 확인┃ **4** 오른쪽 그림에서 점 M이 $\overline{AB}$의 중점이고 $\overline{AB}=10$ cm일 때, 다음을 구하여라.

(1) $\overline{AM}$의 길이

(2) $\overline{BM}$의 길이

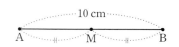

STEP 1 기초 개념 드릴

개념 기초

1-1

다음 중 옳은 것에는 ○표, 옳지 않은 것에는 ×표를 하여라.

(1) 도형의 기본 요소는 점, 선, 면이다. ( )

(2) 선과 선이 만나면 교선이 생긴다. ( )

(3) 점이 움직인 자리는 선이 된다. ( )

(4) 교선은 직선뿐이다. ( )

연구 (2) 선과 선이 만나면 □이 생긴다.
(4) 교선에는 직선과 □이 있다.

2-1

오른쪽 그림과 같이 직선 l 위에 네 점 A, B, C, D가 있다. 다음 보기 중 서로 같은 것끼리 짝 지어진 것을 모두 골라라.

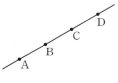

┌─ 보기 ──────────────────────┐
㉠ $\overrightarrow{AB}$와 $\overrightarrow{BD}$ ㉡ $\overrightarrow{BA}$와 $\overrightarrow{BC}$
㉢ $\overrightarrow{AC}$와 $\overrightarrow{AD}$ ㉣ $\overline{AB}$와 $\overline{BA}$
└──────────────────────────┘

연구 두 반직선에서 시작점과 방향 중 어느 하나라도 다르면 서로 다른 반직선이다.
㉡ 시작점은 같지만 방향이 서로 반대이다.
㉢ 시작점과 방향이 모두 같다.

3-1

오른쪽 그림에서 점 M은 $\overline{AB}$의 중점이고, 점 N은 $\overline{AM}$의 중점이다. $\overline{AB}=12$ cm일 때, 다음을 구하여라.

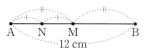

(1) $\overline{AM}$의 길이
(2) $\overline{NM}$의 길이
(3) $\overline{NB}$의 길이

연구 (1) $\overline{AM}=\overline{MB}=$ □ $\overline{AB}=$ □ (cm)

쌍둥이 문제

1-2

다음 중 옳은 것에는 ○표, 옳지 않은 것에는 ×표를 하여라.

(1) 서로 다른 두 점을 지나는 직선은 오직 하나뿐이다.

( )

(2) $\overline{AB}$와 $\overline{BA}$는 서로 다른 선분이다. ( )

(3) 반직선의 길이는 직선의 길이의 $\frac{1}{2}$이다. ( )

(4) 방향이 같은 두 반직선은 서로 같다. ( )

2-2

아래 그림과 같이 직선 l 위에 세 점 A, B, C가 있을 때, 다음과 같은 것을 보기에서 모두 찾아라.

┌─ 보기 ──────────────────────────────────┐
㉠ $\overline{AB}$ ㉡ $\overrightarrow{BC}$ ㉢ $\overleftarrow{BC}$ ㉣ $\overleftarrow{CB}$
㉤ $\overrightarrow{AC}$ ㉥ $\overleftarrow{BA}$ ㉦ $\overrightarrow{AB}$ ㉧ $\overrightarrow{BA}$
└──┘

(1) $\overrightarrow{AC}$ (2) $\overrightarrow{AB}$ (3) $\overleftarrow{BC}$

3-2

오른쪽 그림에서 점 M은 선분 AB의 중점이고, 점 N은 선분 MB의 중점일 때, □ 안에 알맞은 수를 써넣어라.

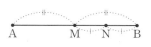

(1) $\overline{MB}=$ □ $\overline{MN}$
(2) $\overline{AB}=$ □ $\overline{MN}$
(3) $\overline{AN}=$ □ $\overline{NB}$

대표 유형 ❶ 교점과 교선

유형 해결의 법칙 중 1-2 11쪽

- 평면도형과 입체도형에서 교점의 개수는 꼭짓점의 개수와 같다.
- 입체도형에서 교선의 개수는 모서리의 개수와 같다.

1-1 오른쪽 그림과 같은 오각뿔에서 면의 개수를 x, 교점의 개수를 y, 교선의 개수를 z라 할 때, $x+y+z$의 값을 구하여라.

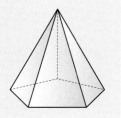

쌍둥이 1-2

오른쪽 그림과 같은 오각기둥에서 교점의 개수를 a, 교선의 개수를 b라 할 때, $b-a$의 값을 구하여라.

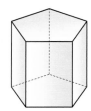

풀이 오각뿔에서 면의 개수는 6이므로 $x=6$

교점의 개수는 꼭짓점의 개수와 같으므로 6이다. $\therefore y=6$

교선의 개수는 모서리의 개수와 같으므로 10이다.

$\therefore z=10$

$\therefore x+y+z=6+6+10=22$

답 22

대표 유형 ❷ 직선, 반직선, 선분

유형 해결의 법칙 중 1-2 11쪽

두 반직선이 서로 같으려면 시작점과 방향이 모두 같아야 한다.

예 $\overrightarrow{BA} \neq \overrightarrow{BC}$ ➡ 시작점은 같으나 방향이 서로 반대이므로 같은 반직선이 아니다.

$\overrightarrow{AB} \neq \overrightarrow{BC}$ ➡ 방향은 같으나 시작점이 다르므로 같은 반직선이 아니다.

• ─── • ─── • ─── •
A   B   C

2-1 아래 그림과 같이 직선 l 위에 네 점 A, B, C, D가 있을 때, 다음 중 옳지 <u>않은</u> 것은?

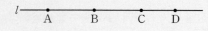

① $\overrightarrow{AD}=\overrightarrow{AC}$ ② $\overrightarrow{BC}=\overrightarrow{BD}$ ③ $\overline{BD}=\overline{DB}$

④ $\overrightarrow{AB}=\overrightarrow{CD}$ ⑤ $\overrightarrow{CB}=\overrightarrow{CD}$

쌍둥이 2-2

오른쪽 그림과 같이 직선 l 위에 네 점 A, B, C, D가 있을 때, 다음 중 $\overrightarrow{BC}$와 같은 것은?

① $\overrightarrow{BA}$ ② $\overrightarrow{AB}$

③ $\overrightarrow{AC}$ ④ $\overrightarrow{BD}$

⑤ $\overrightarrow{DA}$

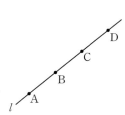

풀이 ⑤ $\overrightarrow{CB}$와 $\overrightarrow{CD}$는 시작점은 같으나 방향이 서로 반대이므로 같은 반직선이 아니다.

답 ⑤

대표 유형 ③ 직선, 반직선, 선분의 개수

유형 해결의 법칙 중 1-2 12쪽

직선, 반직선, 선분의 개수를 구할 때에는 중복되는 경우를 생각하여 한 번만 개수에 포함시킨다.

예 $\overleftrightarrow{AB}=\overleftrightarrow{BA}$, $\overline{AB}=\overline{BA}$, $\overrightarrow{AB}\neq\overrightarrow{BA}$

3-1 오른쪽 그림과 같이 어느 세 점도 한 직선 위에 있지 않은 네 점 A, B, C, D가 있다. 이 중 두 점을 지나는 서로 다른 직선의 개수를 a, 반직선의 개수를 b라 할 때, $a+b$의 값을 구하여라.

D•

A•

•C

B•

풀이 직선은 $\overleftrightarrow{AB}$, $\overleftrightarrow{AC}$, $\overleftrightarrow{AD}$, $\overleftrightarrow{BC}$, $\overleftrightarrow{BD}$, $\overleftrightarrow{CD}$의 6개이므로 $a=6$

반직선은 $\overrightarrow{AB}$, $\overrightarrow{AC}$, $\overrightarrow{AD}$, $\overrightarrow{BA}$, $\overrightarrow{BC}$, $\overrightarrow{BD}$, $\overrightarrow{CA}$, $\overrightarrow{CB}$, $\overrightarrow{CD}$, $\overrightarrow{DA}$, $\overrightarrow{DB}$, $\overrightarrow{DC}$의 12개이므로 $b=12$

∴ $a+b=6+12=18$

답 18

쌍둥이 3-2

오른쪽 그림과 같이 직선 l 위에 세 점 A, B, C가 있다.

l —•——•——•—
　　A　　B　　C

이 중 두 점을 골라 만들 수 있는 직선의 개수를 x, 반직선의 개수를 y, 선분의 개수를 z라 할 때, $x+y+z$의 값을 구하여라.

대표 유형 ④ 선분의 중점

유형 해결의 법칙 중 1-2 13쪽

오른쪽 그림에서 두 점 M, N이 각각 $\overline{AB}$, $\overline{MB}$의 중점이면

① $\overline{AM}=\overline{MB}=\dfrac{1}{2}\overline{AB}$　　② $\overline{MN}=\overline{NB}=\dfrac{1}{4}\overline{AB}$

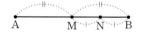

쌍둥이 4-2

아래 그림에서 두 점 M, N은 $\overline{AB}$의 삼등분점이고 점 P는 $\overline{MN}$의 중점일 때, 다음 중 옳지 <u>않은</u> 것은?

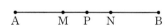

① $\overline{AM}=\overline{NB}$　　② $\overline{AP}=\dfrac{1}{2}\overline{AB}$

③ $\overline{MN}=\dfrac{1}{3}\overline{AB}$　　④ $\overline{AN}=4\overline{MP}$

⑤ $\overline{AP}=\dfrac{2}{3}\overline{MB}$

4-1 아래 그림에서 점 M은 $\overline{AB}$의 중점이고 점 N은 $\overline{MB}$의 중점이다. 다음 중 옳지 <u>않은</u> 것은?

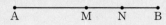

① $\overline{AM}=\dfrac{1}{2}\overline{AB}$　　② $\overline{BM}=2\overline{NB}$

③ $\overline{AB}=4\overline{MN}$　　④ $\overline{MN}=\dfrac{1}{3}\overline{AM}$

⑤ $\overline{AB}=\dfrac{4}{3}\overline{AN}$

풀이 ④ $\overline{MN}=\overline{BN}=\dfrac{1}{2}\overline{MB}=\dfrac{1}{2}\overline{AM}$

⑤ $\overline{AN}=\overline{AM}+\overline{MN}=\dfrac{1}{2}\overline{AB}+\dfrac{1}{2}\overline{MB}$

$=\dfrac{1}{2}\overline{AB}+\dfrac{1}{4}\overline{AB}=\dfrac{3}{4}\overline{AB}$

∴ $\overline{AB}=\dfrac{4}{3}\overline{AN}$

따라서 옳지 않은 것은 ④이다.

답 ④

대표 유형 **5** 　두 점 사이의 거리(1)

유형 해결의 법칙 중 1–2 13쪽

오른쪽 그림에서 두 점 M, N이 각각 $\overline{AB}$, $\overline{MB}$의 중점일 때,

① $\overline{AM}=\overline{BM}=2\overline{MN}$

② $\overline{AB}=2\overline{AM}=2\overline{MB}=4\overline{MN}$

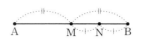

5-1 다음 그림에서 두 점 M, N은 각각 $\overline{AB}$, $\overline{MB}$의 중점이다. $\overline{MN}=5$ cm일 때, $\overline{AB}$의 길이를 구하여라.

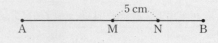

풀이 점 N이 $\overline{MB}$의 중점이므로

$\overline{MB}=2\overline{MN}=2\times5=10\,(\text{cm})$

점 M이 $\overline{AB}$의 중점이므로

$\overline{AB}=2\overline{MB}=2\times10=20\,(\text{cm})$

답 20 cm

쌍둥이 5-2

아래 그림에서 두 점 M, N은 각각 $\overline{AB}$, $\overline{MB}$의 중점이다. $\overline{AB}=16$ cm일 때, 다음 선분의 길이를 구하여라.

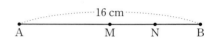

(1) $\overline{AM}$

(2) $\overline{MN}$

(3) $\overline{AN}$

대표 유형 **6** 　두 점 사이의 거리(2)

유형 해결의 법칙 중 1–2 14쪽

오른쪽 그림에서 두 점 M, N이 각각 $\overline{AB}$, $\overline{BC}$의 중점일 때

$\overline{AB}=2\overline{MB}$, $\overline{BC}=2\overline{BN}$

∴ $\overline{AC}=\overline{AB}+\overline{BC}=2\overline{MB}+2\overline{BN}=2(\overline{MB}+\overline{BN})=2\overline{MN}$

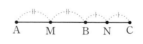

6-1 다음 그림에서 두 점 M, N은 각각 $\overline{AB}$, $\overline{BC}$의 중점이다. $\overline{MN}=14$ cm일 때, $\overline{AC}$의 길이를 구하여라.

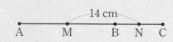

풀이 점 M은 $\overline{AB}$의 중점이므로 $\overline{AB}=2\overline{MB}$

점 N은 $\overline{BC}$의 중점이므로 $\overline{BC}=2\overline{BN}$

∴ $\overline{AC}=\overline{AB}+\overline{BC}$

$=2\overline{MB}+2\overline{BN}$

$=2(\overline{MB}+\overline{BN})$

$=2\overline{MN}$

$=2\times14=28\,(\text{cm})$

답 28 cm

쌍둥이 6-2

다음 그림에서 두 점 M, N은 각각 $\overline{AB}$, $\overline{BC}$의 중점이다. $\overline{BC}=3\overline{AB}$이고 $\overline{MN}=8$ cm일 때, $\overline{BC}$의 길이를 구하여라.

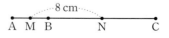

점, 선, 면 / 직선, 반직선, 선분

(1) 교점과 교선

　① 교점 : 선과 선 또는 선과 면이 만나서 생기는 점

　② **①** : 면과 면이 만나서 생기는 선

(2) 직선, 반직선, 선분

직선	←●————●→ A　　B	$\overleftrightarrow{AB}$
반직선	●————●→ A　　B	$\overrightarrow{AB}$
선분	●————● A　　B	**②**

답 **①**교선 **②**$\overline{AB}$

01

오른쪽 그림과 같은 입체도형에서 교점의 개수를 a, 교선의 개수를 b라 할 때, $a+2b$의 값을 구하여라.

★ 02

아래 그림과 같이 직선 l 위에 세 점 A, B, C가 있다. 다음 중 옳지 <u>않은</u> 것을 모두 고르면? (정답 2개)

① $\overleftrightarrow{AB}=\overleftrightarrow{BC}$　　② $\overrightarrow{AB}=\overrightarrow{BC}$　　③ $\overrightarrow{BA}=\overrightarrow{BC}$

④ $\overrightarrow{AB}=\overrightarrow{AC}$　　⑤ $\overline{AC}=\overline{CA}$

03 〔창의력〕

오른쪽 그림과 같이 타원 모양의 호수에 5개의 나루터가 있다. 두 나루터를 직선 코스로 연결할 수 있는 방법의 수를 구하여라.

두 점 사이의 거리

(1) 두 점 사이의 거리 : (두 점 A, B 사이의 거리)=**①**

(2) 선분의 중점 : $\overline{AB}$를 이등분하는 점 M

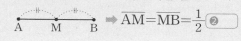

$\Rightarrow \overline{AM}=\overline{MB}=\dfrac{1}{2}$**②**

답 **①**$\overline{AB}$ **②**$\overline{AB}$

★ 04

오른쪽 그림에서 두 점 M, N은 각각 $\overline{AB}$, $\overline{BC}$의 중점이다. $\overline{AC}=30$ cm일 때, $\overline{MN}$의 길이를 구하여라.

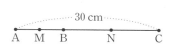

05 〔서술형〕

오른쪽 그림에서 두 점 M, N은 각각 $\overline{AB}$, $\overline{BC}$의 중점이다. $\overline{MN}=12$ cm, $\overline{AB}=2\overline{BC}$일 때, $\overline{AB}$의 길이를 구하여라.

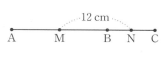

06 〔융합형〕

다음 그림에서 두 점 P, Q는 각각 $\overline{AB}$, $\overline{AP}$의 중점이고, 두 점 M, N은 $\overline{PB}$의 삼등분점이다. $\overline{AB}=36$ cm일 때, $\overline{QM}$의 길이를 구하여라.

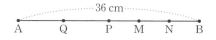

2 각

개념 ❶ 각

(1) 각

① 각 AOB : 한 점 O에서 시작하는 두 반직선 OA, OB로 이루어진 도형 ➡ ∠AOB

　참고 ∠AOB는 ∠BOA, ∠O, ∠a와 같이 나타내기도 한다.

② ∠AOB의 크기 : ∠AOB에서 꼭짓점 O를 중심으로 반직선 OB가 반직선 OA까지 회전한 양

　참고 ∠AOB의 크기가 50°인 것을 ∠AOB=50°와 같이 나타낸다.

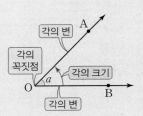

(2) 각의 크기에 따른 분류

평각	직각	예각	둔각
각의 두 변이 꼭짓점을 중심으로 반대쪽에 있고 한 직선을 이룰 때의 각	평각의 크기의 $\frac{1}{2}$인 각	0°보다 크고 90°보다 작은 각	90°보다 크고 180°보다 작은 각
∠AOB=180°	∠AOB=90°	0°<∠AOB<90°	90°<∠AOB<180°

보기 오른쪽 그림에서 ∠AOB는 평각이고 ∠COB=65°일 때, ∠AOC의 크기를 구해 보자.

① ∠AOB는 평각 ⇨ ∠AOB=180°

② ∠AOC=∠AOB−∠COB=180°−65°=115°

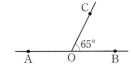

• **Lecture** •

● 각을 기호로 나타낼 때, 반드시 꼭짓점을 가운데에 쓴다.

➡ ∠XOY = ∠YOX

　　　항상 가운데

| 개념 확인 | **1** 오른쪽 그림의 각을 기호로 나타낼 때, 다음 보기 중 옳은 것을 모두 골라라.

보기
ㄱ ∠O　　　ㄴ ∠XYO　　　ㄷ ∠x
ㄹ ∠YOX　　ㅁ ∠YXO　　　ㅂ ∠XOY

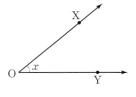

개념 ❷ 맞꼭지각

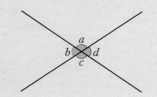

(1) **교각** 두 직선이 한 점에서 만날 때 생기는 네 각

➡ $\angle a$, $\angle b$, $\angle c$, $\angle d$

(2) **맞꼭지각** 교각 중에서 서로 마주 보는 두 각

➡ $\angle a$와 $\angle c$, $\angle b$와 $\angle d$

(3) **맞꼭지각의 성질** 맞꼭지각의 크기는 서로 같다.

➡ $\angle a = \angle c$, $\angle b = \angle d$

설명 (3) 맞꼭지각의 크기는 서로 같음을 보이기

오른쪽 그림에서

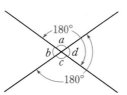

$\angle a + \angle d = 180°$이므로 $\angle a = 180° - \angle d$

$\angle c + \angle d = 180°$이므로 $\angle c = 180° - \angle d$

∴ $\angle a = \angle c$

보기 오른쪽 그림에서 $\angle x$의 크기를 구해 보자.

$\angle x$는 $35°$인 각과 마주 보는 각, 즉 맞꼭지각

이므로

$\angle x = 35°$

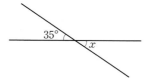

• **Lecture** •

● 맞꼭지각은 반드시 두 직선이 한 점에서 만날 때 생긴다.

따라서 오른쪽 그림에서 $\angle a$와 $\angle c$, $\angle b$와 $\angle d$는 두 직선이 만나서 생기는 각이 아니므로 맞꼭지각이

아니다.

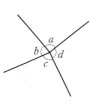

‖개념 확인‖ **2** 오른쪽 그림에서 다음 각의 맞꼭지각을 구하여라.

(1) $\angle AOB$

(2) $\angle BOC$

(3) $\angle COE$

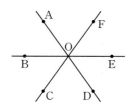

개념 **3** 수직과 수선

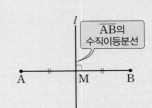

(1) **직교** 두 직선 AB, CD의 교각이 직각일 때, 이 두 직선은 서로 직교한다고 한다.

    ➡ $\overleftrightarrow{AB} \perp \overleftrightarrow{CD}$

(2) **수직과 수선** 두 직선이 직교할 때, 두 직선은 서로 수직이고 한 직선을 다른 직선의 수선이라 한다.

    ➡ $\overleftrightarrow{AB}$의 수선 : $\overleftrightarrow{CD}$, $\overleftrightarrow{CD}$의 수선 : $\overleftrightarrow{AB}$

(3) **수직이등분선** 선분 AB의 중점 M을 지나고 이 선분에 수직인 직선 l을 선분 AB의 수직이등분선이라 한다.

    ➡ $\overline{AB} \perp l$, $\overline{AM} = \overline{BM} = \dfrac{1}{2}\overline{AB}$

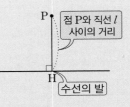

(4) **점과 직선 사이의 거리**

  ① **수선의 발** : 직선 l 위에 있지 않은 점 P에서 직선 l에 수선을 그어 직선 l과 만나는 점을 H라 할 때, 점 H를 점 P에서 직선 l에 내린 수선의 발이라 한다.

  ② **점과 직선 사이의 거리** : 점 P와 직선 l 사이의 거리는 점 P에서 직선 l에 내린 수선의 발 H까지의 거리이다. ➡ $\overline{PH}$의 길이

    참고 점 P와 직선 l 사이의 거리는 점 P와 직선 l 위의 점을 이은 선분 중에서 길이가 가장 짧은 선분의 길이이다.

보기 직교, 수직, 수선의 구분

  ① 직교 : 두 선분 또는 두 직선이 90°를 이루며 만나는 것

  ② 수직 : 두 선분 또는 두 직선이 90°를 이루도록 만난 상태

  ③ 수선 : 수직인 두 직선 중 한 직선을 다른 직선의 수선이라 한다.

• Lecture •

● $\overleftrightarrow{AB} \perp \overleftrightarrow{CD}$일 때, 다음과 같이 말할 수 있다.

  ➡ $\overleftrightarrow{AB}$와 $\overleftrightarrow{CD}$의 교각이 직각이다.

  ➡ $\overleftrightarrow{AB}$와 $\overleftrightarrow{CD}$는 서로 직교한다.

  ➡ $\overleftrightarrow{AB}$와 $\overleftrightarrow{CD}$는 서로 수직이다.

  ➡ $\overleftrightarrow{AB}$의 수선은 $\overleftrightarrow{CD}$이고, $\overleftrightarrow{CD}$의 수선은 $\overleftrightarrow{AB}$이다.

|개념 확인| **3** 오른쪽 그림에서 ∠COB = 90°이고 $\overline{AO} = \overline{BO}$일 때, □ 안에 알맞은 기호 또는 말을 써넣어라.

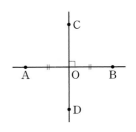

  (1) $\overleftrightarrow{AB}$ □ $\overleftrightarrow{CD}$이므로 $\overleftrightarrow{CD}$는 $\overleftrightarrow{AB}$의 □ 이다.

  (2) 점 C와 $\overleftrightarrow{AB}$ 사이의 거리는 선분 □ 의 길이와 같다.

  (3) 점 O를 점 C에서 $\overleftrightarrow{AB}$에 내린 □ 이라 한다.

개념 기초

1-1

다음 그림에서 ∠x의 크기를 구하여라.

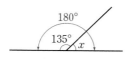

연구 평각의 크기는 [ ]이므로

$135° + ∠x =$ [ ]   ∴ ∠$x =$ [ ]

쌍둥이 문제

1-2

다음 그림에서 ∠x의 크기를 구하여라.

(1)   (2)

2-1

다음 그림에서 ∠x의 크기를 구하여라.

(1)   (2)

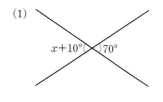 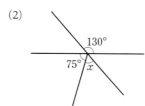

연구 맞꼭지각의 크기는 서로 같다.

(1) ∠$x + 10° =$ [ ]

(2) $75° + ∠x =$ [ ]

2-2

다음 그림에서 ∠x의 크기를 구하여라.

(1)   (2)

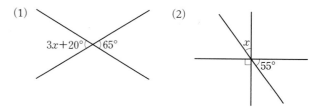

3-1

오른쪽 그림과 같은 사다리꼴 ABCD에서 다음을 구하여라.

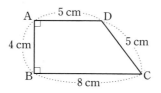

(1) $\overline{BC}$와 직교하는 선분

(2) 점 A에서 $\overline{BC}$에 내린 수선의 발

(3) 점 B와 $\overline{AD}$ 사이의 거리

연구 (3) 점 B와 $\overline{AD}$ 사이의 거리는 [ ]의 길이와 같다.

3-2

오른쪽 그림에서 두 직선 AB와 CD가 서로 수직이고, $\overline{AH} = \overline{BH}$일 때, 다음 보기 중 옳은 것을 모두 골라라.

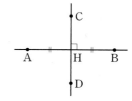

보기

ㄱ. $\overleftrightarrow{AB}$와 $\overleftrightarrow{CD}$는 직교한다.

ㄴ. $\overleftrightarrow{AB}$는 $\overleftrightarrow{CD}$의 수선이다.

ㄷ. 점 A와 $\overleftrightarrow{CD}$ 사이의 거리는 $\overline{AC}$의 길이와 같다.

STEP 2 대표 유형으로 개념 잡기

대표 유형 ① 평각을 이용하여 각의 크기 구하기

유형 해결의 법칙 중 1-2 15쪽

평각의 크기는 $180°$이다.

1-1 오른쪽 그림에서 ∠AOB는 평각일 때, ∠x의 크기를 구하여라.

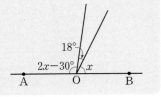

풀이 평각의 크기는 $180°$이므로

$(2∠x-30°)+18°+∠x=180°$

$3∠x-12°=180°, 3∠x=192°$

$∴ ∠x=64°$

답 $64°$

쌍둥이 1-2

다음 그림에서 ∠AOB는 평각일 때, ∠x의 크기를 구하여라.

(1)

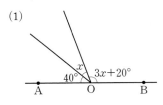

(2)

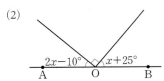

대표 유형 ② 각의 크기의 비가 주어진 경우

유형 해결의 법칙 중 1-2 15쪽

오른쪽 그림에서 $∠x:∠y:∠z=a:b:c$일 때

① $∠x=180°×\dfrac{a}{a+b+c}$ ② $∠y=180°×\dfrac{b}{a+b+c}$ ③ $∠z=180°×\dfrac{c}{a+b+c}$

2-1 오른쪽 그림에서 $∠x:∠y:∠z=2:3:5$일 때, ∠x의 크기를 구하여라.

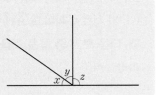

풀이 $∠x+∠y+∠z=180°$이고 $∠x:∠y:∠z=2:3:5$이므로

$∠x=180°×\dfrac{2}{2+3+5}$

$=180°×\dfrac{1}{5}$

$=36°$

답 $36°$

쌍둥이 2-2

오른쪽 그림에서 $∠x:∠y:∠z=4:3:2$일 때, ∠y의 크기를 구하여라.

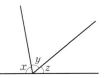

대표 유형 ③ 각의 크기 사이의 조건이 주어진 경우

유형 해결의 법칙 중 1-2 16쪽

오른쪽 그림에서 $\angle BOC = \angle a$, $\angle COD = \angle b$라 하면
① $\angle AOB = 3\angle BOC$일 때, $\angle AOB = 3\angle a$
② $\angle COE = 4\angle COD$일 때, $\angle COE = 4\angle b$이므로 $\angle DOE = \angle COE - \angle COD = 3\angle b$

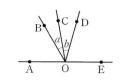

3-1 오른쪽 그림에서 $\angle AOP = 90\degree$이고 $\angle POQ = \dfrac{1}{6}\angle AOQ$, $\angle QOR = \dfrac{1}{8}\angle QOB$일 때, $\angle QOR$의 크기를 구하여라.

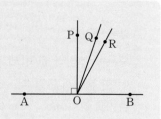

쌍둥이 3-2

오른쪽 그림에서 $\overline{AE} \perp \overline{BO}$이고 $\angle AOC = 4\angle BOC$, $\angle COE = 5\angle COD$일 때, $\angle COD$의 크기를 구하여라.

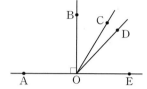

풀이 $\angle POQ = \angle a$라 하면

$\angle POQ = \dfrac{1}{6}\angle AOQ$, 즉 $6\angle POQ = \angle AOQ$에서

$6\angle a = 90\degree + \angle a$, $5\angle a = 90\degree$ $\therefore \angle a = 18\degree$

이때 $\angle QOB = \angle POB - \angle POQ = 90\degree - 18\degree = 72\degree$이므로

$\angle QOR = \dfrac{1}{8}\angle QOB = \dfrac{1}{8} \times 72\degree = 9\degree$

답 $9\degree$

대표 유형 ④ 맞꼭지각의 성질을 이용한 각의 크기 구하기 (1)

유형 해결의 법칙 중 1-2 16쪽

맞꼭지각의 크기는 서로 같다.
➡ 오른쪽 그림에서 $\angle a = \angle c$, $\angle b = \angle d$

4-1 오른쪽 그림에서 $\angle x$의 크기를 구하여라.

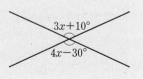

쌍둥이 4-2

다음 그림에서 $\angle x$의 크기를 구하여라.

(1)

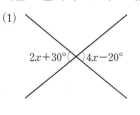

(2)

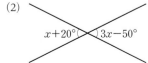

풀이 맞꼭지각의 크기는 서로 같으므로

$3\angle x + 10\degree = 4\angle x - 30\degree$

$\therefore \angle x = 40\degree$

답 $40\degree$

대표 유형 ⑤ 맞꼭지각의 성질을 이용한 각의 크기 구하기(2)

유형 해결의 법칙 중 1-2 17쪽

오른쪽 그림에서 $\angle a + \angle b + \angle c = 180°$임을 이용한다.

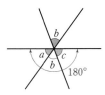

5-1 오른쪽 그림과 같이 세 직선이 한 점에서 만날 때, $\angle x$의 크기를 구하여라.

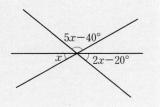

풀이 오른쪽 그림에서
$\angle x + (5\angle x - 40°) + (2\angle x - 20°)$
$= 180°$
$8\angle x - 60° = 180°, \ 8\angle x = 240°$
$\therefore \angle x = 30°$

답 30°

쌍둥이 5-2

오른쪽 그림과 같이 세 직선이 한 점에서 만날 때, $\angle x$의 크기를 구하여라.

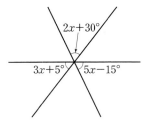

대표 유형 ⑥ 맞꼭지각의 성질을 이용한 각의 크기 구하기(3)

유형 해결의 법칙 중 1-2 17쪽

오른쪽 그림에서 $\angle a + \angle b = \angle c$ (맞꼭지각)

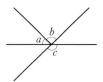

6-1 오른쪽 그림에서 $\angle x + \angle y$의 크기를 구하여라.

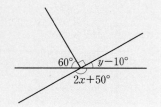

풀이 $60° + 90° = 2\angle x + 50°$ (맞꼭지각)이므로
$2\angle x = 100°$ $\therefore \angle x = 50°$
평각의 크기는 180°이므로
$60° + 90° + (\angle y - 10°) = 180°$
$\angle y + 140° = 180°$ $\therefore \angle y = 40°$
$\therefore \angle x + \angle y = 50° + 40° = 90°$

답 90°

쌍둥이 6-2

오른쪽 그림에서 $\angle x - \angle y$의 크기를 구하여라.

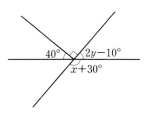

대표 유형 7 맞꼭지각의 쌍의 개수

유형 해결의 법칙 중 1–2 18쪽

두 직선이 한 점에서 만날 때 생기는 맞꼭지각은 $\angle a$와 $\angle c$, $\angle b$와 $\angle d$ ➡ 2쌍

참고 n개의 서로 다른 직선이 한 점에서 만날 때 생기는 맞꼭지각은 $n(n-1)$쌍이다.

7-1 오른쪽 그림과 같이 세 직선이 한 점에서 만날 때 생기는 맞꼭지각은 모두 몇 쌍인지 구하여라.

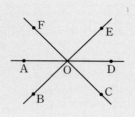

풀이 $\overleftrightarrow{AD}$와 $\overleftrightarrow{FC}$가 만날 때 : $\angle AOF$와 $\angle DOC$, $\angle FOD$와 $\angle COA$

$\overleftrightarrow{AD}$와 $\overleftrightarrow{BE}$가 만날 때 : $\angle AOB$와 $\angle DOE$, $\angle BOD$와 $\angle EOA$

$\overleftrightarrow{BE}$와 $\overleftrightarrow{FC}$가 만날 때 : $\angle BOF$와 $\angle EOC$, $\angle FOE$와 $\angle COB$

따라서 맞꼭지각은 모두 6쌍이 생긴다.

답 6쌍

쌍둥이 7-2

다음 그림과 같이 네 직선이 한 점에서 만날 때 생기는 맞꼭지각은 모두 몇 쌍인지 구하여라.

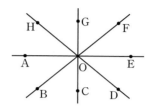

대표 유형 8 수직과 수선

유형 해결의 법칙 중 1–2 18쪽

오른쪽 그림에서 점 P에서 직선 l에 내린 수선의 발을 H라 하면

① $\overline{PH} \perp l$

② 점 P와 직선 l 사이의 거리 : $\overline{PH}$의 길이

8-1 다음 중 오른쪽 그림과 같은 삼각형 ABC에 대한 설명으로 옳지 <u>않은</u> 것은?

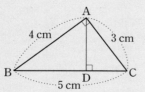

① $\overline{AB}$는 $\overline{AC}$의 수선이다.

② $\angle ADB = \angle BAC = 90°$

③ 점 C와 $\overline{AB}$ 사이의 거리는 5 cm이다.

④ 점 B와 $\overline{AC}$ 사이의 거리는 4 cm이다.

⑤ 점 B에서 $\overline{AC}$에 내린 수선의 발은 점 A이다.

풀이 ③ 점 C와 $\overline{AB}$ 사이의 거리는 $\overline{AC}$의 길이와 같으므로 3 cm이다.

답 ③

쌍둥이 8-2

다음 중 오른쪽 그림과 같은 사다리꼴 ABCD에 대한 설명으로 옳은 것을 모두 고르면? (정답 2개)

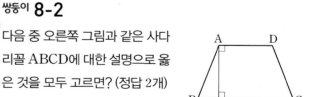

① $\overline{AD} \perp \overline{BC}$

② $\overline{AB}$의 수선은 $\overline{AE}$이다.

③ $\overleftrightarrow{AB}$와 $\overleftrightarrow{CD}$는 한 점에서 만난다.

④ 점 D와 $\overline{BC}$ 사이의 거리는 $\overline{AE}$의 길이와 같다.

⑤ 점 C에서 $\overline{AE}$에 내린 수선의 발은 점 B이다.

각 / 맞꼭지각

(1) 각의 분류
  ① (평각)=180°   ② (직각)= ❶
  ③ 0°<(예각)<90°   ④ 90°<(둔각)<180°

(2) 맞꼭지각
  ① 맞꼭지각 : 교각 중에서 서로 마주 보는 두 각
  ② 맞꼭지각의 성질 : 맞꼭지각의 크기는 서로 ❷

답 ❶ 90° ❷ 같다.

01

다음 보기 중에서 예각인 것은 모두 몇 개인가?

┌─ 보기 ─────────────────────────┐
│ ㉠ 20°   ㉡ 65°   ㉢ 95°   │
│ ㉣ 105°   ㉤ 170°   ㉥ 180°   │
└────────────────────────────────┘

① 2개   ② 3개   ③ 4개
④ 5개   ⑤ 6개

02

오른쪽 그림에서 $\angle x$의 크기를 구하여라.

★ 03

오른쪽 그림에서 $\angle x : \angle y : \angle z = 3 : 4 : 5$일 때, $\angle x$의 크기를 구하여라.

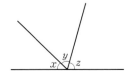

04

창의력

오른쪽 그림에서 $\angle AOC = 40°$, $\angle COD = \dfrac{2}{7}\angle COB$일 때, $\angle DOB$의 크기를 구하여라.

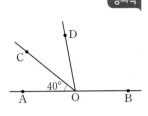

05

서술형

오른쪽 그림에서 $\angle AOB = 90°$ 이고 $\angle AOB = 5\angle BOC$, $\angle COE = 3\angle COD$일 때, $\angle BOD$의 크기를 구하여라.

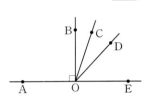

★ 06

다음 그림에서 $\angle x$의 크기를 구하여라.

(1)   (2)

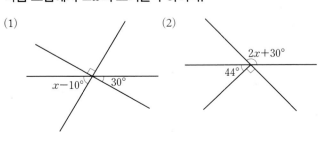

07

오른쪽 그림과 같이 세 직선이 한 점에서 만날 때, $\angle x$의 크기는?

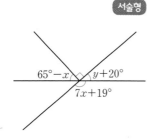

① $25°$ ② $28°$

③ $30°$ ④ $32°$

⑤ $35°$

08

서술형

오른쪽 그림에서 $\angle x$, $\angle y$의 크기를 각각 구하여라.

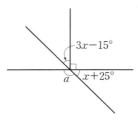

09

오른쪽 그림에서 $\angle a$의 크기는?

① $120°$ ② $125°$

③ $130°$ ④ $135°$

⑤ $140°$

수직과 수선

(1) 직교 : 두 직선 AB, CD의 교각이 직각일 때, 두 직선은 직교한다 또는 서로 수직이라 한다.

→ $\overleftrightarrow{AB}$ ❶ $\overleftrightarrow{CD}$

(2) 수선 : 두 직선이 서로 수직일 때, 한 직선을 다른 직선의 수선이라 한다.

(3) 수선의 발 : 한 직선과 그 수선의 교점

(4) 점과 직선 사이의 거리 : 점 P에서 수선의 발 ❷ 까지의 거리

→ $\overline{PH}$의 길이

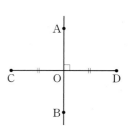

답 ❶⊥ ❷H

10

오른쪽 그림에서 직선 AB가 선분 CD의 수직이등분선일 때, 다음 중 옳지 않은 것은?

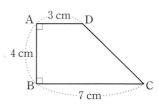

① $\overleftrightarrow{AB} \perp \overline{CD}$

② $\overline{CD} = 2\overline{OD}$

③ $\angle AOC = \angle AOD$

④ 점 A와 $\overline{CD}$ 사이의 거리는 $\overline{AB}$의 길이와 같다.

⑤ 점 A에서 $\overline{CD}$에 내린 수선의 발은 점 O이다.

★ 11

다음 중 오른쪽 그림과 같은 사각형 ABCD에 대한 설명으로 옳은 것은?

① $\overline{CD}$와 $\overline{AB}$는 수직이다.

② $\overline{AB}$는 $\overline{BC}$의 수직이등분선이다.

③ 점 A와 $\overline{CD}$ 사이의 거리는 3 cm이다.

④ 점 D에서 $\overline{BC}$에 내린 수선의 발은 점 A이다.

⑤ 점 A와 $\overline{BC}$ 사이의 거리는 점 D와 $\overline{BC}$ 사이의 거리와 같다.

2 위치 관계

학습 목표

- 점과 직선의 위치 관계를 이해한다.
- 평면에서 두 직선의 위치 관계를 이해한다.
- 공간에서 두 직선의 위치 관계를 이해한다.
- 공간에서 직선과 평면의 위치 관계를 이해한다.
- 공간에서 두 평면의 위치 관계를 이해한다.

1 위치 관계

개념1 점과 직선, 점과 평면, 평면에서 두 직선의 위치 관계

개념2 공간에서 두 직선의 위치 관계

개념3 공간에서 직선과 평면의 위치 관계

개념4 공간에서 두 평면의 위치 관계

1 위치 관계

개념 1 점과 직선, 점과 평면, 평면에서 두 직선의 위치 관계

(1) **점과 직선의 위치 관계**

   ① 점 A는 직선 l 위에 있다. (직선 l이 점 A를 지난다.)

   ② 점 B는 직선 l 위에 있지 않다. (직선 l이 점 B를 지나지 않는다.)

(2) **점과 평면의 위치 관계**

   ① 점 A는 평면 P 위에 있다. (평면 P는 점 A를 포함한다.)

   ② 점 B는 평면 P 위에 있지 않다. (평면 P는 점 B를 포함하지 않는다.)

(3) **두 직선의 평행** 한 평면 위에 있는 두 직선 l, m이 서로 만나지 않을 때, 두 직선 l, m은 평행하다고 하고, 기호로 $l \parallel m$과 같이 나타낸다.

(4) **평면에서 두 직선의 위치 관계**

   ① 한 점에서 만난다.   ② 평행하다.   ③ 일치한다.

    ↳ 교점 1개   ↳ 교점이 없다.   ↳ 교점이 무수히 많다.

   참고 평면이 하나로 정해지는 조건

    ① 한 직선 위에 있지 않은 서로 다른 세 점   ② 한 직선과 그 직선 밖에 있는 한 점   ③ 한 점에서 만나는 두 직선   ④ 서로 평행한 두 직선

보기 오른쪽 그림의 직사각형 ABCD에서

   ① 변 AD와 한 점에서 만나는 변 ⇨ 변 AB, 변 CD

   ② 변 AD와 평행한 변 ⇨ 변 BC

• **Lecture** •

● 점이 직선 위에 있지 않을 때, '점이 직선 밖에 있다.'라고도 한다.

● 평면은 보통 평행사변형 모양으로 그리지만 한없이 펼쳐지는 평면임에 주의한다.

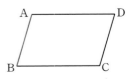

| 개념 확인 | **1**   **오른쪽 그림과 같은 평행사변형 ABCD에서 다음 물음에 답하여라.**

   (1) 변 AB와 한 점에서 만나는 변을 모두 구하여라.

   (2) 변 AB와 평행한 변을 찾아 기호 $\parallel$를 사용하여 나타내어라.

개념 ② 공간에서 두 직선의 위치 관계

(1) **꼬인 위치** 공간에서 두 직선이 만나지도 않고 평행하지도 않을 때, 두 직선은 꼬인 위치에 있다고 한다.

(2) **공간에서 두 직선의 위치 관계**

① 한 점에서 만난다.　　② 평행하다.　　③ 일치한다.　　④ 꼬인 위치에 있다.

　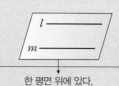　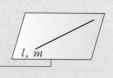　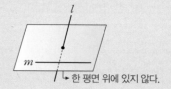

한 평면 위에 있다.　　　　　　　　　　　　　　　　　한 평면 위에 있지 않다.

 직육면체에서 두 모서리의 위치 관계 알아보기

① 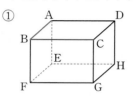　② 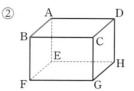　③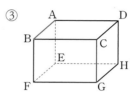

⇨ 모서리 AB와 모서리 BC는 한 점에서 만난다.　⇨ 모서리 AB와 모서리 DC는 평행하다.　⇨ 모서리 AB와 모서리 CG는 꼬인 위치에 있다.

• Lecture •

● 꼬인 위치에 있는 두 직선은 한 평면 위에 있지 않다.

● 입체도형에서 꼬인 위치에 있는 모서리를 찾는 방법

① 한 점에서 만나는 모서리를 제외한다. ⇨ ② 평행한 모서리를 제외한다.

2
위
치
관
계

‖ 개념 확인 ‖ **2**　오른쪽 그림과 같은 직육면체에서 다음을 구하여라.

(1) 모서리 AE와 한 점에서 만나는 모서리

(2) 모서리 AE와 평행한 모서리

(3) 모서리 AE와 꼬인 위치에 있는 모서리

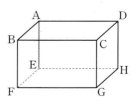

개념 ③ 공간에서 직선과 평면의 위치 관계

(1) **직선과 평면의 평행**

　공간에서 직선 l과 평면 P가 만나지 않을 때, 직선 l과 평면 P는 평행하다고 하고, 기호로 $l /\!/ P$와 같이 나타낸다.

(2) **공간에서 직선과 평면의 위치 관계**

① 한 점에서 만난다.　　　　② 평행하다.　　　　③ 직선이 평면에 포함된다.

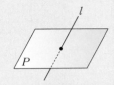　　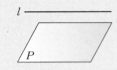　　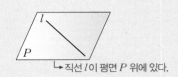

↳ 직선 l이 평면 P 위에 있다.

(3) **직선과 평면의 수직**

　직선 l이 평면 P와 점 H에서 만나고 점 H를 지나는 평면 P 위의 모든 직선과 수직일 때,

　직선 l과 평면 P는 수직이다 또는 직교한다고 하고, 기호로 $l \perp P$와 같이 나타낸다.

　이때 직선 l은 평면 P의 수선, 점 H는 수선의 발이라 한다.

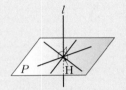

　[참고] 점 A와 평면 P 사이의 거리 ➡ $\overline{AH}$의 길이

[보기] 오른쪽 그림과 같은 직육면체에서

① 면 ABCD와 한 점에서 만나는 모서리 ⇨ $\overline{AE}, \overline{BF}, \overline{CG}, \overline{DH}$

② 면 ABCD와 평행한 모서리 ⇨ $\overline{EF}, \overline{FG}, \overline{GH}, \overline{EH}$

③ 면 ABCD에 포함되는 모서리 ⇨ $\overline{AB}, \overline{BC}, \overline{CD}, \overline{AD}$

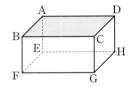

• **Lecture** •

● 직선과 평면은 한없이 뻗어 있으므로 평행하지 않으면 오른쪽 그림과 같이 반드시 만나게 된다. 따라서 직선과 평면의 위치 관계에서는 꼬인 위치가 없다.

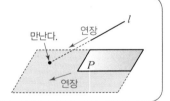

│ 개념 확인 │ **3**　**오른쪽 그림과 같은 직육면체에서 다음을 구하여라.**

(1) 모서리 CD와 한 점에서 만나는 면

(2) 모서리 CD와 평행한 면

(3) 모서리 CD를 포함하는 면

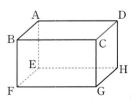

개념 **4** 공간에서 두 평면의 위치 관계

(1) **두 평면의 평행**

공간에서 두 평면 P, Q가 만나지 않을 때, 두 평면 P, Q는 평행하다고 하고, 기호로 $P /\!/ Q$와 같이 나타낸다.

(2) **공간에서 두 평면의 위치 관계**

① 한 직선에서 만난다. ② 평행하다. ③ 일치한다.

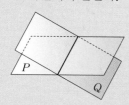 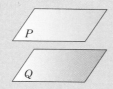 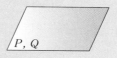

(3) **두 평면의 수직**

두 평면 P와 Q가 만나고 평면 P가 평면 Q에 수직인 직선 l을 포함할 때, 두 평면 P와 Q는 수직이다 또는 직교한다고 하고, 기호로 $P \perp Q$와 같이 나타낸다.

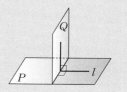

보기 오른쪽 그림과 같은 직육면체에서

① 면 ABCD와 한 모서리에서 만나는 면
   ⇨ 면 ABFE, 면 BFGC, 면 CGHD, 면 AEHD

② 면 ABCD와 평행한 면
   ⇨ 면 EFGH

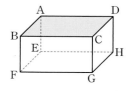

• Lecture •

● **두 평면 사이의 거리**

평행한 두 평면 P, Q에 대하여 평면 P 위의 한 점 A에서 평면 Q에 내린 수선의 발 H까지의 거리를 두 평면 P, Q 사이의 거리라 한다.
   └─ $\overline{AH}$의 길이

참고 두 평면 사이의 거리는 두 평면이 평행할 때에만 구할 수 있다.

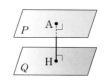

┃ 개념 확인 ┃ 4   **오른쪽 그림과 같은 직육면체에서 다음을 구하여라.**

(1) 면 CGHD와 한 모서리에서 만나는 면

(2) 면 CGHD와 수직인 면

(3) 면 CGHD와 평행한 면

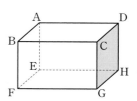

개념 기초

1-1

다음 중 오른쪽 그림에 대한 설명으로 옳은 것에는 ○표, 옳지 않은 것에는 ×표를 하여라.

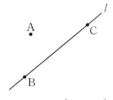

(1) 직선 l은 점 A를 지난다. ( )

(2) 점 A는 직선 l 위에 있다. ( )

(3) 직선 l 위에 있는 점은 점 B와 점 C이다. ( )

(4) 점 C는 직선 l 위에 있다. ( )

연구 직선이 점을 지날 때, '점이 직선 위에 있다.'라는 표현을 사용한다.

2-1

오른쪽 그림과 같은 삼각기둥에서 모서리 AB와 다음 위치 관계에 있는 모서리를 구하여라.

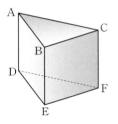

(1) 한 점에서 만나는 모서리

(2) 평행한 모서리

(3) 꼬인 위치에 있는 모서리

연구 (3) 공간에서 두 직선이 만나지도 않고 [ ]하지도 않을 때, 두 직선은 꼬인 위치에 있다고 한다.

3-1

오른쪽 그림과 같은 삼각기둥에서 다음을 구하여라.

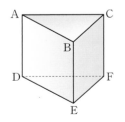

(1) 면 DEF와 평행한 면

(2) 면 BEFC와 수직인 면

(3) 모서리 AB와 평행한 면

쌍둥이 문제

1-2

오른쪽 그림에 대하여 다음을 구하여라.

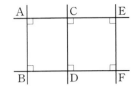

(1) $\overleftrightarrow{AB}$와 평행한 직선

(2) $\overleftrightarrow{AB}$와 수직인 직선

(3) 두 직선 CD와 EF의 위치 관계

(4) 두 직선 AE와 BF의 위치 관계

2-2

오른쪽 그림과 같은 직육면체에서 모서리 AB와 다음 위치 관계에 있는 모서리를 구하여라.

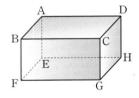

(1) 평행한 모서리

(2) 수직인 모서리

(3) 꼬인 위치에 있는 모서리

3-2

오른쪽 그림과 같은 직육면체에서 다음을 구하여라.

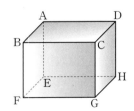

(1) 모서리 AD와 평행한 면

(2) 면 AEHD와 평행한 면

(3) 모서리 CG와 한 점에서 만나는 면

STEP ❷ 대표 유형으로 개념 잡기

대표 유형 ❶ 점과 직선, 점과 평면의 위치 관계

유형 해결의 법칙 중 1-2 30쪽

(1) 점과 직선의 위치 관계
   ① 점이 직선 위에 있다.
   ② 점이 직선 위에 있지 않다.

(2) 점과 평면의 위치 관계
   ① 점이 평면 위에 있다.
   ② 점이 평면 위에 있지 않다.

1-1 오른쪽 그림과 같이 직선 l 이 평면 P 위에 있을 때, 5개의 점 A, B, C, D, E에 대하여 다음 보기 중 옳은 것을 모두 골라라.

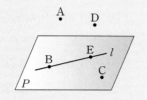

┌─ 보기 ─
│ ㉠ 점 E는 직선 l 위에 있다.
│ ㉡ 평면 P 위에 있는 점은 3개이다.
│ ㉢ 직선 l 위에 있지 않은 점은 1개이다.
│ ㉣ 직선 l은 점 C를 지난다.
└─

쌍둥이 1-2

다음 중 오른쪽 그림에 대한 설명으로 옳지 않은 것은?

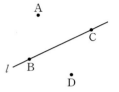

① 직선 l은 점 A를 지나지 않는다.
② 직선 l은 점 B를 지난다.
③ 점 C는 직선 l 위에 있다.
④ 점 D는 직선 l 위에 있지 않다.
⑤ 두 점 B, C는 같은 직선 위에 있지 않다.

풀이 ㉡ 평면 P 위에 있는 점은 점 B, 점 C, 점 E의 3개이다.
㉢ 직선 l 위에 있지 않은 점은 점 A, 점 C, 점 D의 3개이다.
㉣ 직선 l은 점 C를 지나지 않는다.
따라서 옳은 것은 ㉠, ㉡이다.   답 ㉠, ㉡

대표 유형 ❷ 평면에서 두 직선의 위치 관계

유형 해결의 법칙 중 1-2 30쪽

① 한 점에서 만난다.   ② 평행하다.   ③ 일치한다.

2-1 오른쪽 그림의 정육각형 ABCDEF에서 각 변을 연장한 직선을 그을 때, $\overleftrightarrow{AB}$와 한 점에서 만나는 직선을 모두 구하여라.

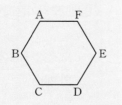

쌍둥이 2-2

다음 중 오른쪽 그림의 사각형 ABCD에 대한 설명으로 옳은 것은?

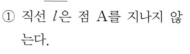

① $\overleftrightarrow{AB}$와 $\overleftrightarrow{DC}$는 평행하다.
② $\overleftrightarrow{AD}$와 $\overleftrightarrow{BC}$는 수직이다.
③ $\overleftrightarrow{AD}$와 $\overleftrightarrow{CD}$는 꼬인 위치에 있다.
④ 점 A에서 $\overleftrightarrow{CD}$에 내린 수선의 발은 점 D이다.
⑤ 점 B와 $\overleftrightarrow{AD}$ 사이의 거리는 $\overline{AB}$의 길이와 같다.

풀이 $\overleftrightarrow{AB}$와 한 점에서 만나는 직선은 $\overleftrightarrow{BC}, \overleftrightarrow{CD}, \overleftrightarrow{EF}, \overleftrightarrow{AF}$이다.

두 직선의 위치 관계에서 변 또는 모서리는 직선으로 연장하여 생각해.

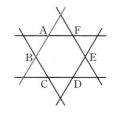

답 $\overleftrightarrow{BC}, \overleftrightarrow{CD}, \overleftrightarrow{EF}, \overleftrightarrow{AF}$

대표 유형 ❸ 평면이 하나로 정해지는 조건

유형 해결의 법칙 중 1-2 31쪽

다음과 같은 경우에 평면이 하나로 정해진다.

① 한 직선 위에 있지 않은 서로 다른 세 점   ② 한 직선과 그 직선 밖에 있는 한 점

③ 한 점에서 만나는 두 직선   ④ 서로 평행한 두 직선

3-1 다음 중 평면이 하나로 정해지지 <u>않는</u> 경우는?

① 서로 평행한 두 직선

② 한 점에서 만나는 두 직선

③ 한 직선과 그 직선 위에 있지 않은 한 점

④ 한 직선 위에 있지 않은 세 점

⑤ 꼬인 위치에 있는 두 직선

풀이 ⑤ 꼬인 위치에 있는 두 직선은 한 평면 위에 있지 않으므로 평면
이 하나로 정해지지 않는다.

답 ⑤

쌍둥이 3-2

오른쪽 그림과 같이 평면 P 위에
한 직선 위에 있지 않은 세 점 B,
C, D가 있고, 평면 P 밖에 점 A
가 있다. 이들 네 점 중 세 점으로
정해지는 서로 다른 평면의 개수
를 구하여라.

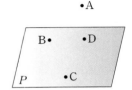

대표 유형 ❹ 공간에서 두 직선의 위치 관계

유형 해결의 법칙 중 1-2 31쪽

① 한 점에서 만난다.   ② 평행하다.   ③ 일치한다.   ④ 꼬인 위치에 있다.

참고 입체도형에서 꼬인 위치에 있는 모서리를 찾는 방법 ➡ 한 점에서 만나는 모서리, 평행한 모서리는 제외한다.

4-1 오른쪽 그림의 직육면체에
대하여 다음 물음에 답하여라.

(1) $\overline{EG}$와 수직으로 만나는 모
서리를 구하여라.

(2) $\overline{AC}$와 꼬인 위치에 있는 모서리를 구하여라.

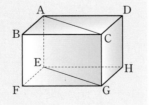

풀이 (1) $\overline{EG}$와 수직으로 만나는 모서리는 $\overline{AE}$, $\overline{CG}$이다.

(2) $\overline{AC}$와 꼬인 위치에 있는 모서리는 $\overline{BF}$, $\overline{DH}$, $\overline{EF}$, $\overline{FG}$, $\overline{GH}$,
$\overline{EH}$이다.

답 (1) $\overline{AE}$, $\overline{CG}$ (2) $\overline{BF}$, $\overline{DH}$, $\overline{EF}$, $\overline{FG}$, $\overline{GH}$, $\overline{EH}$

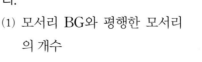

공간에서 꼬인 위치에 있는 두 직선은
한 평면 위에 있지 않아.

쌍둥이 4-2

오른쪽 그림과 같이 밑면이 정오각
형인 오각기둥에서 다음을 구하여
라.

(1) 모서리 BG와 평행한 모서리
의 개수

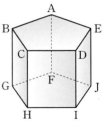

(2) 모서리 BG와 만나는 모서리의 개수

(3) 모서리 BG와 꼬인 위치에 있는 모서리의 개수

대표 유형 ⑤ 공간에서 직선과 평면, 두 평면의 위치 관계

유형 해결의 법칙 중 1-2 33쪽, 34쪽

(1) 공간에서 직선과 평면의 위치 관계
① 한 점에서 만난다.
② 평행하다.
③ 직선이 평면에 포함된다.

(2) 공간에서 두 평면의 위치 관계
① 한 직선에서 만난다.
② 평행하다.
③ 일치한다.

5-1 오른쪽 그림과 같은 직육면체에서 다음을 구하여라.

(1) 평면 AEGC와 평행한 모서리

(2) 선분 AC와 평행한 면

(3) 면 EFGH와 수직인 모서리

(4) 평면 AEGC와 수직인 면

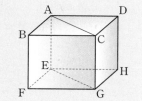

쌍둥이 5-2

오른쪽 그림과 같이 밑면이 정육각형인 육각기둥에서 다음을 구하여라.

(1) 모서리 CD를 포함하는 면

(2) 모서리 BH와 한 점에서 만나는 면

(3) 면 CIJD와 평행한 모서리

(4) 면 ABCDEF와 수직인 모서리

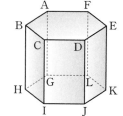

풀이 (1) 평면 AEGC와 평행한 모서리는 $\overline{BF}$, $\overline{DH}$이다.
(2) 선분 AC와 평행한 면은 면 EFGH이다.
(3) 면 EFGH와 수직인 모서리는 $\overline{AE}$, $\overline{BF}$, $\overline{CG}$, $\overline{DH}$이다.
(4) 평면 AEGC와 수직인 면은 면 ABCD, 면 EFGH이다.

답 (1) $\overline{BF}$, $\overline{DH}$ (2) 면 EFGH (3) $\overline{AE}$, $\overline{BF}$, $\overline{CG}$, $\overline{DH}$
(4) 면 ABCD, 면 EFGH

대표 유형 ⑥ 일부가 잘린 입체도형에서의 위치 관계

유형 해결의 법칙 중 1-2 36쪽

일부가 잘린 입체도형에서의 위치 관계는 공간에서의 위치 관계와 같으므로 공간에서 두 직선, 직선과 평면, 두 평면의 위치 관계를 살펴본다.

6-1 오른쪽 그림과 같이 정육면체를 세 꼭짓점 B, F, C를 지나는 평면으로 잘라 만든 입체도형에서 모서리 AB와 꼬인 위치에 있는 모서리를 모두 구하여라.

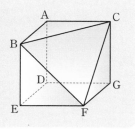

풀이 모서리 AB와 꼬인 위치에 있는 모서리는 $\overline{CF}$, $\overline{CG}$, $\overline{DG}$, $\overline{EF}$이다.

답 $\overline{CF}$, $\overline{CG}$, $\overline{DG}$, $\overline{EF}$

쌍둥이 6-2

오른쪽 그림은 직육면체에서 삼각기둥을 잘라 내고 남은 입체도형이다. 모서리 FG와 평행한 면의 개수를 a, 수직인 면의 개수를 b라 할 때, $a+b$의 값을 구하여라.

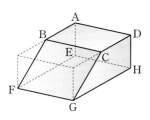

대표 유형 **7** 공간에서 여러 가지 위치 관계

유형 해결의 법칙 중 1-2 37쪽

공간에서 여러 가지 위치 관계를 알아볼 때에는 직육면체를 그려서 각 면을 평면으로, 각 모서리를 직선으로 생각한다.

7-1 공간에서 서로 다른 두 직선 l, m과 서로 다른 세 평면 P, Q, R에 대하여 다음 중 항상 옳은 것은?

① $l \perp P, m /\!/ P$이면 $l \perp m$이다.
② $l /\!/ P, l /\!/ Q$이면 $P /\!/ Q$이다.
③ $l /\!/ P, m /\!/ P$이면 $l /\!/ m$이다.
④ $l \perp P, m \perp P$이면 $l /\!/ m$이다.
⑤ $P \perp Q, P \perp R$이면 $Q /\!/ R$이다.

풀이 ① $l \perp P, m /\!/ P$일 때

➡ 두 직선 l과 m은 한 점에서 만나거나 꼬인 위치에 있다.

② $l /\!/ P, l /\!/ Q$일 때

➡ 두 평면 P와 Q는 한 직선에서 만나거나 평행하다.

③ $l /\!/ P, m /\!/ P$일 때

➡ 두 직선 l과 m은 한 점에서 만나거나 평행하거나 꼬인 위치
에 있다.

④ $l \perp P, m \perp P$일 때

➡ 두 직선 l과 m은 평행하다. 즉 $l /\!/ m$이다.

⑤ $P \perp Q, P \perp R$일 때

➡ 두 평면 Q와 R는 한 직선에서 만나거나 평행하다.

답 ④

쌍둥이 7-2

공간에서 서로 다른 세 직선 l, m, n과 서로 다른 세 평면 P, Q, R에 대하여 다음 중 옳은 것에는 ○표, 옳지 않은 것에는 ×표를 하여라.

(1) $l \perp m, l \perp n$이면 $m \perp n$이다.   (　　)

(2) $l /\!/ m, l \perp n$이면 $m /\!/ n$이다.   (　　)

(3) $l /\!/ m, l /\!/ n$이면 $m /\!/ n$이다.   (　　)

(4) $P /\!/ Q, P \perp R$이면 $Q /\!/ R$이다.   (　　)

(5) $P /\!/ Q, Q /\!/ R$이면 $P /\!/ R$이다.   (　　)

쌍둥이 7-3

다음 공간에서의 위치 관계 중에서 항상 평행한 것은?

① 한 직선에 평행한 서로 다른 두 평면
② 한 평면에 수직인 서로 다른 두 평면
③ 한 직선에 수직인 서로 다른 두 직선
④ 한 직선에 수직인 서로 다른 두 평면
⑤ 꼬인 위치에 있는 두 직선을 각각 포함하는 두 평면

1 다음 그림과 같은 직육면체에 대하여 □ 안에 알맞은 것을 써넣어라.

(1)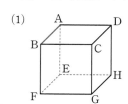

모서리 AB와 수직인 모서리
➡ $\overline{AD}$, □, □, $\overline{BF}$

(2)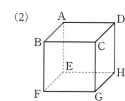

모서리 AB와 수직인 면
➡ 면 BFGC, □

(3)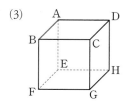

모서리 AB와 평행한 면
➡ 면 EFGH, □

(4)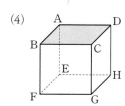

면 ABCD와 수직인 모서리
➡ $\overline{AE}$, □, $\overline{CG}$, $\overline{DH}$

(5)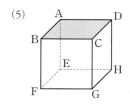

면 ABCD와 평행한 모서리
➡ $\overline{EF}$, $\overline{FG}$, □, □

(6)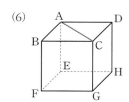

선분 AC와 수직으로 만나는 모서리
➡ $\overline{AE}$, □

(7)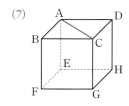

선분 AC와 꼬인 위치에 있는 모서리
➡ $\overline{BF}$, □, $\overline{EF}$, $\overline{FG}$, □, $\overline{EH}$

(8)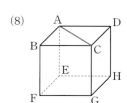

선분 AC와 평행한 면
➡ □

(9)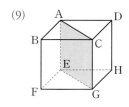

평면 AEGC와 평행한 모서리
➡ $\overline{BF}$, □

(10)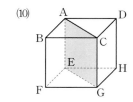

평면 AEGC와 수직인 면
➡ □, 면 EFGH

두 직선의 위치 관계

(1) 평면에서 두 직선의 위치 관계
 ① 한 점에서 만난다.
 ② 평행하다.
 ③ 일치한다.
(2) 공간에서 두 직선의 위치 관계
 ① 한 점에서 만난다.
 ② ❶⬚ 하다.
 ③ 일치한다.
 ④ 꼬인 위치에 있다.
 참고 공간에서 두 직선이 만나지도 않고 평행하지도 않을 때,
   두 직선은 꼬인 위치에 있다고 한다.

답 ❶ 평행

01

다음 중 오른쪽 그림에 대한 설명으로 옳은 것은?

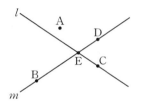

① 점 A는 직선 l 위에 있다.
② 점 B는 직선 m 밖에 있다.
③ 점 C는 직선 m 위에 있지 않다.
④ 두 직선 l과 m은 평행하다.
⑤ 점 D는 두 직선 l과 m의 교점이다.

02

한 평면 위에 있는 서로 다른 세 직선 l, m, n에 대하여 $m \perp l$, $m \perp n$일 때, 두 직선 l과 n의 위치 관계는?

① 일치한다. ② 직교한다.
③ 평행하다. ④ 한 점에서 만난다.
⑤ 서로 다른 두 점에서 만난다.

03 ⭐

다음 중 오른쪽 그림과 같은 직육면체에 대한 설명으로 옳지 않은 것은?

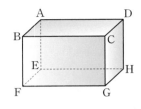

① 모서리 AB와 모서리 CD는 평행하다.
② 모서리 AB와 모서리 BF는 한 점에서 만난다.
③ 모서리 AB와 모서리 FG는 꼬인 위치에 있다.
④ 모서리 BC와 모서리 AE는 수직으로 만난다.
⑤ 모서리 EH와 모서리 DH의 교점은 점 H이다.

04 서술형

오른쪽 그림과 같이 밑면이 정사각형인 사각뿔에서 모서리 BC와 만나는 모서리의 개수를 a, 평행한 모서리의 개수를 b, 꼬인 위치에 있는 모서리의 개수를 c라 할 때, $a - b + c$의 값을 구하여라.

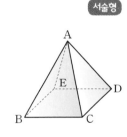

05 창의력

오른쪽 그림은 직육면체에서 삼각기둥을 잘라 내고 남은 입체도형이다. 다음 중 모서리 AE와 꼬인 위치에 있는 모서리가 아닌 것은?

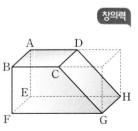

① $\overline{FG}$ ② $\overline{CG}$ ③ $\overline{GH}$
④ $\overline{DH}$ ⑤ $\overline{BC}$

공간에서 직선과 평면, 두 평면의 위치 관계

(1) 직선과 평면의 위치 관계
 ① 한 점에서 만난다.
 ② 평행하다.
 ③ 직선이 평면에 포함된다.
(2) 두 평면의 위치 관계
 ① 한 직선에서 만난다.
 ② 평행하다.
 ③ ❶   한다.

답 ❶일치

06

다음 중 오른쪽 그림의 삼각기둥에 대한 설명으로 옳지 <u>않은</u> 것은?

① 면 ABC와 만나는 면은 3개이다.
② 모서리 AD와 수직인 면은 2개이다.
③ 모서리 AB와 평행한 면은 1개이다.
④ 모서리 EF와 꼬인 위치에 있는 모서리는 없다.
⑤ 면 ADEB와 평행한 모서리는 1개이다.

07

다음 중 오른쪽 그림과 같이 밑면이 정오각형인 오각기둥에 대한 설명으로 옳은 것은?

① 직선 AB와 직선 DE는 평행하다.
② 면 ABCDE와 모서리 DE는 평행하다.
③ 면 AFGB와 수직인 모서리는 5개이다.
④ 면 BGHC와 면 CHID의 교선은 없다.
⑤ 모서리 AF와 모서리 BC는 꼬인 위치에 있다.

08

다음 중 오른쪽 그림의 직육면체에 대한 설명으로 옳은 것은?

① 선분 BD와 면 EFGH는 수직이다.
② 모서리 BF와 면 EFGH는 평행하다.
③ 모서리 BC와 모서리 DH는 평행하다.
④ 선분 FH와 모서리 AE는 꼬인 위치에 있다.
⑤ 면 ABCD와 면 EFGH는 수직이다.

09

서술형

오른쪽 그림은 직육면체를 세 꼭짓점 B, F, C를 지나는 평면으로 잘라 만든 입체도형이다. 다음 물음에 답하여라.

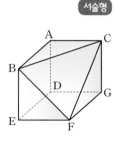

(1) 모서리 AB와 모서리 CG의 위치 관계를 말하여라.

(2) 면 CFG와 수직인 모서리를 모두 구하여라.

(3) 면 BEF와 수직인 면의 개수를 구하여라.

★ 10

공간에서 서로 다른 두 직선 l, m과 서로 다른 두 평면 P, Q에 대하여 다음 보기 중 옳은 것을 골라라.

보기
㉠ $l \perp P$, $l \perp Q$이면 $P /\!/ Q$이다.
㉡ $l \perp P$, $P /\!/ Q$이면 $l /\!/ Q$이다.
㉢ $P /\!/ l$, $P /\!/ m$이면 $l \perp m$이다.

3 평행선의 성질

학습 목표

• 동위각과 엇각의 뜻을 알 수 있다.
• 평행선에서 동위각의 성질을 이해한다.
• 평행선에서 엇각의 성질을 이해한다.

1 평행선의 성질

개념1 동위각과 엇각

개념2 평행선의 성질

개념3 두 직선이 서로 평행하기 위한 조건

개념 ① 동위각과 엇각

한 평면 위에서 서로 다른 두 직선 l, m이 다른 한 직선 n과 만나서 생기는 8개의 각 중에서

(1) **동위각** 같은 위치에 있는 두 각

➡ $\angle a$와 $\angle e$, $\angle b$와 $\angle f$, $\angle c$와 $\angle g$, $\angle d$와 $\angle h$

(2) **엇각** 엇갈린 위치에 있는 두 각

➡ $\angle b$와 $\angle h$, $\angle c$와 $\angle e$

주의 엇각은 두 직선 l, m 사이에 있는 각으로 $\angle a$, $\angle d$, $\angle f$, $\angle g$의 엇각은 존재하지 않는다.

참고 오른쪽 그림과 같이 한 평면 위에서 서로 다른 두 직선이 다른 한 직선과 만나서 생기는 각 중에서 같은 쪽에 있는 안쪽 각을 동측내각이라 한다.

➡ $\angle a$와 $\angle b$, $\angle x$와 $\angle y$

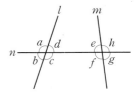

 보기 오른쪽 그림과 같이 서로 다른 두 직선 l, m이 다른 한 직선 n과 만날 때

(1) $\angle a$의 동위각은 $\angle e$, $\angle b$의 동위각은 $\angle f$, $\angle c$의 동위각은 $\angle g$,

  $\angle d$의 동위각은 $\angle h$

(2) $\angle c$의 엇각은 $\angle e$, $\angle d$의 엇각은 $\angle f$

• **Lecture** •

● 동위각의 위치

● 엇각의 위치

| 개념 확인 | **1** 오른쪽 그림과 같이 두 직선 l, m이 다른 한 직선 n과 만날 때, 다음을 구하여라.

(1) $\angle a$의 동위각의 크기

(2) $\angle c$의 엇각의 크기

(3) $\angle f$의 엇각의 크기

(4) $\angle e$의 동위각의 크기

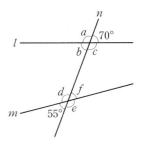

개념 ② 평행선의 성질

평행한 두 직선 l, m이 다른 한 직선 n과 만날 때

① 동위각의 크기는 서로 같다.

➡ $l /\!/ m$이면 $\angle a = \angle b$

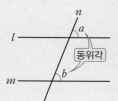

② 엇각의 크기는 서로 같다.

➡ $l /\!/ m$이면 $\angle c = \angle b$

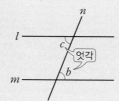

예 ①

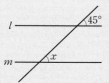

$l /\!/ m$이면 동위각의 크기가 서로 같으므로

$\angle x = 45°$

②

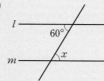

$l /\!/ m$이면 엇각의 크기가 서로 같으므로

$\angle x = 60°$

설명 두 직선이 평행하면 엇각의 크기는 서로 같다.

오른쪽 그림에서 $l /\!/ m$이면 동위각의 크기가 서로 같으므로

$\angle a = \angle b$ ······ ㉠

또 $\angle a$와 $\angle c$는 맞꼭지각이므로

$\angle a = \angle c$ ······ ㉡

㉠, ㉡에서 $\angle b = \angle c$

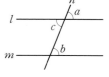

보기 동측내각의 성질

오른쪽 그림과 같이 서로 다른 두 직선 l, m이 다른 한 직선 n과 만날 때, 두 직선이 평행하면 동측내각의 크기의 합은 $180°$이다.

⇨ $l /\!/ m$이면 $\angle x = \angle b$ (엇각), 평각의 크기는 $180°$이므로 $\angle b + \angle y = 180°$

∴ $\angle x + \angle y = \angle b + \angle y = 180°$

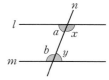

• Lecture •

● 동위각과 엇각의 크기는 두 직선이 평행할 때만 같다.

● 맞꼭지각의 크기는 두 직선이 어떻게 만나느냐에 상관없이 항상 같다.

│ 개념 확인 │ **2** 다음 그림에서 $l /\!/ m$일 때, $\angle x$, $\angle y$의 크기를 각각 구하여라.

(1)

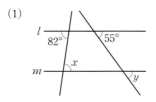

(2)

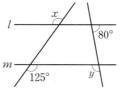

(3)

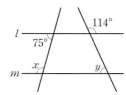

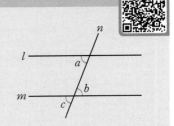

개념 ③ 두 직선이 서로 평행하기 위한 조건

서로 다른 두 직선 l, m이 다른 한 직선 n과 만날 때

① 동위각의 크기가 같으면 두 직선은 서로 평행하다.

　➡ $\angle a = \angle c$이면 $l /\!/ m$

② 엇각의 크기가 같으면 두 직선은 서로 평행하다.

　➡ $\angle a = \angle b$이면 $l /\!/ m$

참고 동측내각의 크기의 합이 180°이면 두 직선은 서로 평행하다.

보기 다음 그림에서 두 직선 l, m이 평행한지 알아보자.

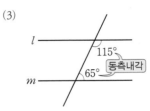

(1)

동위각의 크기가 같다.

⇨ $l /\!/ m$

(2)

엇각의 크기가 다르다.

⇨ 두 직선 l, m은 평행하지 않다.

(3)

동측내각의 크기의 합이 180°이다.

⇨ $l /\!/ m$

Lecture

● 두 직선이 평행하기 위한 조건

　① 동위각의 크기가 같다.

　② 엇각의 크기가 같다.

　③ 동측내각의 크기의 합이 180°이다.

| 개념 확인 | **3** 다음 그림에서 두 직선 l, m이 서로 평행하면 ○표, 평행하지 않으면 ×표를 하여라.

(1)

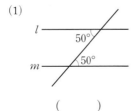

(　　　)

(2)

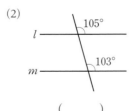

(　　　)

(3)

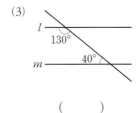

(　　　)

(4)

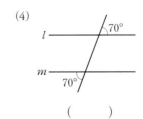

(　　　)

> 개념 기초

1-1

오른쪽 그림과 같이 두 직선이 다른 한 직선과 만나서 생기는 8개의 각에 대한 다음 설명 중 옳은 것에는 ○표, 옳지 않은 것에는 ×표를 하여라.

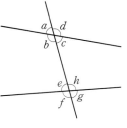

(1) ∠b와 ∠h는 엇각이다. ( )

(2) ∠c와 ∠f는 엇각이다. ( )

(3) ∠a와 ∠e는 동위각이다. ( )

(4) ∠b와 ∠f는 동위각이므로 ∠b=∠f이다. ( )

연구 (4) 동위각의 크기는 두 직선이 [ ]할 때만 같다.

2-1

다음 그림에서 $l /\!/ m$일 때, [ ] 안에는 동위각 또는 엇각 중 알맞은 것을 써넣고, ∠a, ∠b의 크기를 각각 구하여라.

(1)
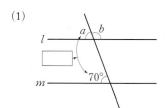

(2)
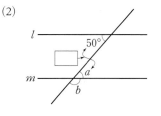

연구 (1) $l /\!/ m$이므로 ∠a=[ ] (동위각)

∠b=180°−∠a=180°−[ ]=[ ]

3-1

다음 [ ] 안에 알맞은 수를 써넣고, ( ) 안의 옳은 것에 ○표를 하여라.

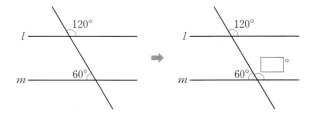

동위각의 크기가 (같다 , 다르다).

따라서 두 직선 l, m은 (평행하다 , 평행하지 않다).

> 쌍둥이 문제

1-2

오른쪽 그림에서 다음을 구하여라.

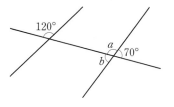

(1) ∠a의 동위각의 크기

(2) ∠b의 동위각의 크기

(3) ∠a의 엇각의 크기

(4) ∠b의 엇각의 크기

2-2

다음 그림에서 $l /\!/ m$일 때, ∠a, ∠b의 크기를 각각 구하여라.

(1)
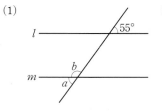

(2)
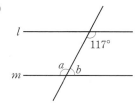

3-2

다음 [ ] 안에 알맞은 수를 써넣고, ( ) 안의 옳은 것에 ○표를 하여라.

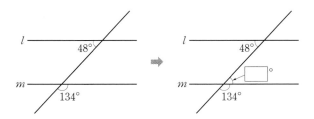

엇각의 크기가 (같다 , 다르다).

따라서 두 직선 l, m은 (평행하다 , 평행하지 않다).

대표 유형 ❶   동위각과 엇각

유형 해결의 법칙 중 1-2 46쪽

- 동위각 ➡ 같은 위치
- 엇각 ➡ 엇갈린 위치

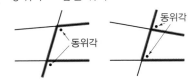

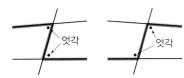

1-1 오른쪽 그림에서 다음을 구하여라.

(1) ∠a의 동위각

(2) ∠b의 엇각

(3) ∠d의 엇각의 크기

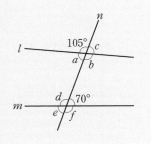

풀이 (1) ∠a의 동위각은 ∠e이다.

(2) ∠b의 엇각은 ∠d이다.

(3) ∠d의 엇각은 ∠b이고, ∠b=105° (맞꼭지각)

답 (1) ∠e   (2) ∠d   (3) 105°

쌍둥이 1-2

다음 중 오른쪽 그림에 대한 설명으로 옳지 <u>않은</u> 것은?

① ∠a의 동위각의 크기는 115°이다.

② ∠b의 동위각의 크기는 65°이다.

③ ∠c의 동위각의 크기는 65°이다.

④ ∠d의 엇각의 크기는 100°이다.

⑤ ∠f의 엇각의 크기는 65°이다.

대표 유형 ❷   평행선에서의 동위각과 엇각

유형 해결의 법칙 중 1-2 47쪽

① 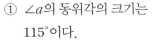 ➡ l // m이면 ∠a=∠b (동위각)

② 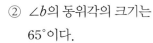 ➡ l // m이면 ∠c=∠d (엇각)

2-1 오른쪽 그림에서 l // m일 때, ∠a, ∠b의 크기를 각각 구하여라.

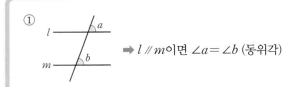

풀이 오른쪽 그림에서 l // m이므로

63° + ∠a + 55° = 180°

∠a + 118° = 180°   ∴ ∠a = 62°

∠b = 63° + ∠a

    = 63° + 62° = 125° (엇각)

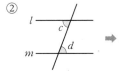

답 ∠a = 62°, ∠b = 125°

쌍둥이 2-2

다음 그림에서 l // m일 때, ∠x, ∠y의 크기를 각각 구하여라.

(1)

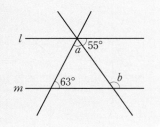

(2)

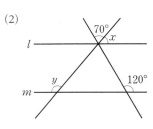

대표 유형 ③ 두 직선이 평행하기 위한 조건

유형 해결의 법칙 중 1–2 47쪽

다음 중 하나를 만족시키는 두 직선은 서로 평행하다.

① 동위각의 크기가 같다.　　　② 엇각의 크기가 같다.　　　③ 동측내각의 크기의 합이 180°이다.

3-1 다음 그림에서 서로 평행한 두 직선을 모두 찾아 기호를 사용하여 나타내어라.

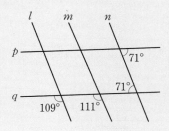

쌍둥이 3-2

다음 중 두 직선 l, m이 서로 평행한 것은?

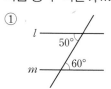 ①

 ②

 ③

 ④

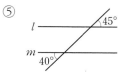 ⑤

풀이 두 직선 p, q가 직선 n과 만나서 생기는 엇각의 크기가 71°로 같으므로 $p /\!/ q$

두 직선 l, n이 직선 q와 만나서 생기는 동위각의 크기가 109°로 같으므로 $l /\!/ n$

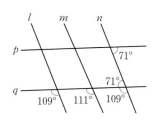

답 $p /\!/ q$, $l /\!/ n$

대표 유형 ④ 평행선에서 각의 크기 구하기 (1) – 삼각형의 성질 이용

유형 해결의 법칙 중 1–2 48쪽

평행선에서 삼각형의 모양이 보이면 삼각형의 세 각의 크기의 합은 180°임을 이용한다.

➡ $\angle x + \angle y + \angle z = 180°$

4-1 오른쪽 그림에서 $l /\!/ m$일 때, $\angle x$의 크기를 구하여라.

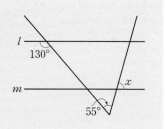

쌍둥이 4-2

오른쪽 그림에서 $l /\!/ m$일 때, $\angle x$, $\angle y$의 크기를 각각 구하여라.

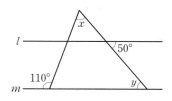

풀이 오른쪽 그림에서 $l /\!/ m$이고 삼각형의 세 각의 크기의 합은 180°이므로

$(180° - 130°) + 55° + \angle x = 180°$

$\angle x + 105° = 180°$

$\therefore \angle x = 75°$

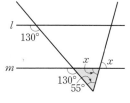

답 75°

대표 유형 ❺ 평행선에서 각의 크기 구하기 (2) – 보조선을 1개 긋는 경우

유형 해결의 법칙 중 1-2 49쪽

① 꺾인 점을 지나면서 주어진 직선에 평행한 보조선을 긋는다.
② 평행선에서 동위각과 엇각의 크기는 각각 같음을 이용한다.

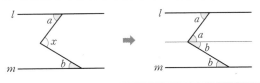 ➡ $l /\!/ m$이면 $\angle x = \angle a + \angle b$

5-1 오른쪽 그림에서 $l /\!/ m$ 일 때, $\angle x$의 크기를 구하여라.

풀이 오른쪽 그림과 같이 꺾인 점을 지나면서 두 직선 l, m에 평행한 직선 n을 그으면

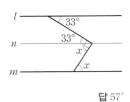

$33° + \angle x = 90°$　∴ $\angle x = 57°$

답 57°

쌍둥이 5-2

다음 그림에서 $l /\!/ m$일 때, $\angle x$의 크기를 구하여라.

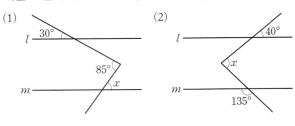

(1)　　　　　　　　　　(2)

대표 유형 ❻ 평행선에서 각의 크기 구하기 (3) – 삼각형의 모양이 보이고 보조선을 1개 긋는 경우

유형 해결의 법칙 중 1-2 50쪽

① 꺾인 점을 지나면서 주어진 직선에 평행한 보조선을 긋는다.
② 평행선에서 동위각과 엇각의 크기는 각각 같음을 이용한다.
③ 삼각형의 세 각의 크기의 합은 180°임을 이용한다.

6-1 오른쪽 그림에서 $l /\!/ m$ 일 때, $\angle x$의 크기를 구하여라.

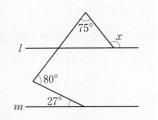

풀이 오른쪽 그림과 같이 꺾인 점을 지나면서 두 직선 l, m에 평행한 직선 n을 그으면 색칠한 삼각형에서 세 각의 크기의 합은 180°이므로

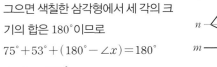

$75° + 53° + (180° - \angle x) = 180°$

∴ $\angle x = 128°$

답 128°

쌍둥이 6-2

다음 그림에서 $l /\!/ m$일 때, $\angle x$의 크기를 구하여라.

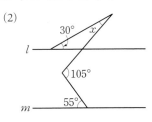

(1)　　　　　　　　　　(2)

대표 유형 **7** 평행선에서 각의 크기 구하기 ⑷ − 보조선을 2개 긋는 경우 ①

유형 해결의 법칙 중 1−2 50쪽

① 꺾인 점을 각각 지나면서 주어진 직선에 평행한 보조선을 긋는다.

② 평행선에서 동위각과 엇각의 크기는 각각 같음을 이용한다.

7-1 오른쪽 그림에서 $l /\!/ m$일 때, $\angle x$의 크기를 구하여라.

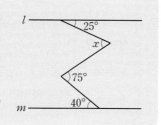

쌍둥이 7-2

다음 그림에서 $l /\!/ m$일 때, $\angle x$의 크기를 구하여라.

(1)   (2)

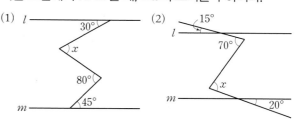

풀이 오른쪽 그림과 같이 꺾인 점을 각각 지나면서 두 직선 l, m에 평행한 직선 p, q를 그으면

$$\angle x = 25° + 35° = 60°$$

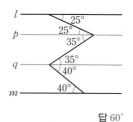

답 60°

대표 유형 **8** 평행선에서 각의 크기 구하기 ⑸ − 보조선을 2개 긋는 경우 ②

유형 해결의 법칙 중 1−2 51쪽

① 꺾인 점을 각각 지나면서 주어진 직선에 평행한 보조선을 긋는다.

② 평행선에서 동측내각의 크기의 합은 180°임을 이용한다.

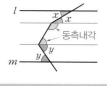 ➡ (동측내각의 크기의 합)=180°

8-1 오른쪽 그림에서 $l /\!/ m$일 때, $\angle a + \angle b$의 크기를 구하여라.

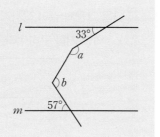

쌍둥이 8-2

오른쪽 그림에서 $l /\!/ m$일 때, $\angle x$의 크기를 구하여라.

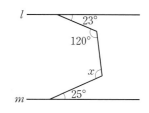

풀이 오른쪽 그림과 같이 꺾인 점을 각각 지나면서 두 직선 l, m에 평행한 직선 p, q를 그으면 동측내각의 크기의 합은 180°이므로

$$(\angle a - 33°) + (\angle b - 57°) = 180°$$

$$\therefore \angle a + \angle b = 270°$$

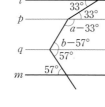

답 270°

대표 유형 **9** 평행선에서 각의 크기 구하기 (6)

유형 해결의 법칙 중 1-2 52쪽

오른쪽 그림에서 $l /\!\!/ m$일 때, 두 직선 l, m에 평행한 직선 p, q를 그으면
$\angle x = \angle a + \angle b + \angle c$

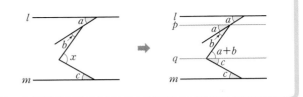

9-1 오른쪽 그림에서 $l /\!\!/ m$일 때, $\angle x$의 크기를 구하여라.

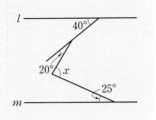

쌍둥이 9-2

오른쪽 그림에서 $l /\!\!/ m$일 때, $\angle x$의 크기를 구하여라.

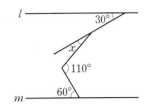

풀이 오른쪽 그림과 같이 두 직선 l, m에 평행한 직선 p, q를 그으면
$\angle x = 60° + 25° = 85°$

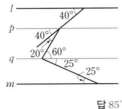

답 $85°$

대표 유형 **10** 직사각형 모양의 종이테이프를 접는 경우

유형 해결의 법칙 중 1-2 53쪽

접은 각의 크기는 같으므로 $\angle① = \angle②$
엇각의 크기는 같으므로 $\angle① = \angle③$
∴ $\angle① = \angle② = \angle③$

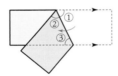

10-1 다음 그림과 같이 직사각형 모양의 종이테이프를 접었을 때, $\angle x$, $\angle y$의 크기를 각각 구하여라.

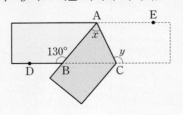

쌍둥이 10-2

다음 그림과 같이 직사각형 모양의 종이테이프를 접었을 때, $\angle x$의 크기를 구하여라.

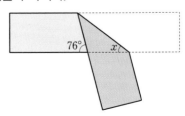

풀이 $\angle EAC = \angle BAC = \angle x$ (접은 각)

이때 $\angle EAB = \angle ABD = 130°$ (엇각)이므로

$2\angle x = 130°$ ∴ $\angle x = 65°$

한편 동측내각의 크기의 합은 $180°$이므로

$\angle x + \angle y = 180°$, $65° + \angle y = 180°$ ∴ $\angle y = 115°$

답 $\angle x = 65°$, $\angle y = 115°$

동위각과 엇각

서로 다른 두 직선이 다른 한 직선과
만나서 생기는 각 중에서
(1) 동위각 : 같은 위치에 있는 두 각
(2) 엇각 : 엇갈린 위치에 있는 두 각

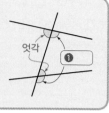

답 **❶** 동위각

★ 01

다음 중 오른쪽 그림에 대한 설명으
로 옳지 <u>않은</u> 것은?

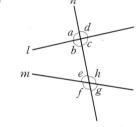

① ∠a와 ∠e는 동위각이다.

② ∠b와 ∠h는 엇각이다.

③ ∠f와 ∠g의 크기의 합은
180°이다.

④ ∠a와 ∠c는 맞꼭지각으로 크기가 서로 같다.

⑤ ∠c와 ∠g는 동위각으로 크기가 서로 같다.

02
창의력

오른쪽 그림과 같이 세 직선이
만날 때, 다음을 모두 구하여라.

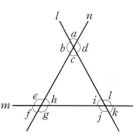

(1) ∠a의 동위각

(2) ∠b의 엇각

(3) ∠c의 엇각

03
서술형

다음 그림에서 ∠c의 동위각의 크기와 ∠e의 엇각의 크기의 합
을 구하여라.

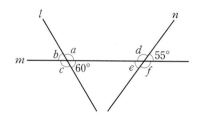

평행선의 성질

(1) 평행선의 성질
평행한 두 직선이 다른 한 직선과 만날 때
① 동위각의 크기는 서로 같다.
② 엇각의 크기는 서로 같다.

(2) 두 직선이 서로 평행하기 위한 조건
서로 다른 두 직선이 다른 한 직선과 만날 때
① 동위각의 크기가 같으면 두 직선은 서로 **❶** 하다.
② 엇각의 크기가 같으면 두 직선은 서로 평행하다.

답 **❶** 평행

★ 04

오른쪽 그림에서 $l // m$일 때, ∠x
의 크기를 구하여라.

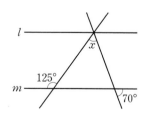

05

오른쪽 그림에서 $l // m$일 때,
∠x + ∠y의 크기를 구하여라.

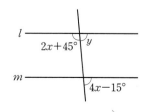

06

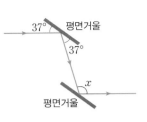

일정한 방향으로 진행하는 빛이 평면거울에 닿아 반사될 때 생기는 입사각과 반사각의 크기는 항상 같다. 오른쪽 그림에서 두 개의 평면거울이 서로 평행할 때, $\angle x$의 크기를 구하여라. (단, 평면거울의 두께는 무시한다.)

07

다음 중 두 직선 l, m이 서로 평행한 것은?

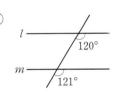

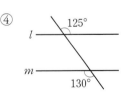

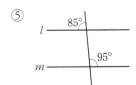

08

오른쪽 그림과 같이 두 직선 l, m이 다른 한 직선 n과 만날 때, 다음 보기 중에서 옳은 것을 모두 고른 것은?

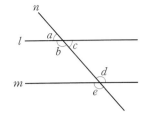

— 보기 —
㉠ $l /\!/ m$이면 $\angle c + \angle d = 180°$이다.
㉡ $l /\!/ m$이면 $\angle a = \angle d$이다.
㉢ $\angle c = \angle d$이면 $l /\!/ m$이다.
㉣ $\angle b = \angle e$이면 $l /\!/ m$이다.

① ㉠, ㉡   ② ㉠, ㉢   ③ ㉠, ㉣
④ ㉡, ㉢   ⑤ ㉡, ㉣

09

오른쪽 그림에서 $l /\!/ m$일 때, $\angle x$의 크기를 구하여라.

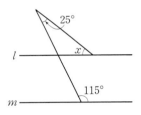

★
10

오른쪽 그림에서 $l /\!/ m$일 때, $\angle x$의 크기는?

① $25°$ ② $30°$
③ $35°$ ④ $40°$
⑤ $45°$

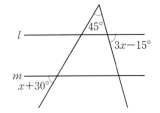

11

창의력

오른쪽 그림에서 $l /\!/ m$이고 $k /\!/ n$이다. 이때 $\angle x + \angle y$의 크기는?

① $130°$ ② $135°$
③ $140°$ ④ $150°$
⑤ $155°$

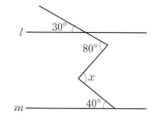

12

오른쪽 그림에서 $l /\!/ m$일 때, $\angle x$의 크기를 구하여라.

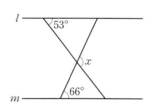

⭐ 13

오른쪽 그림에서 $l /\!/ m$일 때, $\angle x$의 크기를 구하여라.

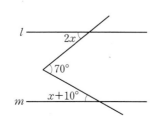

14

오른쪽 그림에서 $l /\!/ m$일 때, $\angle x$의 크기를 구하여라.

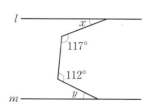

15

오른쪽 그림에서 $l /\!/ m$일 때, $\angle x + \angle y$의 크기를 구하여라.

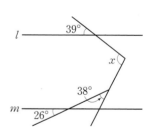

16

오른쪽 그림에서 $l /\!/ m$일 때, $\angle x$의 크기를 구하여라.

⭐ 17

서술형

다음 그림과 같이 직사각형 모양의 종이테이프를 접었을 때, $\angle x$의 크기를 구하여라.

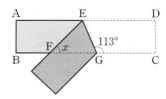

4 작도와 합동

학습 목표

- 주어진 선분과 길이가 같은 선분을 작도할 수 있다.
- 주어진 각과 크기가 같은 각을 작도할 수 있다.
- 삼각형을 작도할 수 있다.
- 삼각형의 합동 조건을 이해한다.
- 삼각형의 합동 조건을 이용하여 두 삼각형이 합동인지 판별할 수 있다.

1 간단한 도형의 작도

개념1 길이가 같은 선분의 작도

개념2 크기가 같은 각의 작도

개념3 평행선의 작도

2 삼각형의 작도

개념1 삼각형

개념2 삼각형의 작도

개념3 삼각형이 하나로 정해지는 경우

3 삼각형의 합동

개념1 도형의 합동

개념2 삼각형의 합동 조건

1 간단한 도형의 작도

개념 **1** 길이가 같은 선분의 작도

(1) **작도** 눈금 없는 자와 컴퍼스만을 사용하여 도형을 그리는 것

  ① 눈금 없는 자 : 두 점을 연결하여 선분을 그리거나 주어진 선분을 연장하는 데 사용

  ② 컴퍼스 : 원을 그리거나 주어진 선분의 길이를 재어 옮기는 데 사용

(2) **길이가 같은 선분의 작도** $\overline{AB}$와 길이가 같은 선분은 다음과 같이 작도할 수 있다.

> 눈금이 있는 자 또는 각
> 도기를 사용하여 도형
> 을 그리는 것은 작도가
> 아니야.

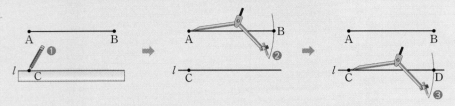

❶ 눈금 없는 자를 사용하여 직선 l을 그리고, 그 위에 점 C를 잡는다.

❷ 컴퍼스를 사용하여 선분 AB의 길이를 잰다.

❸ 점 C를 중심으로 하고 반지름의 길이가 $\overline{AB}$인 원을 그려 직선 l과 만나는 점을 D라 하면 $\overline{CD}$가 구하는 선분
이다. ➡ $\overline{AB}=\overline{CD}$

보기 직선 l 위에 선분 AB의 길이의 2배인 선분 PQ를 작도해 보자.

❶ 컴퍼스를 사용하여 선분 AB의 길이를 잰다.

❷ 점 P를 중심으로 하고 반지름의 길이가 $\overline{AB}$인 원을 그려 직선 l과의 교점을 C라 한다.

❸ 점 C를 중심으로 하고 반지름의 길이가 $\overline{AB}$인 원을 그려 직선 l과의 교점을 Q라 하면 $\overline{PQ}$가 구하는 선분이다.
  ⇨ $\overline{PQ}=2\overline{AB}$

• **Lecture** •
● 작도에서는 눈금 없는 자를 사용하므로 선분의 길이를 잴 때에는 컴퍼스를 사용한다.

∥ 개념 확인 ∥ **1**   오른쪽 그림의 선분 AB와 길이가 같은 선분 PQ를 작도하여라.

∥ 개념 확인 ∥ **2**   컴퍼스를 사용하여 다음 수직선 위에 2와 -3에 대응하는 점을 각각 나타내어라.

개념 ② 크기가 같은 각의 작도

∠XOY와 크기가 같고 반직선 PQ를 한 변으로 하는 각은 다음과 같이 작도할 수 있다.

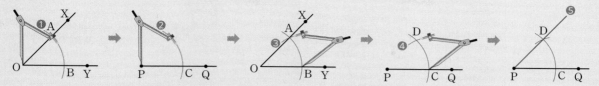

❶ 점 O를 중심으로 하는 원을 그려 $\overrightarrow{\text{OX}}$, $\overrightarrow{\text{OY}}$와의 교점을 각각 A, B라 한다.

❷ 점 P를 중심으로 하고 반지름의 길이가 $\overline{\text{OA}}$인 원을 그려 $\overrightarrow{\text{PQ}}$와의 교점을 C라 한다.

❸ 컴퍼스를 사용하여 $\overline{\text{AB}}$의 길이를 잰다.

❹ 점 C를 중심으로 하고 반지름의 길이가 $\overline{\text{AB}}$인 원을 그려 ❷에서 그린 원과의 교점을 D라 한다.

❺ 두 점 P, D를 잇는 $\overrightarrow{\text{PD}}$를 그으면 ∠DPC가 작도된다. ➡ ∠XOY=∠DPC

 ∠XOY와 크기가 같고 반직선 PQ를 한 변으로 하는 각의 작도와 성질

(1) 작도 순서 : ❶ → ❷ → ❸ → ❹ → ❺

(2) 길이가 같은 선분
  ① $\overline{\text{OA}}=\overline{\text{OB}}=\overline{\text{PC}}=\overline{\text{PD}}$
  ② $\overline{\text{AB}}=\overline{\text{CD}}$

(3) 크기가 같은 각 : ∠XOY=∠DPC

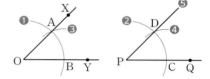

• Lecture •

● 크기가 같은 각을 작도할 때, 예각이든 둔각이든 작도 순서는 같다.

┃개념 확인┃ **3** 다음 그림의 ∠XOY와 크기가 같고 반직선 PQ를 한 변으로 하는 각을 작도하여라.

개념 ③ 평행선의 작도

(1) 평행선의 작도 한 점 P를 지나면서 직선 *l*에 평행한 직선은 다음과 같이 작도할 수 있다.

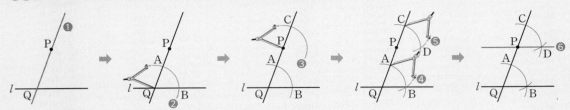

① 점 P를 지나는 직선을 그어 직선 *l*과의 교점을 Q라 한다.

② 점 Q를 중심으로 하는 원을 그려 $\overrightarrow{PQ}$, 직선 *l*과의 교점을 각각 A, B라 한다.

③ 점 P를 중심으로 하고 반지름의 길이가 $\overline{QA}$인 원을 그려 $\overrightarrow{PQ}$와의 교점을 C라 한다.

④ 컴퍼스를 사용하여 $\overline{AB}$의 길이를 잰다.

⑤ 점 C를 중심으로 하고 반지름의 길이가 $\overline{AB}$인 원을 그려 ❸에서 그린 원과의 교점을 D라 한다.

⑥ 두 점 P, D를 잇는 직선을 그으면 $\overrightarrow{PD}$가 구하는 직선이다. ➡ $l \,/\!/\, \overrightarrow{PD}$

(2) 평행선의 작도에 이용된 작도법 크기가 같은 각의 작도

(3) 평행선의 작도에 이용된 평행선의 성질 서로 다른 두 직선이 다른 한 직선과 만날 때, 동위각의 크기가 같으면 두 직선은 평행하다.

 '서로 다른 두 직선이 다른 한 직선과 만날 때, 엇각의 크기가 같으면 두 직선은 평행하다.'는 성질을 이용하여 평행선을 작도할 수도 있다.

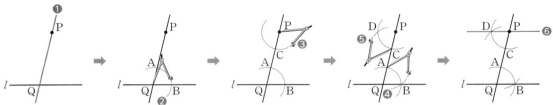

— **Lecture** •

● 평행선과 동위각 사이의 관계

$$\begin{array}{l} \text{(i) } l \,/\!/\, m \text{이면 } \angle a = \angle b \\ \text{(ii) } \angle a = \angle b \text{이면 } l \,/\!/\, m \end{array}$$

● 평행선과 엇각 사이의 관계

$$\begin{array}{l} \text{(i) } l \,/\!/\, m \text{이면 } \angle a = \angle b \\ \text{(ii) } \angle a = \angle b \text{이면 } l \,/\!/\, m \end{array}$$

| 개념 확인 | **4** 오른쪽 그림에 주어진 한 점 P를 지나면서 직선 *l*에 평행한 직선을 '서로 다른 두 직선이 다른 한 직선과 만날 때, 동위각의 크기가 같으면 두 직선은 평행하다.'는 성질을 이용하여 작도하여라.

P•

l ————

STEP 1 기초 개념 드릴

1-1

다음을 작도하기 위해 사용되는 도구를 말하여라.

(1) 원을 그린다.

(2) 서로 다른 두 점을 연결하여 선분을 그린다.

(3) 선분의 길이를 재어 다른 직선 위로 옮긴다.

연구 작도는 눈금 없는 자와 컴퍼스만을 사용하여 도형을 그리는 것이다.

2-1

다음은 오른쪽 그림의 선분 AB와 길이가 같은 선분 CD를 작도하는 과정이다. ☐ 안에 알맞은 것을 써 넣어라.

A●————————●B

> ㉠ 눈금 없는 자로 직선 l을 긋고 그 위에 점 ☐를 잡는다.
>
> ㉡ 컴퍼스로 ☐의 길이를 잰다.
>
> ㉢ 점 ☐를 중심으로 하고 반지름의 길이가 ☐인 원을 그려 직선 l과의 교점을 ☐라 하면 $\overline{CD}$가 구하는 선분이다.

3-1

아래 그림은 점 P를 지나고 직선 l에 평행한 직선을 작도하는 과정이다. 다음 ☐ 안에 알맞은 것을 써넣어라.

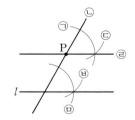

➡ 작도 순서 : ㉡ → ☐ → ☐ → ☐ → ☐ → ☐

1-2

다음 중 작도에 대한 설명으로 옳은 것에는 ○표, 옳지 않은 것에는 ×표를 하여라.

(1) 선분을 연장할 때에는 자를 사용한다. ( )

(2) 두 선분의 길이를 비교할 때에는 자를 사용한다.
( )

(3) 주어진 각과 크기가 같은 각을 작도할 때에는 각도기를 사용한다. ( )

2-2

아래 그림은 ∠XOY와 크기가 같은 각을 $\overrightarrow{PQ}$를 한 변으로 하여 작도하는 과정이다. 다음 ☐ 안에 알맞은 것을 써넣어라.

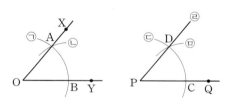

➡ 작도 순서 : ㉠ → ☐ → ☐ → ☐ → ☐

3-2

아래 그림은 한 점 P를 지나고 직선 l에 평행한 직선을 작도하는 과정이다. 다음 ☐ 안에 알맞은 것을 써넣어라.

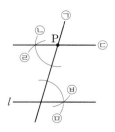

➡ 작도 순서 : ☐ → ㉢ → ☐ → ☐ → ☐ → ㉢

대표 유형 **1** 크기가 같은 각의 작도

유형 해결의 법칙 중 1-2 64쪽

∠XOY와 크기가 같은 각의 작도

➡ ∠XOY=∠DPC

$\overline{OA}=\overline{OB}=\overline{PC}=\overline{PD}$, $\overline{AB}=\overline{CD}$

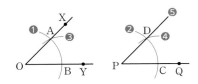

1-1 아래 그림은 ∠XOY와 크기가 같은 각을 $\overrightarrow{PQ}$를 한 변으로 하여 작도한 것이다. 다음 중 옳지 <u>않은</u> 것은?

 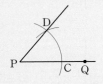

① $\overline{AB}=\overline{CD}$ ② $\overline{OA}=\overline{OB}$ ③ $\overline{OB}=\overline{PC}$

④ $\overline{PC}=\overline{CD}$ ⑤ ∠XOY=∠DPC

풀이 ④ $\overline{PC}$의 길이와 $\overline{CD}$의 길이는 같다고 할 수 없다.

따라서 옳지 않은 것은 ④이다.   **답** ④

쌍둥이 1-2

아래 그림은 ∠APB와 크기가 같은 각을 $\overrightarrow{PB}$ 위의 한 점 Q를 꼭짓점으로 하여 작도하는 과정이다. 다음 물음에 답하여라.

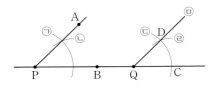

(1) 작도 순서를 써라.

(2) 반직선 PA와 반직선 QD가 평행한 이유를 말하여라.

대표 유형 **2** 평행선의 작도

유형 해결의 법칙 중 1-2 64쪽, 66쪽

'동위각의 크기 또는 엇각의 크기가 같은 두 직선은 서로 평행하다.'는 평행선의 성질과 크기가 같은 각의 작도를 이용하여 한 직선과 평행한 직선을 작도한다.

2-1 오른쪽 그림은 점 P를 지나고 직선 l에 평행한 직선 m을 작도한 것이다. 다음 중 옳지 <u>않은</u> 것은?

① $\overline{PR}=\overline{PQ}$ ② $\overline{BC}=\overline{QR}$

③ $\overline{BA}=\overline{BC}$ ④ $\overline{AC}=\overline{PQ}$

⑤ ∠BAC=∠QPR

풀이 ③ $\overline{BA}$의 길이와 $\overline{BC}$의 길이는 같다고 할 수 없다.

따라서 옳지 않은 것은 ③이다.

답 ③

두 점 A, P를 중심으로 하고 반지름의 길이가 같은 원을 각각 그리므로 $\overline{AB}=\overline{AC}=\overline{PQ}=\overline{PR}$야.

쌍둥이 2-2

오른쪽 그림은 점 P를 지나고 직선 l에 평행한 직선 m을 작도한 것이다. 다음 중 옳지 <u>않은</u> 것은?

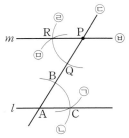

① $\overline{BC}=\overline{QR}$

② ∠BAC=∠RPQ

③ $\overline{AB}=\overline{AC}=\overline{PR}=\overline{PQ}$

④ 작도 순서는 ㉢ → ㉡ → ㉠ → ㉣ → ㉤ → ㉥이다.

⑤ 이 작도는 '엇각의 크기가 같으면 두 직선은 서로 평행하다.'는 성질을 이용한 것이다.

STEP ③ 개념 뛰어넘기

간단한 도형의 작도

(1) 작도 : 눈금 없는 자와 ❶ 만을 사용하여 도형을 그리는 것

(2) 눈금 없는 자 : 두 점을 연결하는 선분을 그리거나 선분을 연장할 때 사용한다.

(3) 컴퍼스 : 원을 그리거나 선분의 길이를 재어 다른 직선 위에 옮길 때 사용한다.

달 ❶ 컴퍼스

01

다음 중 작도에 대한 설명으로 옳지 <u>않은</u> 것은?

① 선분을 연장할 때에는 눈금 없는 자를 사용한다.

② 두 점을 연결하는 선분을 그릴 때에는 눈금 없는 자를 사용한다.

③ 주어진 선분을 반지름으로 하는 원을 그릴 때에는 컴퍼스를 사용한다.

④ 눈금 없는 자와 컴퍼스만을 사용하여 도형을 그리는 것을 작도라 한다.

⑤ 오른쪽 그림과 같이 직선 l 위에 $2\overline{AB}=\overline{CD}$인 점 C, D를 작도할 때에는 눈금 없는 자를 사용한다.

★ 02

아래 그림은 ∠XOY와 크기가 같은 각을 $\overrightarrow{PQ}$를 한 변으로 하여 작도한 것이다. 다음 중 옳지 <u>않은</u> 것은?

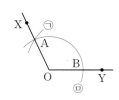 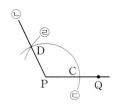

① $\overline{OA}=\overline{OB}$ ② $\overline{OA}=\overline{PC}$

③ $\overline{OY}=\overline{PQ}$ ④ ∠XOY = ∠DPC

⑤ 작도 순서는 ⑩ → ⓒ → ㉠ → ㉣ → ⓛ이다.

03

서술형

오른쪽 그림은 점 P를 지나고 직선 l과 평행한 직선을 작도한 것이다. 다음 물음에 답하여라.

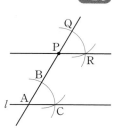

(1) $\overline{AB}$와 길이가 같은 선분을 모두 구하여라.

(2) ∠QPR와 크기가 같은 각을 구하여라.

04

오른쪽 그림은 점 P를 지나고 직선 l에 평행한 직선 m을 작도한 것이다. 다음 보기 중 옳은 것을 모두 골라라.

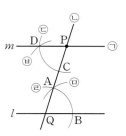

보기

㉠ '동위각의 크기가 같으면 두 직선은 서로 평행하다.'는 성질을 이용한 것이다.

ⓛ ∠DPC ≠ ∠AQB

ⓒ 작도 순서는 ⓛ → ㉣ → ⓒ → ⑩ → ⑭ → ㉠이다.

㉣ $\overline{PC}=\overline{AB}$

⑩ 크기가 같은 각의 작도를 이용한 것이다.

2 삼각형의 작도

개념 ① 삼각형

(1) 삼각형의 대변과 대각

세 점 A, B, C를 꼭짓점으로 하는 삼각형을 삼각형 ABC라 하고, 기호로 △ABC 와 같이 나타낸다.

① 대변 : 한 각과 마주 보는 변

　예 ∠A의 대변 : $\overline{BC}$, ∠B의 대변 : $\overline{AC}$, ∠C의 대변 : $\overline{AB}$

　참고 ∠A, ∠B, ∠C의 대변 BC, CA, AB의 길이를 각각 a, b, c로 나타낸다.

② 대각 : 한 변과 마주 보는 각

　예 $\overline{BC}$의 대각 : ∠A, $\overline{AC}$의 대각 : ∠B, $\overline{AB}$의 대각 : ∠C

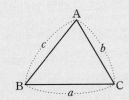

(2) 삼각형의 세 변의 길이 사이의 관계

삼각형의 두 변의 길이의 합은 나머지 한 변의 길이보다 크다.

즉 △ABC의 세 변의 길이가 a, b, c일 때,

$a+b>c, b+c>a, c+a>b$

　참고 삼각형의 세 변의 길이 a, b, c 중 가장 긴 변의 길이가 a이면 $a<b+c$이고, 이 조건이 성립하면 $b<a+c, c<a+b$는 항상 성립한다.

보기 세 변의 길이가 다음과 같을 때, 삼각형을 만들 수 있는지 알아보자.

⑴ 세 변의 길이가 5, 6, 8일 때, $5+6>8$, $5+8>6$, $6+8>5$이므로 삼각형을 만들 수 있다.

⑵ 세 변의 길이가 3, 5, 9일 때, $3+5<9$이므로 삼각형을 만들 수 없다.

⑶ 세 변의 길이가 4, 4, 8일 때, $4+4=8$이므로 삼각형을 만들 수 없다.

• Lecture •

● 세 변의 길이가 주어졌을 때 삼각형이 될 수 있는 조건

➡ (가장 긴 변의 길이)<(나머지 두 변의 길이의 합)을 확인하면 삼각형이 될 수 있는지 간단히 알 수 있다.

│개념 확인│ 1 **오른쪽 그림의 △ABC에서 다음을 구하여라.**

⑴ ∠A의 대변

⑵ ∠B의 대변

⑶ 변 AB의 대각

⑷ 변 AC의 대각

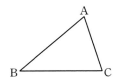

개념 ② 삼각형의 작도

다음과 같은 세 가지 경우에 삼각형을 하나로 작도할 수 있다.

(1) 세 변의 길이 a, b, c가 주어졌을 때

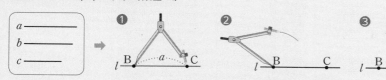

❶ 직선 l을 긋고, 직선 l 위에 길이가 a인 선분 BC를 잡는다.

❷ 점 B를 중심으로 하고 반지름의 길이가 c인 원을 그린다.

❸ 점 C를 중심으로 하고 반지름의 길이가 b인 원을 그려 ❷에서 그린 원과의 교점을 A라 한다.

❹ 점 A와 점 B, 점 A와 점 C를 각각 이으면 △ABC가 된다.

> 길이가 같은 선분의 작도

주의 세 변의 길이가 주어졌을 때 삼각형이 될 수 있는 조건을 만족하는지 확인해야 한다.

즉 (가장 긴 변의 길이)<(나머지 두 변의 길이의 합)을 만족해야 삼각형을 작도할 수 있다.

(2) 두 변의 길이 b, c와 그 끼인각 $\angle$A의 크기가 주어졌을 때

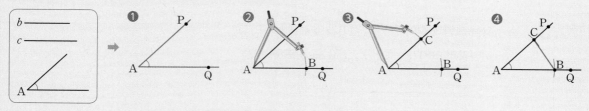

❶ $\angle$A와 크기가 같은 $\angle$PAQ를 작도한다. ← 크기가 같은 각의 작도

❷ 점 A를 중심으로 하고 반지름의 길이가 c인 원을 그려 $\overrightarrow{AQ}$와의 교점을 B라 한다.

❸ 점 A를 중심으로 하고 반지름의 길이가 b인 원을 그려 $\overrightarrow{AP}$와의 교점을 C라 한다.

> 길이가 같은 선분의 작도

❹ 점 B와 점 C를 이으면 △ABC가 된다.

참고 길이가 b 또는 c인 선분을 먼저 작도한 후 $\angle$A를 작도할 수도 있다.

(3) 한 변의 길이 c와 그 양 끝 각 $\angle$A, $\angle$B의 크기가 주어졌을 때

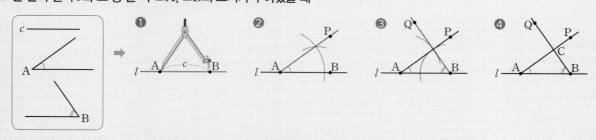

❶ 직선 l을 긋고, 직선 l 위에 길이가 c인 선분 AB를 잡는다. ← 길이가 같은 선분의 작도

❷ $\angle$A와 크기가 같은 $\angle$PAB를 작도한다. ← 크기가 같은 각의 작도

❸ $\angle$B와 크기가 같은 $\angle$QBA를 작도한다.

❹ $\overrightarrow{AP}$와 $\overrightarrow{BQ}$의 교점을 C라 하면 △ABC가 된다.

참고 다음과 같은 순서로 작도할 수도 있다.

① $\angle$A → c → $\angle$B ② $\angle$B → c → $\angle$A

주의 한 변의 길이와 그 양 끝 각의 크기가 주어졌을 때, 두 각의 크기의 합이 $180°$보다 작아야 삼각형을 작도할 수 있다.

다음 그림과 같이 길이가 각각 a, b, c인 선분을 세 변으로 하는 △ABC를 작도하여라.

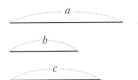

다음 그림과 같이 두 변의 길이가 각각 a, b이고, 그 끼인각의 크기가 ∠C인 △ABC를 작도하여라.

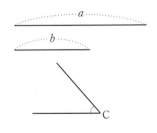

다음 그림과 같이 한 변의 길이가 a이고 ∠B와 ∠C를 양 끝 각으로 하는 △ABC를 작도하여라.

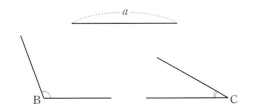

개념 ③ 삼각형이 하나로 정해지는 경우

다음과 같은 세 가지 경우에 삼각형의 모양과 크기가 하나로 정해진다.

(1) 세 변의 길이가 주어질 때	(2) 두 변의 길이와 그 끼인각의 크기가 주어질 때	(3) 한 변의 길이와 그 양 끝 각의 크기가 주어질 때
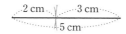		

설명 삼각형이 하나로 정해지지 않는 경우

① 세 변의 길이가 주어진 경우

　⇨ (가장 긴 변의 길이)≥(나머지 두 변의 길이의 합)이면 삼각형을 만들 수 없다.

　예 ① 세 변의 길이가 2 cm, 3 cm, 5 cm일 때　　　　② 세 변의 길이가 2 cm, 3 cm, 6 cm일 때

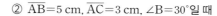

② 두 변의 길이와 그 끼인각이 아닌 다른 각의 크기가 주어진 경우

　⇨ 삼각형을 만들 수 없거나 2개의 삼각형이 만들어질 수 있다.

　예 ① $\overline{BC}=5$ cm, $\overline{AC}=2$ cm, ∠B=120°일 때　　　② $\overline{AB}=5$ cm, $\overline{AC}=3$ cm, ∠B=30°일 때

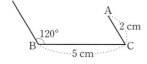 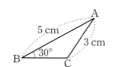 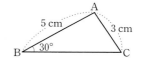

③ 한 변의 길이와 두 각의 크기가 주어진 경우 ⇨ 2개 또는 3개의 삼각형이 만들어질 수도 있다.

　예 한 변의 길이가 4 cm이고, 두 각의 크기가 45°, 60°일 때
　　　↳ 나머지 한 각의 크기는 75°이다.

④ 한 변의 길이와 그 양 끝 각의 크기가 주어진 경우

　⇨ 두 각의 크기의 합이 180°보다 크거나 같으면 삼각형을 만들 수 없다.

　예 $\overline{BC}=3$ cm, ∠B=90°, ∠C=100°일 때

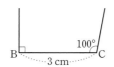

⑤ 세 각의 크기가 주어진 경우 ⇨ 모양은 같고 크기가 다른 삼각형이 무수히 많이 만들어진다.

　예 세 각의 크기가 30°, 60°, 90°일 때

  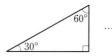 ...

STEP 1 기초 개념 드릴

개념 기초

1-1

다음 물음에 답하여라.

(1) 다음 예와 같이 아래 표를 완성하여라.

	세 변의 길이	가장 긴 변의 길이	등호/부등호	나머지 두 변의 길이의 합
예	1, 2, 2	2	<	1+2=3
㉠	3, 4, 5			
㉡	2, 3, 6			
㉢	6, 6, 6			
㉣	5, 5, 10		=	

(2) 주어진 세 변의 길이로 삼각형을 만들 수 없는 것을 모두 골라라.

연구 (2) (가장 긴 변의 길이) ☐ (나머지 두 변의 길이의 합)일 때, 삼각형을 만들 수 있다.

2-1

다음은 세 변의 길이가 오른쪽 그림과 같은 △ABC를 작도하는 과정이다. 작도 순서를 차례로 나열했을 때, 네 번째 단계를 구하여라.

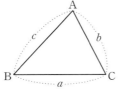

㉠ 두 원이 만나는 점을 A라 한다.

㉡ 두 점 A와 B, 두 점 A와 C를 잇는다.

㉢ 직선 l 위에 길이가 a인 $\overline{BC}$를 작도한다.

㉣ 점 C를 중심으로 하고 반지름의 길이가 b인 원을 그린다.

㉤ 점 B를 중심으로 하고 반지름의 길이가 c인 원을 그린다.

쌍둥이 문제

1-2

세 선분의 길이가 다음과 같을 때, 삼각형을 만들 수 있으면 ○표, 삼각형을 만들 수 없으면 ×표를 하여라.

(1) 3 cm, 5 cm, 10 cm ( )

(2) 4 cm, 4 cm, 8 cm ( )

(3) 7 cm, 3 cm, 7 cm ( )

2-2

오른쪽 그림은 두 변의 길이 a, c와 그 끼인각인 ∠B의 크기가 주어졌을 때, △ABC를 작도한 것이다. 먼저 $\overline{BC}$를 작도하였다면 다음 보기의 작도 순서를 바르게 나열하여라.

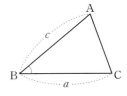

보기
㉠ $\overline{BA}=c$인 점 A를 잡는다.
㉡ ∠B를 작도한다.
㉢ 두 점 A와 C를 잇는다.

2-3

다음은 길이가 a인 선분을 한 변으로 하고 ∠B, ∠C를 양 끝 각으로 하는 △ABC를 작도하는 과정이다. 작도 순서에 맞게 ☐ 안에 알맞은 것을 써넣어라.

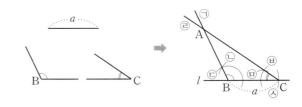

☐ → ㉢ → ☐ → ㉠ → ㉂ → ☐ → ☐

대표 유형 ❶ 삼각형의 세 변의 길이 사이의 관계

유형 해결의 법칙 중 1-2 65쪽

> (가장 긴 변의 길이)<(나머지 두 변의 길이의 합)일 때, 삼각형을 만들 수 있다.

1-1 다음과 같이 세 변의 길이가 주어질 때, 삼각형을 만들 수 없는 것은?

① 3 cm, 3 cm, 5 cm
② 4 cm, 5 cm, 9 cm
③ 5 cm, 6 cm, 8 cm
④ 6 cm, 6 cm, 10 cm
⑤ 7 cm, 7 cm, 7 cm

풀이
① $5<3+3$
② $9=4+5$
③ $8<5+6$
④ $10<6+6$
⑤ $7<7+7$

따라서 삼각형을 만들 수 없는 것은 ②이다.

답 ②

쌍둥이 1-2

다음 중 삼각형의 세 변의 길이가 될 수 있는 것은?

① 1 cm, 2 cm, 3 cm
② 4 cm, 3 cm, 8 cm
③ 4 cm, 4 cm, 9 cm
④ 7 cm, 6 cm, 10 cm
⑤ 4 cm, 5 cm, 12 cm

쌍둥이 1-3

삼각형의 두 변의 길이가 각각 5 cm, 9 cm일 때, 다음 중 나머지 한 변의 길이가 될 수 있는 것을 모두 고르면?

(정답 2개)

① 4 cm
② 9 cm
③ 12 cm
④ 15 cm
⑤ 16 cm

대표 유형 ❷ 삼각형의 세 변의 길이가 되는 조건

유형 해결의 법칙 중 1-2 66쪽

> 삼각형의 세 변의 길이 중 미지수 x가 있는 경우
> (가장 긴 변의 길이)<(나머지 두 변의 길이의 합)을 이용하여 식을 세운다.
> **예** 삼각형의 세 변의 길이가 각각 4, 10, x일 때, 가장 긴 변의 길이가 10인 경우와 x인 경우로 나누어 생각한다.

2-1 삼각형의 세 변의 길이가 3 cm, 5 cm, x cm일 때, x의 값이 될 수 있는 자연수의 개수를 구하여라.

풀이 (ⅰ) x cm가 가장 긴 변의 길이인 경우
  $x<3+5$이므로 $x<8$
 (ⅱ) 5 cm가 가장 긴 변의 길이인 경우
  $5<3+x$이므로 $x+3>5$
 (ⅰ), (ⅱ)에서 x의 값이 될 수 있는 자연수는 3, 4, 5, 6, 7의 5개이다.

답 5개

쌍둥이 2-2

삼각형의 세 변의 길이가 6 cm, 8 cm, x cm일 때, 다음 중 x의 값이 될 수 없는 것은?

① 3
② 4
③ 7
④ 11
⑤ 14

대표 유형 3 삼각형이 하나로 정해지는 경우 (1)　　　　　　유형 해결의 법칙 중 1-2 67쪽

삼각형은 다음 세 가지 경우에 모양과 크기가 하나로 정해진다.

① 세 변의 길이가 주어질 때

② 두 변의 길이와 그 끼인각의 크기가 주어질 때

③ 한 변의 길이와 그 양 끝 각의 크기가 주어질 때

3-1 다음 보기 중 △ABC가 하나로 정해지는 것을 모두 골라라.

─ 보기 ─

㉠ $\overline{AB}=6$, $\overline{BC}=5$, $\angle B=100°$

㉡ $\angle A=50°$, $\angle B=80°$, $\angle C=50°$

㉢ $\overline{AC}=10$, $\angle A=100°$, $\angle C=50°$

㉣ $\overline{AB}=7$, $\angle B=60°$, $\angle C=50°$

㉤ $\overline{AB}=5$, $\overline{BC}=13$, $\overline{AC}=8$

풀이 ㉡ 세 각의 크기가 주어졌으므로 △ABC가 무수히 많이 만들어진다.

㉣ $\angle A=180°-(60°+50°)=70°$, 즉 한 변의 길이와 그 양 끝 각의 크기가 주어졌으므로 △ABC가 하나로 정해진다.

㉤ $13=5+8$이므로 삼각형이 만들어지지 않는다.

답 ㉠, ㉢, ㉣

쌍둥이 3-2

다음 중 △ABC가 하나로 정해지는 것을 모두 고르면?

(정답 2개)

① $\overline{AB}=2$ cm, $\overline{BC}=4$ cm, $\overline{CA}=7$ cm

② $\overline{AB}=5$ cm, $\overline{BC}=8$ cm, $\angle B=90°$

③ $\overline{BC}=3$ cm, $\overline{CA}=9$ cm, $\angle A=25°$

④ $\overline{AB}=6$ cm, $\angle A=30°$, $\angle C=75°$

⑤ $\angle A=55°$, $\angle B=60°$, $\angle C=65°$

대표 유형 4 삼각형이 하나로 정해지는 경우 (2)　　　　　　유형 해결의 법칙 중 1-2 67쪽

① 세 변의 길이가 주어질 때 ➡ (가장 긴 변의 길이)<(나머지 두 변의 길이의 합)인지 확인한다.

② 두 변의 길이와 한 각의 크기가 주어질 때 ➡ 주어진 각이 끼인각인지 확인한다.

③ 한 변의 길이와 두 각의 크기가 주어질 때 ➡ 주어진 두 각의 크기의 합이 180°보다 작은지 확인한다.

4-1 △ABC에서 $\overline{AB}=6$ cm, $\overline{BC}=5$ cm일 때, 다음 중 △ABC가 하나로 정해지는 것을 모두 고르면? (정답 2개)

① $\angle A=50°$　　　② $\angle B=75°$

③ $\overline{AC}=8$ cm　　④ $\angle A=45°$

⑤ $\overline{AC}=11$ cm

풀이 ② 두 변의 길이와 그 끼인각의 크기가 주어졌으므로 △ABC가 하나로 정해진다.

③ $8<6+5$, 즉 가장 긴 변의 길이가 나머지 두 변의 길이의 합보다 작으므로 △ABC가 하나로 정해진다.

답 ②, ③

쌍둥이 4-2

△ABC에서 $\overline{AC}=8$ cm일 때, 다음 중 △ABC가 하나로 정해지지 <u>않는</u> 것을 모두 고르면? (정답 2개)

① $\overline{AB}=7$ cm, $\angle C=50°$

② $\angle A=70°$, $\angle C=50°$

③ $\overline{AB}=6$ cm, $\overline{BC}=2$ cm

④ $\angle A=70°$, $\angle B=45°$

⑤ $\overline{BC}=8$ cm, $\angle C=60°$

삼각형 / 삼각형의 작도

(1) 삼각형의 세 변의 길이 사이의 관계

삼각형의 두 변의 길이의 합은 나머지 한 변의 길이보다 ❶ .

(2) 삼각형의 작도 : 다음의 각 경우에는 삼각형을 하나로 작도할 수 있다.

① 세 변의 길이가 주어질 때

② 두 변의 길이와 그 끼인각의 크기가 주어질 때

③ 한 변의 길이와 그 양 끝 각의 크기가 주어질 때

답 ❶ 크다

01

다음 중 삼각형의 세 변의 길이가 될 수 있는 것은?

① 11 cm, 6 cm, 5 cm ② 6 cm, 10 cm, 4 cm

③ 12 cm, 7 cm, 4 cm ④ 4 cm, 3 cm, 1 cm

⑤ 5 cm, 6 cm, 7 cm

02 [서술형]

삼각형의 세 변의 길이가 $4, 6, x$일 때, x의 값이 될 수 있는 자연수의 개수를 구하여라.

03

오른쪽 그림과 같이 한 변의 길이와 그 양 끝 각의 크기가 주어졌을 때, $\triangle ABC$를 작도하려고 한다. 다음 중 $\triangle ABC$를 작도하는 순서로 옳지 <u>않은</u> 것은?

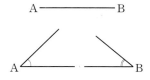

① $\angle A \to \overline{AB} \to \angle B$ ② $\overline{AB} \to \angle B \to \angle A$

③ $\overline{AB} \to \angle A \to \angle B$ ④ $\angle B \to \overline{AB} \to \angle A$

⑤ $\angle A \to \angle B \to \overline{AB}$

04 [창의력]

길이가 각각 2 cm, 3 cm, 4 cm, 5 cm인 4개의 선분 중에서 3개를 골라 서로 다른 삼각형을 만들 때, 만들 수 있는 삼각형의 개수를 구하여라.

삼각형이 하나로 정해지는 경우

(1) 세 변의 길이가 주어질 때

(2) 두 변의 길이와 그 ❶ 의 크기가 주어질 때

(3) 한 변의 길이와 그 양 끝 각의 크기가 주어질 때

답 ❶ 끼인각

05

$\triangle ABC$에서 $\overline{AB}=6$ cm, $\angle B=50°$일 때, 한 가지 조건을 추가하여 $\triangle ABC$가 하나로 정해지도록 하려고 한다. 이때 필요한 나머지 한 조건을 다음 보기에서 모두 고른 것은?

보기
ㄱ $\angle A=130°$ ㄴ $\angle A=50°$
ㄷ $\overline{BC}=10$ cm ㄹ $\overline{AC}=5$ cm

① ㄱ, ㄴ ② ㄱ, ㄹ ③ ㄴ, ㄷ

④ ㄴ, ㄷ, ㄹ ⑤ ㄱ, ㄴ, ㄷ, ㄹ

06

다음 중 $\triangle ABC$가 하나로 정해지는 것을 모두 고르면?

(정답 2개)

① $\overline{AB}=2$ cm, $\overline{BC}=5$ cm, $\overline{CA}=6$ cm

② $\overline{AB}=4$ cm, $\overline{BC}=3$ cm, $\angle A=50°$

③ $\overline{BC}=7$ cm, $\overline{CA}=3$ cm, $\angle B=30°$

④ $\overline{AC}=8$ cm, $\angle A=30°$, $\angle B=50°$

⑤ $\angle A=30°$, $\angle B=70°$, $\angle C=80°$

3 삼각형의 합동

개념 ① 도형의 합동

(1) **합동** 한 도형을 모양이나 크기를 바꾸지 않고 옮겨서 다른 한 도형에 완전히 포갤 수 있을 때, 두 도형을 서로 합동이라 하고 기호 '≡'를 써서 나타낸다.

> **참고** '='과 '≡'의 차이
> - $\triangle ABC = \triangle DEF$: $\triangle ABC$와 $\triangle DEF$의 넓이가 같다.
> - $\triangle ABC \equiv \triangle DEF$: $\triangle ABC$와 $\triangle DEF$는 합동이다.

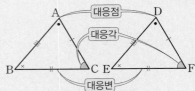

(2) **대응** 합동인 두 도형에서 서로 포개어지는 꼭짓점과 꼭짓점, 변과 변, 각과 각을 서로 대응한다고 한다.

(3) **합동인 도형의 성질**

두 도형이 서로 합동이면

① 대응하는 변의 길이는 서로 같다.

② 대응하는 각의 크기는 서로 같다.

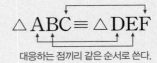

 오른쪽 그림에서 사각형 ABCD와 사각형 EFGH가 서로 합동일 때,
$\angle E = \angle A = 80°$, $\angle G = \angle C = 70°$
$\overline{EF} = \overline{AB} = 9 \text{ cm}$, $\overline{HG} = \overline{DC} = 6 \text{ cm}$

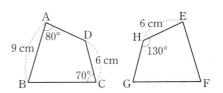

• **Lecture** •

● 합동인 두 도형의 넓이는 항상 같다. 하지만 두 도형의 넓이가 같다고 해서 반드시 합동인 것은 아니다.

예

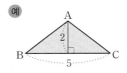 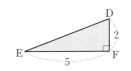

$\triangle ABC = \dfrac{1}{2} \times 5 \times 2 = 5$ $\triangle DEF = \dfrac{1}{2} \times 5 \times 2 = 5$

│ 개념 확인 │ 1 오른쪽 그림에서 $\triangle ABC \equiv \triangle DEF$일 때, 다음을 구하여라.

(1) $\overline{BC}$의 길이

(2) $\angle E$의 크기

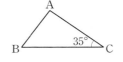 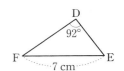

개념 ② 삼각형의 합동 조건

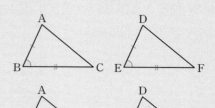

다음의 각 경우에 삼각형 ABC와 삼각형 DEF는 서로 합동이다.

(1) 대응하는 **세 변의 길이가 각각 같을** 때(SSS 합동)

➡ $\overline{AB}=\overline{DE}$, $\overline{BC}=\overline{EF}$, $\overline{AC}=\overline{DF}$

(2) 대응하는 **두 변의 길이가 각각 같고, 그 끼인각의 크기가 같을** 때(SAS 합동)

➡ $\overline{AB}=\overline{DE}$, $\overline{BC}=\overline{EF}$, $\angle B=\angle E$

(3) 대응하는 **한 변의 길이가 같고, 그 양 끝 각의 크기가 각각 같을** 때(ASA 합동)

➡ $\overline{BC}=\overline{EF}$, $\angle B=\angle E$, $\angle C=\angle F$

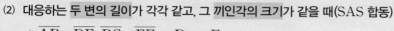

참고 SSS 합동, SAS 합동, ASA 합동에서 S는 Side(변), A는 Angle(각)의 첫 글자이다.

보기 다음 그림과 같은 두 삼각형이 서로 합동일 때, 기호 ≡를 사용하여 나타내고 합동 조건을 알아보자.

(1)
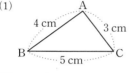
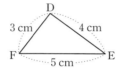

⇨ △ABC와 △DEF에서
$\overline{AB}=\overline{DE}$, $\overline{BC}=\overline{EF}$, $\overline{AC}=\overline{DF}$
∴ △ABC≡△DEF(SSS 합동)

(2)
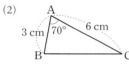
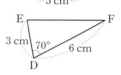

⇨ △ABC와 △DEF에서
$\overline{AB}=\overline{DE}$, $\overline{AC}=\overline{DF}$, $\angle A=\angle D$
∴ △ABC≡△DEF(SAS 합동)

(3)
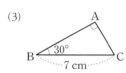
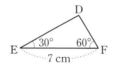

⇨ △ABC와 △DEF에서 ┌→ $\angle C=180°-(90°+30°)=60°$
$\overline{BC}=\overline{EF}$, $\angle B=\angle E$, $\angle C=\angle F$
∴ △ABC≡△DEF(ASA 합동)

• Lecture •

● ① 삼각형을 작도할 수 있는 조건
② 삼각형이 하나로 정해지는 조건
③ 삼각형의 합동 조건
은 내용이 모두 같음을 알 수 있다.

| 개념 확인 | **2** 다음 그림의 삼각형과 합동인 삼각형을 보기에서 골라라.

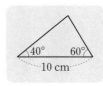

보기 ─
㉠ 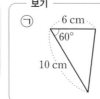 ㉡ 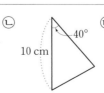 ㉢ ㉣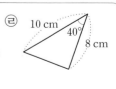

개념 기초

1-1

아래 그림에서 △ABC와 △DEF가 서로 합동일 때, 다음 ☐ 안에 알맞은 것을 써넣어라.

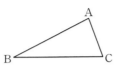 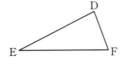

(1) 점 C의 대응점은 점 ☐이다.

(2) $\overline{AB}$의 대응변은 ☐이다.

(3) ∠A의 대응각은 ☐이다.

(4) △ABC와 △DEF가 합동임을 기호로 나타내면
△ABC☐△DEF이다.

연구 △ABC≡△DEF이면
(2) $\overline{AB}$=☐, $\overline{BC}$=$\overline{EF}$, ☐=$\overline{DF}$
(3) ∠A=☐, ∠B=∠E, ☐=∠F

2-1

다음 그림의 두 삼각형은 서로 합동이다. 기호 ≡를 사용하여 합동임을 나타내고, 그때의 합동 조건을 말하여라.

(1)
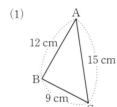 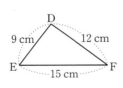

(2)
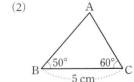 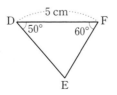

(3)
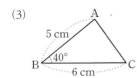 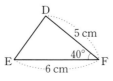

연구 두 도형이 합동임을 기호를 사용하여 나타낼 때, 두 도형의 꼭짓점을 대응하는 순서대로 쓴다.

쌍둥이 문제

1-2

다음 설명 중 옳은 것에는 ○표, 옳지 않은 것에는 ×표를 하여라.

(1) 반지름의 길이가 같은 두 원은 합동이다.   (   )

(2) 넓이가 같은 두 직사각형은 합동이다.   (   )

(3) 합동인 두 도형에서 대응변의 길이와 대응각의 크기는 각각 같다.   (   )

(4) 합동인 두 도형은 넓이가 같다.   (   )

2-2

다음 중 오른쪽 보기의 삼각형과 합동인 삼각형은?

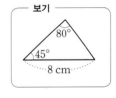
보기

① 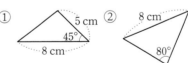 ②

③ 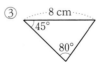 ④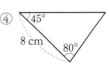

⑤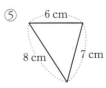

STEP 2 대표 유형으로 **개념 잡기**

대표 유형 ① 합동인 도형의 성질

유형 해결의 법칙 중 1-2 69쪽

두 도형이 서로 합동이면
① 대응하는 변의 길이가 같다.
② 대응하는 각의 크기가 같다.

1-1 아래 그림에서 △ABC≡△DEF일 때, 다음을 구하여라.

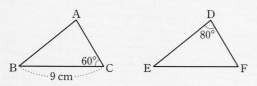

(1) $\overline{EF}$의 길이   (2) ∠A의 크기   (3) ∠E의 크기

쌍둥이 1-2

다음 그림에서 △ABC≡△DEF일 때, ∠A의 크기를 구하여라.

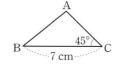 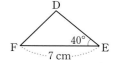

풀이 (1) $\overline{EF}=\overline{BC}=9$ cm

(2) ∠A=∠D=80°

(3) △DEF에서 ∠F=∠C=60°이므로

∠E=180°−(80°+60°)=40°   **답** (1) 9 cm (2) 80° (3) 40°

대표 유형 ② 합동인 삼각형 찾기

유형 해결의 법칙 중 1-2 70쪽

① 대응하는 세 변의 길이가 같은지 확인한다.
② 대응하는 두 변의 길이가 같고, 그 끼인각의 크기가 같은지 확인한다.
③ 대응하는 한 변의 길이가 같고, 그 양 끝 각의 크기가 같은지 확인한다.

2-1 다음 보기의 삼각형 중 서로 합동인 삼각형을 모두 찾고, 그때의 합동 조건을 말하여라.

보기

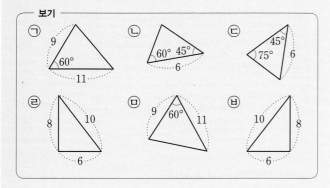

쌍둥이 2-2

다음 보기의 삼각형 중 합동인 것끼리 바르게 짝 지은 것은?

보기

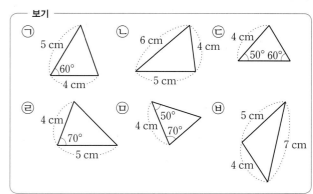

① ㉠과 ㉡   ② ㉠과 ㉢   ③ ㉡과 ㉂
④ ㉢과 ㉤   ⑤ ㉣과 ㉂

풀이 (i) ㉠과 ㉤: 대응하는 두 변의 길이가 각각 같고, 그 끼인각의 크기가 같으므로 SAS 합동이다.

(ii) ㉡과 ㉢: 대응하는 한 변의 길이가 같고, 그 양 끝 각의 크기가 각각 같으므로 ASA 합동이다.

(iii) ㉣과 ㉂: 대응하는 세 변의 길이가 각각 같으므로 SSS 합동이다.

답 풀이 참조

대표 유형 **3** 두 삼각형이 합동이 되기 위한 조건

유형 해결의 법칙 중 1-2 71쪽

① 두 변의 길이가 각각 같을 때 ➡ 나머지 한 변의 길이 또는 그 끼인각의 크기가 같아야 한다.

② 한 변의 길이와 그 양 끝 각 중 한 각의 크기가 같을 때 ➡ 그 각을 끼고 있는 다른 한 변의 길이 또는 다른 한 각의 크기가 같아야 한다.

③ 두 각의 크기가 각각 같을 때 ➡ 두 각을 양 끝 각으로 하는 한 변의 길이가 같아야 한다.

3-1 다음 그림에서 △ABC≡△DEF이기 위하여 필요한 나머지 한 조건을 보기에서 모두 골라라.

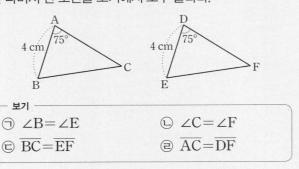

보기
㉠ ∠B=∠E   ㉡ ∠C=∠F
㉢ $\overline{BC}=\overline{EF}$ ㉣ $\overline{AC}=\overline{DF}$

풀이 △ABC와 △DEF에서 $\overline{AB}=\overline{DE}$, ∠A=∠D이므로
△ABC≡△DEF이려면 $\overline{AC}=\overline{DF}$ (SAS 합동) 또는
∠B=∠E (ASA 합동) 또는 ∠C=∠F (ASA 합동)이어야 한다.

답 ㉠, ㉡, ㉣

쌍둥이 3-2

다음 그림에서 $\overline{AB}=\overline{DE}$, $\overline{BC}=\overline{EF}$일 때,
△ABC≡△DEF이기 위하여 필요한 나머지 한 조건을 모두 고르면? (정답 2개)

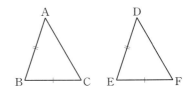

① $\overline{AB}=\overline{EF}$ ② $\overline{AC}=\overline{DF}$ ③ ∠A=∠D

④ ∠B=∠E   ⑤ ∠C=∠F

대표 유형 **4** 삼각형의 합동 조건 (1) – SSS 합동

유형 해결의 법칙 중 1-2 69쪽

SSS 합동 ➡ 대응하는 세 변의 길이가 각각 같다.

4-1 다음은 ∠XOY와 크기가 같고 반직선 PQ를 한 변으로 하는 각을 작도하였을 때, △AOB≡△DPC임을 보이는 과정이다. ㈎~㈐에 알맞은 것을 구하여라.

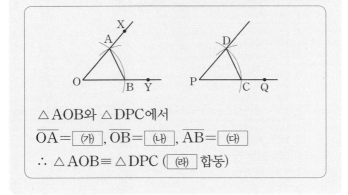

△AOB와 △DPC에서
$\overline{OA}=$ ㈎ , $\overline{OB}=$ ㈏ , $\overline{AB}=$ ㈐
∴ △AOB≡△DPC (㈑ 합동)

쌍둥이 4-2

다음은 사각형 ABCD에서 $\overline{AB}=\overline{CD}$, $\overline{BC}=\overline{DA}$이면 △ABC≡△CDA임을 보이는 과정이다. ☐ 안에 알맞은 것을 써넣어라.

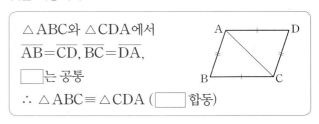

△ABC와 △CDA에서
$\overline{AB}=\overline{CD}$, $\overline{BC}=\overline{DA}$,
☐는 공통
∴ △ABC≡△CDA (☐ 합동)

풀이 ㈎ $\overline{PD}$ ㈏ $\overline{PC}$ ㈐ $\overline{DC}$ ㈑ SSS

답 풀이 참조

대표 유형 ⑤ 삼각형의 합동 조건 (2) – SAS 합동

유형 해결의 법칙 중 1-2 72쪽

SAS 합동 ➡ 대응하는 두 변의 길이가 각각 같고, 그 끼인각의 크기가 같다.

5-1 오른쪽 그림의 △OAD와 △OCB에서 $\overline{OA}=\overline{OC}$이고 $\overline{AB}=\overline{CD}$일 때, 다음 중 옳지 않은 것은?

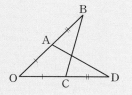

① $\overline{OD}=\overline{OB}$ ② $\overline{AD}=\overline{CB}$
③ $\angle D=\angle B$ ④ $\overline{OA}=\overline{AB}$
⑤ $\triangle OAD \equiv \triangle OCB$

풀이 △OAD와 △OCB에서
$\overline{OA}=\overline{OC}$, ∠O는 공통,
$\overline{OD}=\overline{OC}+\overline{CD}=\overline{OA}+\overline{AB}=\overline{OB}$
∴ $\triangle OAD \equiv \triangle OCB$ (SAS 합동)
④ $\overline{OA}$의 길이와 $\overline{AB}$의 길이가 같은지는 알 수 없다.   답 ④

쌍둥이 5-2

다음은 점 O가 $\overline{AB}$, $\overline{CD}$의 중점일 때, △OAC≡△OBD임을 보이는 과정이다. □ 안에 알맞은 것을 써넣어라.

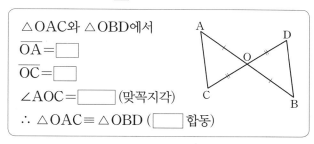

△OAC와 △OBD에서
$\overline{OA}=$ □
$\overline{OC}=$ □
∠AOC= □ (맞꼭지각)
∴ △OAC≡△OBD (□ 합동)

대표 유형 ⑥ 삼각형의 합동 조건 (3) – ASA 합동

유형 해결의 법칙 중 1-2 73쪽

ASA 합동 ➡ 대응하는 한 변의 길이가 같고, 그 양 끝 각의 크기가 각각 같다.

6-1 오른쪽 그림의 사각형 ABCD에서 $\overline{AB} /\!/ \overline{DC}$, $\overline{AD} /\!/ \overline{BC}$이고, 점 E는 $\overline{AD}$의 중점이다. $\overline{AB}$와 $\overline{CE}$의 연장선의 교점을 점 F라 할 때, 다음 중 옳지 않은 것은?

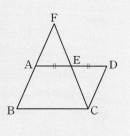

① $\angle AEF=\angle DEC$ ② $\angle FAE=\angle CDE$
③ $\triangle AFE\equiv\triangle DCE$ ④ $\overline{AF}=\overline{DC}$
⑤ $\overline{CD}=\overline{EF}$

풀이 △AFE와 △DCE에서
$\overline{AE}=\overline{DE}$, ∠AEF=∠DEC (맞꼭지각),
∠FAE=∠CDE (엇각)
∴ △AFE≡△DCE (ASA 합동)
⑤ $\overline{CD}$의 길이와 $\overline{EF}$의 길이가 같은지는 알 수 없다.   답 ⑤

쌍둥이 6-2

다음은 사각형 ABCD에서 $\overline{AB} /\!/ \overline{DC}$, $\overline{AD} /\!/ \overline{BC}$일 때, △ABD≡△CDB임을 보이는 과정이다. □ 안에 알맞은 것으로 옳지 않은 것은?

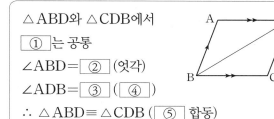

△ABD와 △CDB에서
① 는 공통
∠ABD= ② (엇각)
∠ADB= ③ (④)
∴ △ABD≡△CDB (⑤ 합동)

① $\overline{BD}$ ② ∠CDB   ③ ∠CBD
④ 동위각   ⑤ ASA

대표 유형 **7** **삼각형의 합동 조건의 응용** (1) – 정삼각형
유형 해결의 법칙 중 1–2 74쪽

> 정삼각형의 성질을 이용하여 합동인 삼각형을 찾는다.
>
> **참고** 정삼각형의 성질 ➡ ① 정삼각형의 세 변의 길이는 모두 같다.
>
> ② 정삼각형의 세 각의 크기는 모두 $60°$이다.

7-1 아래 그림에서 $\triangle ABC$와 $\triangle ECD$는 정삼각형일 때, 다음 물음에 답하여라.

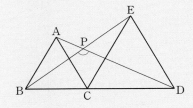

(1) $\triangle ACD \equiv \triangle BCE$임을 보여라.

(2) $\angle BPD$의 크기를 구하여라.

풀이 (1) $\triangle ACD$와 $\triangle BCE$에서

$\triangle ABC$는 정삼각형이므로 $\overline{AC}=\overline{BC}$

$\triangle ECD$는 정삼각형이므로 $\overline{CD}=\overline{CE}$

$\angle ACD = \angle ACE + \angle ECD = \angle ACE + 60°$

$\angle BCE = \angle BCA + \angle ACE = 60° + \angle ACE$

$\therefore \angle ACD = \angle BCE$

즉 대응하는 두 변의 길이가 각각 같고, 그 끼인각의 크기가 같으므로

$\triangle ACD \equiv \triangle BCE$ (SAS 합동)

(2) $\triangle ACD \equiv \triangle BCE$이므로

$\angle EBC + \angle BEC = \angle EBC + \angle ADC$

$\therefore \angle BPD = 180° - (\angle EBC + \angle ADC)$

$= 180° - (\angle EBC + \angle BEC)$

$= \angle BCE$

$= 180° - \angle ECD$

$= 180° - 60° (\because \triangle ECD$는 정삼각형$)$

$= 120°$

답 (1) 풀이 참조 (2) $120°$

쌍둥이 7-2

다음 그림의 정삼각형 ABC에서 $\overline{BD}=\overline{CE}$일 때, $\triangle ABD$와 합동인 삼각형을 찾고, 그때의 합동 조건을 말하여라.

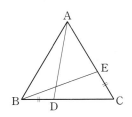

쌍둥이 7-3

오른쪽 그림은 정삼각형 ABC의 변 AB 위에 점 D를 잡고, $\overline{BD}$를 한 변으로 하는 정삼각형 EBD를 그린 것이다. 다음은 $\triangle AEB \equiv \triangle CDB$임을 보이는 과정이다. (가)~(라)에 알맞은 것을 구하여라.

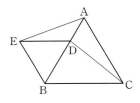

> $\triangle AEB$와 $\triangle CDB$에서
>
> $\triangle EBD$는 정삼각형이므로 $\overline{EB}=$ (가)
>
> $\triangle ABC$는 정삼각형이므로 $\overline{BA}=$ (나)
>
> $\angle EBA = \angle DBC =$ (다)
>
> 즉 대응하는 두 변의 길이가 각각 같고, 그 끼인각의 크기가 같으므로 $\triangle AEB \equiv \triangle CDB$ ((라) 합동)이다.

대표 유형 ⑧ 삼각형의 합동 조건의 응용 (2) – 정사각형

유형 해결의 법칙 중 1–2 75쪽

정사각형의 성질을 이용하여 합동인 삼각형을 찾는다.

참고 정사각형의 성질 ➡ ① 정사각형의 네 변의 길이는 모두 같다.
② 정사각형의 네 각의 크기는 모두 90°이다.

8-1 아래 그림에서 사각형 ABCD는 정사각형이고 $\overline{BE}=\overline{CF}$일 때, 다음 물음에 답하여라.

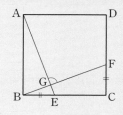

(1) △ABE≡△BCF임을 보여라.

(2) ∠AGF의 크기를 구하여라.

풀이 (1) 사각형 ABCD는 정사각형이므로

△ABE와 △BCF에서

$\overline{AB}=\overline{BC}$, ∠ABE=∠BCF=90°, $\overline{BE}=\overline{CF}$

즉 대응하는 두 변의 길이가 각각 같고, 그 끼인각의 크기가 같으므로

△ABE≡△BCF (SAS 합동)

(2) ∠BAE=∠CBF=∠a,

∠AEB=∠BFC=∠b라 하면

△ABE에서

∠a+∠b=180°-90°=90°

따라서 △GBE에서

∠BGE=180°-(∠a+∠b)

　　　=180°-90°

　　　=90°

∴ ∠AGF=∠BGE=90° (맞꼭지각)

답 (1) 풀이 참조 (2) 90°

쌍둥이 8-2

오른쪽 그림에서 사각형 ABCD는 정사각형이고 $\overline{BM}=\overline{CM}$일 때, △ABM과 합동인 삼각형을 찾고, 그때의 합동 조건을 말하여라.

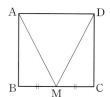

쌍둥이 8-3

아래 그림의 사각형 ABCD와 사각형 ECGF가 모두 정사각형일 때, 다음 물음에 답하여라.

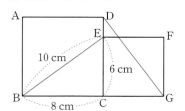

(1) △BCE와 합동인 삼각형을 찾고, 그때의 합동 조건을 말하여라.

(2) $\overline{DG}$의 길이를 구하여라.

도형의 합동

(1) 합동 : 한 도형을 모양이나 크기를 바꾸지 않고 옮겨서 다른 한 도형에 완전히 포갤 수 있을 때, 두 도형을 서로 합동이라 한다.

　예 △ABC와 △DEF가 합동임을 기호를 사용하여 나타내면 △ABC **①** △DEF

(2) 합동인 도형의 성질

　① 대응하는 변의 길이는 서로 **②** .

　② 대응하는 각의 크기는 서로 같다.

답 **①**≡ **②**같다

삼각형의 합동 조건

① 대응하는 세 변의 길이가 각각 같을 때(SSS 합동)

② 대응하는 두 변의 길이가 각각 같고, 그 끼인각의 크기가 같을 때(**①** 합동)

③ 대응하는 한 변의 길이가 같고, 그 양 끝 각의 크기가 각각 같을 때(ASA 합동)

답 **①**SAS

01

아래 그림에서 사각형 ABCD와 사각형 EFGH가 서로 합동일 때, 다음 중 옳은 것을 모두 고르면? (정답 2개)

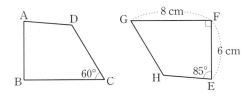

① $\overline{AB}$=8 cm ② $\overline{AD}$=6 cm ③ ∠A=90°

④ ∠G=60° ⑤ ∠D=125°

☆ 03

다음 보기의 삼각형 중 합동인 것끼리 바르게 짝 지은 것은?

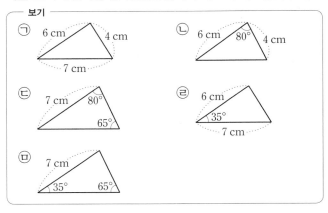

① ㉠과 ㉡ ② ㉠과 ㉢ ③ ㉡과 ㉣

④ ㉢과 ㉤ ⑤ ㉣과 ㉤

02

합동인 두 도형에 대한 다음 설명 중 옳지 <u>않은</u> 것은?

① 두 정삼각형은 합동이다.

② 대응하는 변의 길이는 서로 같다.

③ 대응하는 각의 크기는 서로 같다.

④ 합동인 도형의 넓이는 서로 같다.

⑤ 서로 완전히 포갤 수 있다.

04

아래 그림에서 $\overline{BC}=\overline{EF}$일 때, 다음 중 △ABC≡△DEF가 되기 위해 더 필요한 조건이 <u>아닌</u> 것은?

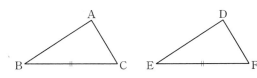

① ∠B=∠E, ∠C=∠F

② $\overline{AB}=\overline{DE}$, ∠B=∠E

③ $\overline{AB}=\overline{DE}$, ∠A=∠D

④ $\overline{AC}=\overline{DF}$, ∠C=∠F

⑤ $\overline{AB}=\overline{DE}$, $\overline{AC}=\overline{DF}$

05

다음은 오른쪽 그림과 같이 점 P가 $\overline{AB}$의 수직이등분선 l 위의 점일 때, $\overline{PA}=\overline{PB}$임을 보이는 과정이다. ①~⑤에 알맞은 것으로 옳지 <u>않은</u> 것은?

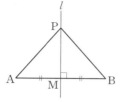

> △PAM과 △PBM에서
> 점 M은 ① 의 중점이므로 $\overline{AM}=$ ②
> $\overline{AB}\perp l$이므로 ∠PMA= ③ =90°
> $\overline{PM}$은 공통
> ∴ △PAM≡△PBM (④ 합동)
> ∴ $\overline{PA}=$ ⑤

① $\overline{AB}$ ② $\overline{BM}$ ③ ∠PBM
④ SAS   ⑤ $\overline{PB}$

06

오른쪽 그림의 사각형 ABCD에서 $\overline{AB}=\overline{DC}$, ∠ABC=∠DCB일 때, 다음 중 옳지 <u>않은</u> 것은?

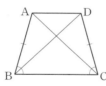

① ∠BAD=∠CDA   ② ∠ADB=∠DAC
③ ∠ADB=∠DCA   ④ △ABC≡△DCB
⑤ △ABD≡△DCA

07

다음은 어느 해안가에서 배와 섬의 위치를 나타낸 것이다. $\overline{PQ}=8$ km, $\overline{AR}=\overline{PR}=2$ km이고 ∠BAR=∠QPR일 때, A 지점과 B 지점 사이의 거리를 구하여라.

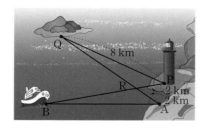

08

오른쪽 그림에서 ∠A=∠D, $\overline{BA}=\overline{BD}$일 때, 다음 중 옳지 <u>않은</u> 것은?

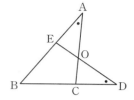

① △ABC≡△DBE
② $\overline{BC}=\overline{BE}$
③ ∠ACB=∠DEB
④ $\overline{ED}=\overline{EB}$
⑤ ∠OEA=∠OCD

09

오른쪽 그림의 정사각형 ABCD에서 $\overline{AE}=\overline{BF}$일 때, 다음 중 옳지 <u>않은</u> 것은?

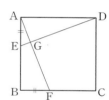

① $\overline{AF}=\overline{DE}$
② ∠ADE=∠BAF
③ △DGA≡△ABF
④ ∠GAE+∠GEA=90°
⑤ ∠GDC+∠GFC=180°

10

오른쪽 그림의 △ABC는 정삼각형이고 $\overline{AD}=\overline{BE}=\overline{CF}$일 때, 다음 중 옳지 <u>않은</u> 것은?

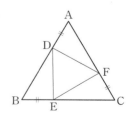

① ∠EDF=60°
② ∠AFD=∠CEF
③ $\overline{AF}=\overline{BD}$
④ △BED≡△CFE
⑤ ∠EFC=∠DFA

5 다각형

학습 목표

• 다각형의 대각선의 개수를 구할 수 있다.
• 삼각형의 내각과 외각의 성질을 알 수 있다.
• 다각형의 내각과 외각의 뜻을 이해하고, 다각형의 내각과 외각의 크기의 합을 구할 수 있다.

1 다각형

개념 ① 다각형과 정다각형

(1) **다각형**

① 다각형 : 3개 이상의 선분으로 둘러싸인 평면도형

➡ 선분의 개수가 3개이면 삼각형, 4개이면 사각형, …,
n개이면 n각형이라 한다.

② 변 : 다각형을 이루는 선분

③ 꼭짓점 : 다각형에서 변과 변이 만나는 점

④ 내각 : 다각형에서 이웃하는 두 변으로 이루어진 내부의 각

⑤ 외각 : 다각형의 각 꼭짓점에서 한 변과 그 변에 이웃한 변의 연장선으로 이루어진 각
→ 바로 옆에 있는

(2) **정다각형** 모든 변의 길이가 같고, 모든 내각의 크기가 같은 다각형

참고 정다각형은 변의 개수에 따라 정삼각형, 정사각형, 정오각형, 정육각형, …,
정n각형으로 분류한다.

용어
● 다각형 (많을 多, 각 角, 모양 形)
각이 많은 도형

정삼각형   정사각형   정오각형   …

보기 오른쪽 그림의 사각형에서 ∠B의 외각의 크기를 구해 보자.

⇨ ∠B의 외각의 크기는 $180° - 115° = 65°$

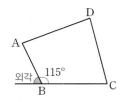

• Lecture •

● 다각형의 한 꼭짓점에서 (내각의 크기)+(외각의 크기)=180°

● 다각형에서 한 내각에 대한 외각은 2개이지만 서로 맞꼭지각으로 그 크기가 같으므로 둘 중 하나만 생각한다.

| 개념 확인 | **1** 다음은 다각형에서 ∠C의 외각의 크기를 구하는 과정이다. 잘못된 부분을 찾아 바르게 고쳐라.

∠C의 외각은 오른쪽 그림의 표시한 부분과 같으므로
(∠C의 외각의 크기)=$360° - 60° = 300°$

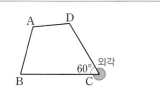

개념 ② 다각형의 대각선

(1) **대각선** 다각형에서 이웃하지 않는 두 꼭짓점을 이은 선분

(2) **대각선의 개수**

① n각형의 한 꼭짓점에서 그을 수 있는 대각선의 개수

➡ $n-3$

대각선

용어
• 대각선(마주 보다 對, 각 角, 선 線)
마주 보는 각의 꼭짓점을 이은 선

② n각형의 대각선의 개수 ➡ $\dfrac{n(n-3)}{2}$

참고 한 꼭짓점에서 자기 자신과 이웃하는 2개의 꼭짓점에는 대각선을 그을 수 없다.

보기

다각형	사각형	오각형	육각형	...	n각형
꼭짓점의 개수	4	5	6	...	n
한 꼭짓점에서 그을 수 있는 대각선의 개수	$4-3$	$5-3$	$6-3$	...	$n-3$
대각선의 개수	$\dfrac{4\times(4-3)}{2}$	$\dfrac{5\times(5-3)}{2}$	$\dfrac{6\times(6-3)}{2}$	...	$\dfrac{n\times(n-3)}{2}$

삼각형의 각 꼭짓점에서는 대각선을 그을 수 없으므로 대각선은 변의 개수가 4개 이상인 다각형에서만 생각해.

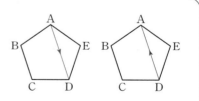

• **Lecture** •

• n각형의 한 꼭짓점에서 그을 수 있는 대각선의 개수는 $(n-3)$이므로 n개의 꼭짓점에서 그을 수 있는 대각선의 개수는 모두 $n(n-3)$이다. 그런데 이것은 오른쪽 그림과 같이 한 대각선을 두 번 센 것이므로 n각형의 대각선의 개수는 $n(n-3)$을 2로 나누어야 한다.

참고 1단원 기본 도형 9쪽에서 $\overline{AB}=\overline{BA}$임을 기억하자!

개념 확인 **2** 다음 다각형의 대각선의 개수를 구하여라.

(1) 사각형　　　　　　　　　　　(2) 오각형

5 다각형

STEP 1 기초 개념 드릴

개념 기초

1-1

다음 보기 중 다각형인 것을 모두 골라라.

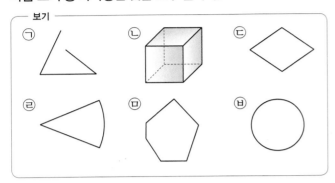

연구 ☐개 이상의 선분으로 둘러싸인 평면도형을 다각형이라 한다.

쌍둥이 문제

1-2

다음 중 옳은 것에는 ○표, 옳지 않은 것에는 ×표를 하여라.

(1) 변의 개수가 가장 적은 다각형은 삼각형이다. (　　)

(2) 다각형에서 변의 개수와 꼭짓점의 개수는 다르다.
(　　)

(3) 모든 변의 길이가 같고, 모든 내각의 크기가 같은 다각형은 정다각형이다. (　　)

2-1

다음 다각형에서 ∠A의 외각의 크기를 구하여라.

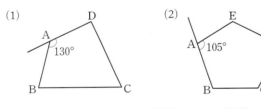

연구 (1) (∠A의 외각의 크기)＝☐°−130°＝☐°
(2) (∠A의 외각의 크기)＝☐°−105°＝☐°

2-2

다음 다각형에서 ∠B의 크기를 구하여라.

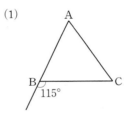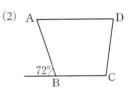

3-1

다음 다각형의 대각선의 개수를 구하여라.

(1) 육각형　　　　　(2) 팔각형

(3) 십이각형　　　　(4) 정십오각형

연구 n각형의 대각선의 개수는 $\dfrac{n(n-3)}{2}$이다.

3-2

다음 다각형의 대각선의 개수를 구하여라.

(1) 칠각형　　　　　(2) 구각형

(3) 십삼각형　　　　(4) 정이십각형

대표 유형 ① 다각형의 내각과 외각

다각형의 한 꼭짓점에서 내각과 외각의 크기의 합은 $180°$이다.

1-1 오른쪽 그림에서 $∠x+∠y$의 크기를 구하여라.

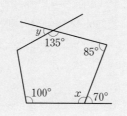

풀이 $∠x=180°-70°=110°$

$∠y=180°-135°=45°$

$∴ ∠x+∠y=110°+45°=155°$

답 $155°$

쌍둥이 1-2

오른쪽 그림의 △ABC에서 $∠y-∠x$의 크기를 구하여라.

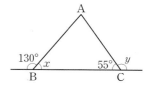

대표 유형 ② 정다각형

유형 해결의 법칙 중 1-2 85쪽

모든 변의 길이가 같고, 모든 내각의 크기가 같은 다각형은 정다각형이다.

참고 ① 변의 길이가 모두 같아도 각의 크기가 다르면 정다각형이 아니다.

② 각의 크기가 모두 같아도 변의 길이가 다르면 정다각형이 아니다.

2-1 다음 조건을 모두 만족시키는 다각형의 이름을 말하여라.

┌─ 조건 ─────────────────────
㉮ 5개의 선분으로 둘러싸여 있다.
㉯ 모든 변의 길이가 같고, 모든 내각의 크기가 같다.
└──────────────────────────

풀이 조건 ㉮를 만족시키는 다각형은 오각형이고, 조건 ㉯를 만족시키는 다각형은 정다각형이다.

따라서 구하는 다각형은 정오각형이다.

답 정오각형

쌍둥이 2-2

다음 도형이 정다각형이 <u>아닌</u> 이유를 써라.

(1)   (2)

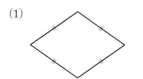

5
다
각
형

대표 유형 ③ 다각형의 대각선의 개수

유형 해결의 법칙 중 1-2 86쪽

- n각형의 한 꼭짓점에서 그을 수 있는 대각선의 개수 ➡ $n-3$
- n각형의 대각선의 개수 ➡ $\dfrac{n(n-3)}{2}$

참고 n각형의 한 꼭짓점에서 대각선을 모두 그었을 때 생기는 삼각형의 개수 ➡ $n-2$

3-1 한 꼭짓점에서 그을 수 있는 대각선의 개수가 13인 다각형에 대하여 다음 물음에 답하여라.

(1) 다각형의 이름을 말하여라.

(2) 대각선의 개수를 구하여라.

풀이 (1) 구하는 다각형을 n각형이라 하면

$$n-3=13 \qquad \therefore n=16$$

따라서 구하는 다각형은 십육각형이다.

(2) 십육각형의 대각선의 개수는

$$\frac{16 \times (16-3)}{2} = 104$$

답 (1) 십육각형 (2) 104

쌍둥이 3-2

팔각형의 한 꼭짓점에서 그을 수 있는 대각선의 개수를 a, 이때 생기는 삼각형의 개수를 b, 대각선의 개수를 c라 할 때, $a+b+c$의 값을 구하여라.

쌍둥이 3-3

한 꼭짓점에서 그을 수 있는 대각선의 개수가 7인 다각형의 이름을 말하고, 이 다각형의 대각선의 개수를 구하여라.

대표 유형 ④ 대각선의 개수가 주어졌을 때

유형 해결의 법칙 중 1-2 86쪽

대각선의 개수가 a인 다각형 ➡ 구하는 다각형을 n각형이라 하고 $\dfrac{n(n-3)}{2}=a$를 만족시키는 n의 값을 구한다.

4-1 대각선의 개수가 44인 다각형의 이름을 말하여라.

풀이 구하는 다각형을 n각형이라 하면

$$\frac{n(n-3)}{2}=44$$에서

$$n(n-3)=88=11 \times 8$$

$$\therefore n=11$$

따라서 구하는 다각형은 십일각형이다.

답 십일각형

쌍둥이 4-2

대각선의 개수가 14인 다각형의 이름을 말하여라.

쌍둥이 4-3

대각선의 개수가 65인 다각형의 변의 개수를 구하여라.

STEP **3** 개념 뛰어넘기

다각형과 정다각형

(1) 다각형 : 3개 이상의 선분으로 둘러싸인 평면도형
(2) 정다각형 : 모든 **❶** 의 길이가 같고, 모든 내각의
크기가 같은 다각형

답 ❶변

01

다음 중 다각형이 <u>아닌</u> 것을 모두 고르면? (정답 2개)

① 삼각형　　② 오각형　　③ 정육면체
④ 원　　　　⑤ 사다리꼴

02

오른쪽 그림의 오각형 ABCDE에
서 $\angle x + \angle y$의 크기를 구하여라.

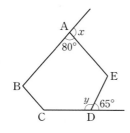

★ 03

다음 중 다각형에 대한 설명으로 옳은 것은?

① 다각형의 내각의 크기는 모두 같다.
② 다각형의 외각의 크기는 모두 같다.
③ 다각형의 외각은 한 내각에 대하여 1개 있다.
④ 다각형은 2개 이상의 선분으로 둘러싸인 평면도형이다.
⑤ 한 꼭짓점에서 내각과 외각의 크기의 합은 180°이다.

다각형의 대각선

(1) n각형의 한 꼭짓점에서 그을 수 있는 대각선의 개수
➡ **❶**

(2) n각형의 대각선의 개수 ➡

답 ❶$n-3$　❷$\dfrac{n(n-3)}{2}$

★ 04

한 꼭짓점에서 그을 수 있는 대각선의 개수가 9인 다각형의 변
의 개수를 x, 대각선의 개수를 y라 할 때, $y-x$의 값을 구하여
라.

05
서술형

다음 조건을 모두 만족시키는 다각형의 이름을 말하여라.

조건
㈎ 모든 변의 길이가 같고, 모든 내각의 크기가 같다.
㈏ 대각선의 개수는 27이다.

06
창의 융합

주요 8개국 정상회담(G8)은
세계 정치와 경제를 주도하는
주요 8개국(독일, 러시아, 미
국, 영국, 이탈리아, 일본, 캐나
다, 프랑스) 정상들의 정치와
경제 문제에 대한 회의를 뜻한
다. 주요 8개국 정상들이 빠짐

없이 서로 악수를 주고 받았다면 모두 몇 번의 악수를 했는지
구하여라.

2 삼각형의 내각과 외각

개념 ① 삼각형의 내각

삼각형의 세 내각의 크기의 합은 180°이다.

➡ △ABC에서 ∠A+∠B+∠C=180°

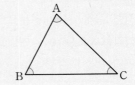

설명 평행선의 성질을 이용하여 △ABC의 세 내각의 크기의 합이 180°임을 설명하기

오른쪽 그림과 같이 △ABC에서 변 BC의 연장선 위에 한 점 D를 잡고, 점 C에서 변 BA에 평행한 반직선 CE를 그으면 $\overline{BA}\parallel\overrightarrow{CE}$이므로

∠A=∠ACE(엇각), ∠B=∠ECD(동위각)

∴ ∠A+∠B+∠C=∠ACE+∠ECD+∠ACB

 = ∠BCD=180°

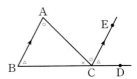

보기 오른쪽 그림에서 ∠x의 크기를 구해 보자.

⇨ 삼각형의 세 내각의 크기의 합은 180°이므로

70°+80°+∠x=180° ∴ ∠x=30°

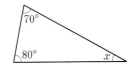

• **Lecture** •

● 삼각형의 세 내각의 크기의 합이 180°임은 다음과 같은 방법으로 확인할 수 있다.

방법 1 오려 붙이기	방법 2 종이접기

△+○+×=180°

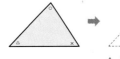

△+○+×=180°

| 개념 확인 | **1** 다음 그림에서 ∠x의 크기를 구하려고 한다. ☐ 안에 알맞은 수를 써넣어라.

(1)

∠x+78°+35°=☐°

∴ ∠x=☐°

(2)

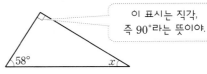

이 표시는 직각, 즉 90°라는 뜻이야.

90°+58°+∠x=☐°

∴ ∠x=☐°

개념 ❷ 삼각형의 내각과 외각 사이의 관계

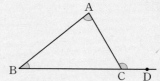

삼각형의 한 외각의 크기는 그와 이웃하지 않는 두 내각의 크기의 합과 같다.

➡ △ABC에서 $\angle ACD = \angle A + \angle B$

설명 평행선의 성질을 이용하여 △ABC의 한 외각의 크기는 그와 이웃하지 않는 두 내각의 크기의 합과 같음을 설명하기

오른쪽 그림과 같이 △ABC에서 변 BC의 연장선 위에 한 점 D를 잡고, 점 C에서 변 BA에 평행한 반직선 CE를 그으면 $\overline{BA} /\!/ \overrightarrow{CE}$이므로

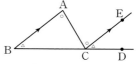

$\angle ACE = \angle A$(엇각), $\angle ECD = \angle B$(동위각)

∴ $\angle ACD = \angle ACE + \angle ECD = \angle A + \angle B$

보기 오른쪽 그림에서 $\angle x$의 크기를 구해 보자.

⇨ 삼각형의 한 외각의 크기는 그와 이웃하지 않는 두 내각의 크기의 합과 같으므로

$\angle x = 30° + 85° = 115°$

• **Lecture** •

● 평행선의 성질 되짚어 보기

평행한 두 직선 l, m이 다른 한 직선 n과 만날 때

① 동위각의 크기는 서로 같다.

② 엇각의 크기는 서로 같다.

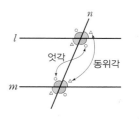

| 개념 확인 | **2** 다음 그림에서 $\angle x$의 크기를 구하려고 한다. ☐ 안에 알맞은 수를 써넣어라.

(1)

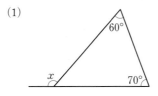

$\angle x = 60° + \boxed{}°$

$\quad = \boxed{}°$

(2)

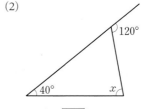

$120° = \boxed{}° + \angle x$

∴ $\angle x = \boxed{}°$

5
다각형

개념 기초

1-1

다음 그림에서 ∠x의 크기를 구하여라.

(1)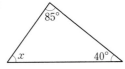

(2)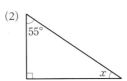

연구 삼각형의 세 내각의 크기의 합은 ⬚ °이다.

(1) $85° + ∠x + 40° =$ ⬚ °

(2) $55° + 90° + ∠x =$ ⬚ °

쌍둥이 문제

1-2

다음 그림에서 ∠x의 크기를 구하여라.

(1)

(2)

2-1

다음 그림에서 ∠x의 크기를 구하여라.

(1)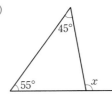

(2)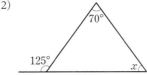

연구 삼각형의 한 외각의 크기는 그와 이웃하지 않는 두 내각의 크기의 ⬚ 과 같다.

2-2

다음 그림에서 ∠x의 크기를 구하여라.

(1)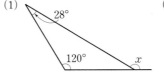

(2)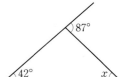

3-1

다음은 삼각형의 세 내각의 크기의 합이 $180°$임을 보이는 과정이다. ⬚ 안에 알맞은 것을 써넣어라.

오른쪽 그림과 같이 점 C를 지나고 $\overline{AB}$에 평행한 반직선 CE를 그으면

∠A = ⬚ (엇각)

∠B = ⬚ (동위각)

∴ ∠A + ∠B + ∠C

  = ⬚ + ⬚ + ∠C

  = ⬚ °

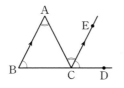

3-2

다음은 삼각형의 한 외각의 크기는 그와 이웃하지 않는 두 내각의 크기의 합과 같음을 보이는 과정이다. ⬚ 안에 알맞은 것을 써넣어라.

오른쪽 그림과 같이 점 C를 지나고 $\overline{AB}$에 평행한 반직선 CE를 그으면

∠ACE = ⬚ (엇각)

∠ECD = ⬚ (동위각)

∴ ∠ACD = ∠ACE + ∠ECD

    = ⬚ + ⬚

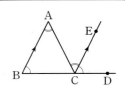

대표 유형 ❶   삼각형의 세 내각의 크기의 합

유형 해결의 법칙 중 1-2 87쪽

> 삼각형의 세 내각의 크기의 합은 $180°$이다.

1-1 오른쪽 그림에서 $\angle x$의 크기
를 구하여라.

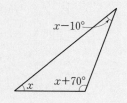

쌍둥이 1-2

다음 그림에서 $\angle x$의 크기를 구하여라.

(1)   (2)

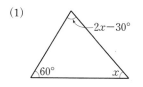

풀이   삼각형의 세 내각의 크기의 합은 $180°$이므로

$$(\angle x-10°)+\angle x+(\angle x+70°)=180°$$
$$3\angle x+60°=180°,\ 3\angle x=120°$$
$$\therefore\ \angle x=40°$$

답 $40°$

대표 유형 ❷   삼각형의 세 내각의 크기의 비

유형 해결의 법칙 중 1-2 87쪽

> $\triangle ABC$에서 $\angle A : \angle B : \angle C = x : y : z$일 때
>
> $\angle A=180°\times\dfrac{x}{x+y+z}$, $\angle B=180°\times\dfrac{y}{x+y+z}$, $\angle C=180°\times\dfrac{z}{x+y+z}$임을 이용한다.

2-1 삼각형의 세 내각의 크기의 비가 $1 : 2 : 3$일 때, 세 내
각 중 가장 작은 각의 크기를 구하여라.

쌍둥이 2-2

삼각형의 세 내각의 크기의 비가 $2 : 3 : 4$일 때, 세 내각 중
가장 큰 각의 크기를 구하여라.

풀이   삼각형의 세 내각의 크기의 합은 $180°$이므로

(가장 작은 각의 크기)$=180°\times\dfrac{1}{1+2+3}=30°$

답 $30°$

> 삼각형의 세 내각의 크기의 비에서
> 가장 작은 수가 가장 작은 각에 해당해.

5
다
각
형

유형 해결의 법칙 중 1-2 87쪽

대표 유형 ❸ 삼각형의 내각과 외각 사이의 관계

삼각형의 한 외각의 크기는 그와 이웃하지 않는 두 내각의 크기의 합과 같다.

3-1 오른쪽 그림에서 $\angle x$의 크기를 구하여라.

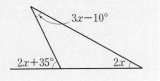

풀이 $(3\angle x - 10°) + 2\angle x = 2\angle x + 35°$이므로

$3\angle x = 45°$ ∴ $\angle x = 15°$

답 $15°$

쌍둥이 3-2

다음 그림에서 $\angle x$의 크기를 구하여라.

(1)   (2)

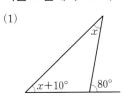

유형 해결의 법칙 중 1-2 87쪽

대표 유형 ❹ 삼각형의 내각과 외각 사이의 관계의 활용 (1)

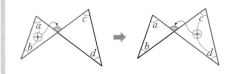

$\angle a + \angle b = \angle c + \angle d$

4-1 오른쪽 그림에서 $\angle x$, $\angle y$의 크기를 각각 구하여라.

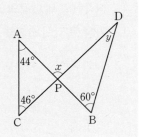

풀이 $\triangle$ACP에서 $\angle x = 44° + 46° = 90°$

$\triangle$DPB에서 $\angle x = \angle y + 60°$이므로

$90° = \angle y + 60°$ ∴ $\angle y = 30°$

답 $\angle x = 90°$, $\angle y = 30°$

쌍둥이 4-2

오른쪽 그림에서 $\angle x$의 크기를 구하여라.

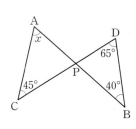

대표 유형 ⑤ 삼각형의 내각과 외각 사이의 관계의 활용 (2)

유형 해결의 법칙 중 1–2 88쪽

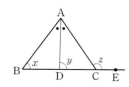

$\triangle$ABD에서 $\angle y = \angle x + \bullet$

$\triangle$ADC에서 $\angle z = \angle y + \bullet$

5-1 오른쪽 그림의 $\triangle$ABC
에서 $\overline{AD}$가 $\angle$BAC의 이등
분선일 때, $\angle x$의 크기를 구하
여라.

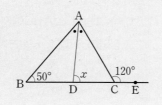

쌍둥이 5-2

오른쪽 그림의 $\triangle$ABC에서
$\angle$BAD $=\angle$CAD일 때, $\angle x$
의 크기를 구하여라.

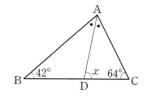

풀이 $\triangle$ABC에서 $\angle$BAC $+50° = 120°$

$\therefore \angle$BAC $= 70°$

이때 $\angle$BAD $= \dfrac{1}{2}\angle$BAC $= \dfrac{1}{2} \times 70° = 35°$이므로

$\triangle$ABD에서 $\angle x = 35° + 50° = 85°$

답 $85°$

대표 유형 ⑥ 삼각형의 내각과 외각 사이의 관계의 활용 (3) – 보조선을 이용하는 경우

유형 해결의 법칙 중 1–2 89쪽

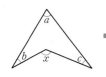 ➡ 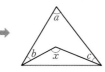 또는 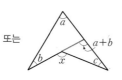 또는

$\angle x = \angle a + \angle b + \angle c$

6-1 오른쪽 그림에서 $\angle x$의
크기를 구하여라.

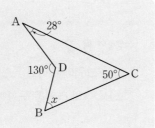

쌍둥이 6-2

다음 그림에서 $\angle x$의 크기를 구하여라.

(1) 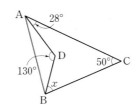 (2)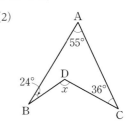

풀이 오른쪽 그림과 같이 $\overline{AB}$를 그으면

$\triangle$DAB에서

$\angle$DAB $+ \angle$DBA $= 180° - 130°$

$\qquad\qquad\qquad = 50°$

$\triangle$ABC에서

$28° + 50° + \angle x + 50° = 180°$

$\therefore \angle x = 52°$

답 $52°$

대표 유형 **7** 삼각형의 내각의 크기의 합의 활용

유형 해결의 법칙 중 1-2 89쪽

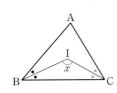

$\triangle ABC$에서 $\angle ABC + \angle ACB = 180° - \angle A$

$\triangle IBC$에서 $\angle x = 180° - \dfrac{1}{2}(\angle ABC + \angle ACB) = 180° - \dfrac{1}{2}(180° - \angle A)$

$\qquad = 180° - 90° + \dfrac{1}{2}\angle A = 90° + \dfrac{1}{2}\angle A$

7-1 오른쪽 그림의 $\triangle ABC$에서 점 I는 $\angle B$와 $\angle C$의 이등분선의 교점이다.
$\angle A = 74°$일 때, $\angle x$의 크기를 구하여라.

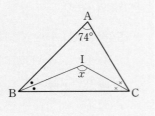

풀이 $\triangle ABC$에서 $\angle ABC + \angle ACB = 180° - 74° = 106°$

따라서 $\triangle IBC$에서

$\angle x = 180° - (\angle IBC + \angle ICB)$

$\qquad = 180° - \dfrac{1}{2}(\angle ABC + \angle ACB)$

$\qquad = 180° - \dfrac{1}{2} \times 106°$

$\qquad = 180° - 53° = 127°$ **답** $127°$

쌍둥이 7-2

다음 그림의 $\triangle ABC$에서 점 I는 $\angle B$와 $\angle C$의 이등분선의 교점이다. 이때 $\angle x$의 크기를 구하여라.

(1) 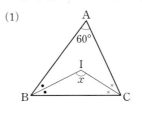 (2)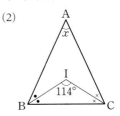

대표 유형 **8** 삼각형의 내각과 외각 사이의 관계의 활용 (4)

유형 해결의 법칙 중 1-2 90쪽

이등변삼각형의 두 밑각의 크기는 서로 같음을 이용한다.

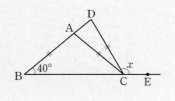 $\qquad \angle x = 3\angle a$

8-1 오른쪽 그림에서 $\overline{AB} = \overline{AC} = \overline{DC}$이고 $\angle B = 40°$일 때, $\angle x$의 크기를 구하여라.

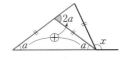

풀이 $\triangle ABC$에서 $\overline{AB} = \overline{AC}$이므로

$\angle ACB = \angle ABC = 40°$

$\therefore \angle CAD = 40° + 40° = 80°$

$\triangle CDA$에서 $\overline{CA} = \overline{CD}$이므로

$\angle CDA = \angle CAD = 80°$

따라서 $\triangle DBC$에서 $\angle x = 80° + 40° = 120°$ **답** $120°$

쌍둥이 8-2

다음 그림에서 $\overline{AB} = \overline{AC} = \overline{DC}$이고 $\angle DCE = 111°$일 때, $\angle BDC$의 크기를 구하여라.

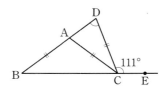

대표 유형 **9** 삼각형의 내각과 외각 사이의 관계의 활용 (5)

유형 해결의 법칙 중 1–2 90쪽

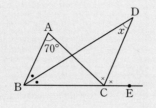

$\triangle ABC$에서 $\angle ACE = \angle A + \angle ABC$이므로

$\angle DCE = \dfrac{1}{2} \angle ACE = \dfrac{1}{2}(\angle A + 2\angle DBC) = \dfrac{1}{2}\angle A + \angle DBC$ ······㉠

$\triangle DBC$에서 $\angle DCE = \angle x + \angle DBC$ ······㉡

㉠, ㉡에서 $\angle x = \dfrac{1}{2}\angle A$

9-1 오른쪽 그림의 $\triangle ABC$에서 $\angle B$의 이등분선과 $\angle C$의 외각의 이등분선의 교점을 D라 하자. $\angle A = 70°$일 때, $\angle x$의 크기를 구하여라.

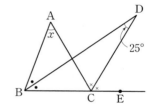

풀이 $\triangle ABC$에서 $\angle ACE = 70° + \angle ABC$이므로

$\angle DCE = \dfrac{1}{2}\angle ACE = \dfrac{1}{2}(70° + 2\angle DBC)$

$= 35° + \angle DBC$ ······㉠

$\triangle DBC$에서 $\angle DCE = \angle x + \angle DBC$ ······㉡

㉠, ㉡에서 $\angle x = 35°$ 답 $35°$

쌍둥이 9-2

다음 그림의 $\triangle ABC$에서 $\angle B$의 이등분선과 $\angle C$의 외각의 이등분선의 교점을 D라 하자. $\angle D = 25°$일 때, $\angle x$의 크기를 구하여라.

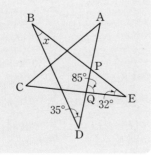

대표 유형 **10** 삼각형의 내각과 외각 사이의 관계의 활용 (6)

유형 해결의 법칙 중 1–2 91쪽

별 모양의 도형에서는 주어진 각 중 두 각을 내각으로 하는 삼각형을 찾아 삼각형의 내각과 외각 사이의 관계를 이용한다.

10-1 오른쪽 그림에서 $\angle x$의 크기를 구하여라.

쌍둥이 10-2

오른쪽 그림에서 $\angle x$의 크기를 구하여라.

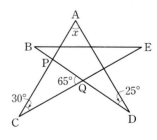

풀이 $\triangle PBD$에서 $\angle QPE = \angle x + 35°$

$\triangle PQE$에서 $\angle QPE + \angle PQE + \angle E = 180°$이므로

$(\angle x + 35°) + 85° + 32° = 180°$

$\therefore \angle x = 28°$ 답 $28°$

5 다각형

삼각형의 내각과 외각

(1) 삼각형의 세 내각의 크기의 합
삼각형의 세 내각의 크기의 합은 **❶**°이다.
➡ $\angle A + \angle B + \angle C = $ **❷**°

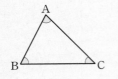

(2) 삼각형의 내각과 외각 사이의 관계
삼각형의 한 외각의 크기
는 그와 이웃하지 않는 두
내각의 크기의 합과 같다.
➡ $\angle ACD = \angle A + \angle B$

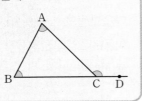

답 ❶ 180 ❷ 180

01

오른쪽 그림과 같은 $\triangle ABC$에서
$\angle x$의 크기를 구하여라.

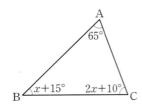

02

다음을 이용하여 삼각형의 세 내각의 크기의 비가 $1 : 3 : 5$일
때, 세 내각 중 가장 큰 각의 크기를 구하여라.

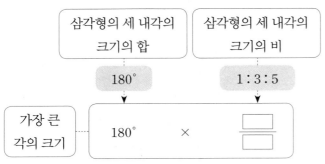

삼각형의 세 내각의 크기의 합	삼각형의 세 내각의 크기의 비
$180°$	$1 : 3 : 5$

가장 큰 각의 크기 ┈ $180°$ × ▢

03

오른쪽 그림에서 $\angle x$의 크기를 구하
여라.

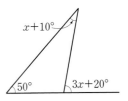

04

오른쪽 그림에서 $\angle x$의 크기는?

① $15°$ ② $20°$
③ $25°$ ④ $30°$
⑤ $35°$

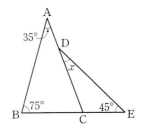

05

오른쪽 그림에서 $\angle x$의 크기를 구
하여라.

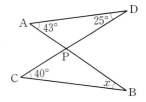

06

오른쪽 그림의 $\triangle ABC$에서
$\angle BAD = \angle CAD$일 때, $\angle x$의
크기는?

① $76°$ ② $78°$
③ $80°$ ④ $82°$
⑤ $84°$

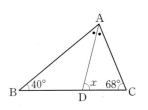

★ 07

오른쪽 그림에서 ∠x의 크기를 구하여라.

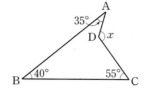

08

오른쪽 그림의 △ABC에서 점 I는 ∠B와 ∠C의 이등분선의 교점이다. ∠A＝68°일 때, ∠x의 크기를 구하여라.

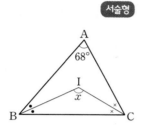

★ 09

오른쪽 그림에서 $\overline{AB}=\overline{AC}=\overline{CD}$이고 ∠ABC＝25°일 때, ∠$x$의 크기를 구하여라.

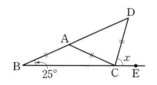

10

오른쪽 그림과 같이 △ABC에서 ∠B의 이등분선과 ∠C의 외각의 이등분선의 교점을 D라 하자. ∠D＝32°일 때, ∠x의 크기는?

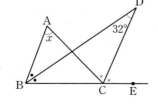

① 60° ② 62° ③ 64°
④ 66° ⑤ 68°

11

다음 그림과 같이 ∠A＝60°인 △ABC가 그려진 직사각형 모양의 색종이에서 두 선분 BC와 AB, 두 선분 CD와 AC가 각각 겹치도록 접었을 때 생기는 두 선을 l, m이라 하자. 두 선 l, m의 교점을 E라 할 때, ∠BEC의 크기를 구하여라.

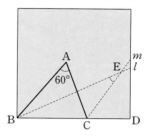

12

오른쪽 그림에서 ∠x의 크기를 구하여라.

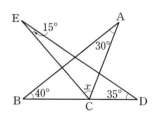

13

오른쪽 그림에서 ∠x의 크기를 구하여라.

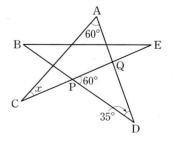

개념 ① 다각형의 내각

(1) **다각형의 내각의 크기의 합**

(n각형의 내각의 크기의 합)=$180° \times (n-2)$

(2) **정다각형의 한 내각의 크기**

정다각형은 그 내각의 크기가 모두 같으므로 정다각형에서 한 내각의 크기는 정다각형의 내각의 크기의 합을 꼭짓점의 개수로 나누어 구할 수 있다.

➡ (정n각형의 한 내각의 크기)=$\dfrac{180° \times (n-2)}{n}$ ⟶ 내각의 크기의 합
⟶ 꼭짓점의 개수

다각형	사각형	오각형	육각형	⋯	n각형
꼭짓점의 개수	4	5	6	⋯	n
한 꼭짓점에서 대각선을 모두 그었을 때 생기는 삼각형의 개수	2	3	4	⋯	$n-2$
내각의 크기의 합	$180° \times 2 = 360°$	$180° \times 3 = 540°$	$180° \times 4 = 720°$	⋯	$180° \times (n-2)$

• **Lecture** •

● n각형의 한 꼭짓점에서 대각선을 모두 그었을 때, 나누어지는 삼각형의 개수는 $(n-2)$이다. 이때 삼각형의 세 내각의 크기의 합은 $180°$이므로 n각형의 내각의 크기의 합은 $180° \times (n-2)$이다.

‖ 개념 확인 ‖ **1** 다음 다각형의 내각의 크기의 합을 구하여라.

(1) 칠각형 (2) 구각형

‖ 개념 확인 ‖ **2** 다음 정다각형의 한 내각의 크기를 구하여라.

(1) 정오각형 (2) 정육각형

개념 **2** 다각형의 외각

(1) **다각형의 외각의 크기의 합**

다각형의 외각의 크기의 합은 항상 360°이다.

(2) **정다각형의 한 외각의 크기**

정다각형은 그 외각의 크기가 모두 같으므로 정다각형에서 한 외각의 크기는 360°를 꼭짓점의 개수로 나누어 구할 수 있다.

➡ (정n각형의 한 외각의 크기)$= \dfrac{360°}{n}$ ──→ 외각의 크기의 합
──→ 꼭짓점의 개수

 사각형의 내각의 크기의 합을 이용하여 사각형의 외각의 크기의 합을 구해 보자.

⇨ 사각형의 한 꼭짓점에서 내각과 외각의 크기의 합은 180°이고 사각형의 꼭짓점의 개수는 4이므로

(내각의 크기의 합)+(외각의 크기의 합)=180°×4=720°

이때 사각형의 내각의 크기의 합은 360°이므로

(외각의 크기의 합)=720°−360°=360°

삼각형, 오각형, 육각형 등 다른 다각형의 외각의 크기의 합도 위와 같이 계산하면 항상 360°야.

• **Lecture** •

● 다각형의 내각의 크기의 합은 변의 개수에 따라 달라지지만 외각의 크기의 합은 변의 개수와 상관없이 항상 360°이다.

┃개념 확인┃ **3** 다음 그림에서 ∠x의 크기를 구하여라.

(1)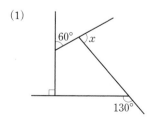

(2)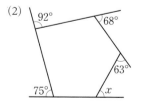

┃개념 확인┃ **4** 다음 정다각형의 한 외각의 크기를 구하여라.

(1) 정오각형

(2) 정육각형

5
다
각
형

STEP 1 기초 개념 드릴

개념 기초

1-1

다음 그림에서 ∠x의 크기를 구하여라.

(1) 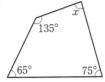 (2)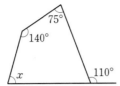

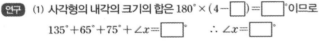 (1) 사각형의 내각의 크기의 합은 $180° × (4 - \boxed{}) = \boxed{}°$이므로

$135° + 65° + 75° + ∠x = \boxed{}°$ ∴ $∠x = \boxed{}°$

2-1

다음 그림에서 ∠x의 크기를 구하여라.

(1)  (2)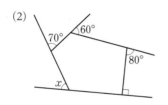

연구 다각형의 외각의 크기의 합은 항상 $\boxed{}°$이다.

3-1

정팔각형에 대하여 다음을 구하여라.

(1) 외각의 크기의 합

(2) 한 외각의 크기

(3) 한 내각의 크기

연구 (2) 정 n각형의 한 외각의 크기는 $\dfrac{360°}{\boxed{}}$ 이다.

쌍둥이 문제

1-2

다음 그림에서 ∠x의 크기를 구하여라.

(1)  (2)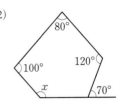

2-2

다음 그림에서 ∠x의 크기를 구하여라.

(1) 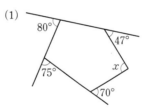 (2)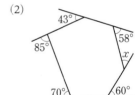

3-2

정십각형에 대하여 다음을 구하여라.

(1) 외각의 크기의 합

(2) 한 외각의 크기

(3) 한 내각의 크기

대표 유형 ❶ 다각형의 내각의 크기의 합

유형 해결의 법칙 중 1-2 92쪽

- n각형의 내각의 크기의 합 ➡ $180° \times (n-2)$
- n각형의 대각선의 개수 ➡ $\dfrac{n(n-3)}{2}$

1-1 내각의 크기의 합이 $1620°$인 다각형의 대각선의 개수를 구하여라.

풀이 구하는 다각형을 n각형이라 하면

$$180° \times (n-2) = 1620°$$

$n-2=9$　∴ $n=11$, 즉 십일각형

따라서 십일각형의 대각선의 개수는

$$\dfrac{11 \times (11-3)}{2} = 44$$

답 44

쌍둥이 1-2

내각의 크기의 합이 $540°$인 다각형을 구하여라.

쌍둥이 1-3

내각의 크기의 합이 $1080°$인 다각형의 꼭짓점의 개수를 구하여라.

대표 유형 ❷ 다각형의 내각의 크기의 합을 이용하여 각의 크기 구하기

유형 해결의 법칙 중 1-2 93쪽

- n각형의 내각의 크기의 합 ➡ $180° \times (n-2)$
- 다각형의 한 꼭짓점에서 (내각의 크기)+(외각의 크기)$=180°$이다.

2-1 오른쪽 그림에서 $\angle x$의 크기를 구하여라.

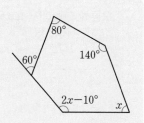

쌍둥이 2-2

오른쪽 그림에서 $\angle x$의 크기를 구하여라.

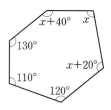

풀이 오각형의 내각의 크기의 합은

$180° \times (5-2) = 540°$이므로

$80° + 120° + (2\angle x - 10°)$
$\qquad + \angle x + 140° = 540°$

$3\angle x + 330° = 540°$, $3\angle x = 210°$

∴ $\angle x = 70°$

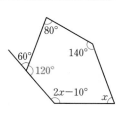

답 $70°$

대표 유형 **3** 다각형의 외각의 크기의 합

유형 해결의 법칙 중 1-2 94쪽

• 다각형의 외각의 크기의 합은 항상 360°이다.
• 다각형의 한 꼭짓점에서 (내각의 크기)＋(외각의 크기)＝180°이다.

3-1 오른쪽 그림에서 $\angle x$의 크기를 구하여라.

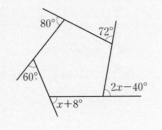

풀이 오각형의 외각의 크기의 합은 360°이므로

$80° + 60° + (\angle x + 8°) + (2\angle x - 40°) + 72° = 360°$

$3\angle x + 180° = 360°, \ 3\angle x = 180°$

$\therefore \angle x = 60°$

답 60°

쌍둥이 3-2

다음 그림에서 $\angle x$의 크기를 구하여라.

(1)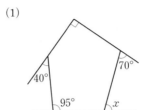

(2)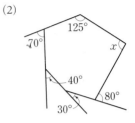

대표 유형 **4** 다각형의 내각의 크기의 합의 활용 (1) – 보조선 긋기

유형 해결의 법칙 중 1-2 94쪽

① $\underline{\angle a + \angle b + \bullet + \times + \angle c + \angle d} = 360°$
　　└→ 사각형의 내각의 크기의 합
② $\angle x = 180° - (\bullet + \times)$

4-1 오른쪽 그림에서 $\angle x$의 크기를 구하여라.

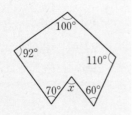

풀이 오른쪽 그림과 같이 보조선을 그으면
오각형의 내각의 크기의 합은
$180° \times (5-2) = 540°$이므로

$100° + 92° + 70° + \bullet + \times + 60°$
　　　　$+ 110° = 540°$

$\therefore \bullet + \times = 108°$

$\therefore \angle x = 180° - (\bullet + \times)$

　　$= 180° - 108° = 72°$

답 72°

쌍둥이 4-2

오른쪽 그림에서 $\angle x$의 크기를 구하여라.

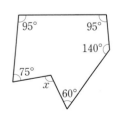

대표 유형 ⑤ 다각형의 내각의 크기의 합의 활용 (2) – 맞꼭지각의 성질 이용

유형 해결의 법칙 중 1-2 97쪽

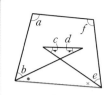

① $\angle c + \angle d = \bullet + \times$ ┐ 두 삼각형에서 한 내각의 크기가 맞꼭지각으로 같으므로
                  나머지 두 내각의 크기의 합이 같다.

② $\angle a + \angle b + \angle c + \angle d + \angle e + \angle f = \angle a + \angle b + \bullet + \times + \angle e + \angle f$

                                  = (사각형의 내각의 크기의 합)

                                  = $360°$

5-1 오른쪽 그림에서 $\angle x$의 크기를 구하여라.

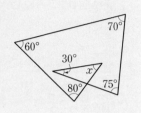

풀이 오른쪽 그림과 같이 보조선을 그으면

$\bullet + \times = 30° + \angle x$

이때 사각형의 내각의 크기의 합은

$180° \times (4-2) = 360°$이므로

$60° + 80° + \bullet + \times + 75° + 70° = 360°$

$60° + 80° + 30° + \angle x + 75° + 70° = 360°$

$\therefore \angle x = 45°$

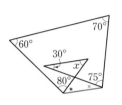

답 $45°$

쌍둥이 5-2

오른쪽 그림에서 $\angle x$의 크기를 구하여라.

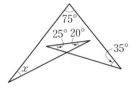

쌍둥이 5-3

오른쪽 그림에서 $\angle a + \angle b + \angle c + \angle d + \angle e$의 크기를 구하여라.

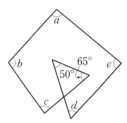

대표 유형 ⑥ 정다각형의 한 내각의 크기, 한 외각의 크기

유형 해결의 법칙 중 1-2 95쪽

① 정n각형의 한 내각의 크기 ➡ $\dfrac{180° \times (n-2)}{n}$ ② 정n각형의 한 외각의 크기 ➡ $\dfrac{360°}{n}$

6-1 한 내각의 크기가 $120°$인 정다각형을 구하여라.

풀이 한 내각의 크기가 $120°$인 정다각형의 한 외각의 크기는

$180° - 120° = 60°$이다.

구하는 정다각형을 정n각형이라 하면

$\dfrac{360°}{n} = 60°$ $\therefore n = 6$

따라서 구하는 정다각형은 정육각형이다.

답 정육각형

쌍둥이 6-2

다음을 구하여라.

(1) 한 외각의 크기가 $36°$인 정다각형

(2) 한 내각의 크기가 $150°$인 정다각형

(3) 내각의 크기의 합이 $720°$인 정다각형의 한 외각의 크기

5
다
각
형

대표 유형 7 **정다각형의 한 내각의 크기와 한 외각의 크기의 비**

유형 해결의 법칙 중 1-2 96쪽

정 n 각형에서 한 내각의 크기와 한 외각의 크기의 비가 $a:b$ 이면

(한 내각의 크기) $=180° \times \dfrac{a}{a+b}$, (한 외각의 크기) $=180° \times \dfrac{b}{a+b}$

7-1 한 내각의 크기와 한 외각의 크기의 비가 $4:1$ 인 정다각형을 구하여라.

풀이 (한 외각의 크기) $=180° \times \dfrac{1}{4+1}=36°$ 이므로

구하는 정다각형을 정 n 각형이라 하면

$\dfrac{360°}{n}=36°$ $\therefore n=10$

따라서 구하는 정다각형은 정십각형이다.

답 정십각형

쌍둥이 7-2

한 내각의 크기와 한 외각의 크기의 비가 $7:2$ 인 정다각형을 구하여라.

쌍둥이 7-3

한 내각의 크기가 한 외각의 크기의 3배인 정다각형을 구하여라.

대표 유형 8 **정다각형에서 각의 크기 구하기**

유형 해결의 법칙 중 1-2 98쪽

정다각형에서 각의 크기를 구할 때에는 다음을 이용한다.

① 정다각형의 모든 변의 길이는 같다.

② 정 n 각형의 한 내각의 크기는 $\dfrac{180° \times (n-2)}{n}$ 이다.

8-1 오른쪽 그림의 정오각형에서 $\angle x$ 의 크기를 구하여라.

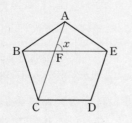

풀이 정오각형의 한 내각의 크기는 $\dfrac{180° \times (5-2)}{5}=108°$

$\triangle ABE$, $\triangle BCA$ 는 각각 $\overline{AB}=\overline{AE}$, $\overline{BC}=\overline{BA}$ 인 이등변삼각형이므로

$\angle ABE=\angle BAC=\dfrac{1}{2} \times (180°-108°)=36°$

따라서 $\triangle ABF$ 에서

$\angle x=\angle ABF+\angle BAF=36°+36°=72°$

답 $72°$

쌍둥이 8-2

오른쪽 그림의 정육각형에서 다음을 구하여라.

(1) 정육각형의 한 내각의 크기

(2) $\angle FAE$ 의 크기

(3) $\angle AFG$ 의 크기

(4) $\angle AGD$ 의 크기

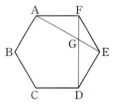

STEP ❸ 개념 뛰어넘기

다각형의 내각과 외각

(1) n각형의 내각의 크기의 합 : $180° \times ($ ❶ $)$

(2) 다각형의 외각의 크기의 합 : 항상 ❷ °

답 ❶ $n-2$ ❷ 360

01

다음은 팔각형의 내각의 크기의 합을 구하는 과정이다. ㉠~㉢에 알맞은 수를 구하여라.

팔각형의 한 꼭짓점에서 그을 수 있는 대각선의 개수는 ㉠ 개이고, 이 대각선들에 의해 ㉡ 개의 삼각형으로 나누어진다. 이때 삼각형의 내각의 크기의 합은 $180°$이므로 팔각형의 내각의 크기의 합은 $180° \times$ ㉡ $=$ ㉢ °이다.

02

내각의 크기의 합이 $1260°$인 다각형의 대각선의 개수는?

① 20   ② 27   ③ 35
④ 44   ⑤ 65

03

오른쪽 그림에서 $\angle x$의 크기를 구하여라.

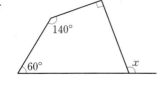

04

오른쪽 그림에서 $\angle x$의 크기는?

① 102°   ② 103°
③ 104°   ④ 105°
⑤ 106°

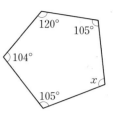

05

다음은 n각형의 외각의 크기의 합을 구하는 과정이다. ㉠, ㉡에 알맞은 것을 구하여라.

n각형의 한 꼭짓점에서 내각과 외각의 크기의 합은 $180°$이고 n각형의 꼭짓점의 개수는 n이므로
(내각의 크기의 합)$+$(외각의 크기의 합)$=$ ㉠
$\therefore$ (외각의 크기의 합)$=$ ㉠ $-$(내각의 크기의 합)
$=$ ㉠ $-180° \times (n-2)$
$=$ ㉡

⭐ 06

오른쪽 그림에서 $\angle x$의 크기를 구하여라.

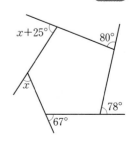 서술형

5 다각형

07

오른쪽 그림에서 ∠x의 크기를 구하여라.

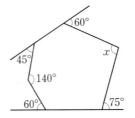

08

오른쪽 그림에서 ∠a+∠b의 크기를 구하여라.

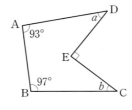

09

오른쪽 그림에서
∠a+∠b+∠c+∠d+∠e의 크기를 구하여라.

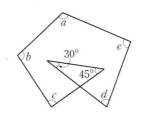

10

오른쪽 그림에서 ∠x+∠y의 크기는?

① 120°   ② 135°

③ 150°   ④ 165°

⑤ 180°

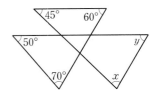

정다각형의 한 내각과 한 외각의 크기

(1) 정n각형의 한 내각의 크기 : $\dfrac{180° \times (n-2)}{n}$

(2) 정n각형의 한 외각의 크기 : $\dfrac{360°}{❶}$

답 ❶ n

★ 11

서술형

다음 조건을 모두 만족시키는 다각형에 대하여 물음에 답하여라.

― 조건 ―

㈎ 14개의 내각을 가지고 있다.

㈏ 모든 변의 길이가 같고, 모든 내각의 크기가 같다.

(1) 다각형의 이름을 말하여라.

(2) 다각형의 대각선의 개수를 구하여라.

(3) 다각형의 내각의 크기의 합을 구하여라.

12

한 내각의 크기가 140°인 정다각형의 내각의 크기의 합을 구하려고 한다. 다음 물음에 답하여라.

(1) 한 내각의 크기가 140°인 정다각형을 구하여라.

(2) (1)에서 구한 정다각형의 내각의 크기의 합을 구하여라.

13

한 꼭짓점에서 그을 수 있는 대각선의 개수가 12인 정다각형의 한 외각의 크기를 구하여라.

14

다음 조건을 모두 만족시키는 다각형을 구하여라.

> ── 조건 ──
> ㈎ 모든 변의 길이가 같고, 모든 내각의 크기가 같다.
> ㈏ 한 내각의 크기와 한 외각의 크기의 비가 8 : 1이다.

15

다음 그림과 같이 강아지 모양의 로봇을 조종하여 정육각형 모양의 운동장을 따라 시계 반대 방향으로 한 바퀴 돌리려고 할 때, 눌러야 하는 버튼의 번호를 모두 말하여라.

16

오른쪽 그림에서 사각형 ABCD는 정사각형이고, △EBC는 정삼각형이다. 이때 $\angle x - \angle y$의 크기는?

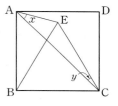

① 10° ② 12°
③ 14° ④ 15°
⑤ 18°

17

다음 그림은 한 변의 길이가 같은 정육각형과 정팔각형을 한 변이 서로 겹쳐지도록 붙여 놓은 것이다. 이때 $\angle a + \angle b$의 크기는?

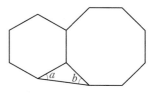

① 60° ② 75° ③ 105°
④ 120° ⑤ 130°

6 원과 부채꼴

학습 목표

- 호, 현, 부채꼴, 중심각, 할선, 활꼴의 뜻을 알 수 있다.
- 한 원에서 부채꼴의 중심각의 크기와 호의 길이, 중심각의 크기와 넓이가 서로 정비례함을 알 수 있다.
- 원의 둘레의 길이와 넓이를 원주율 π를 사용하여 나타낼 수 있다.
- 부채꼴의 호의 길이와 넓이를 구할 수 있다.

1 원과 부채꼴

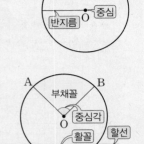

개념 ❶ 원과 부채꼴

(1) **원** 평면 위의 한 점 O에서 일정한 거리에 있는 모든 점으로 이루어진 도형

(2) **호** 원 O 위의 두 점 A, B를 잡으면 원은 두 부분으로 나누어지는데 이 두 부분을 각각 호라 한다. 양 끝점이 A, B인 호를 호 AB라 하고 이것을 기호로 $\overparen{AB}$와 같이 나타낸다.

(3) **현** 원 위의 두 점을 잇는 선분을 현이라 하고, 양 끝점이 A, B인 현을 현 AB라 한다.

참고 원의 중심을 지나는 현은 그 원의 지름이고, 한 원에서 길이가 가장 긴 현은 지름이다.

(4) **부채꼴 AOB** 원 O에서 두 반지름 OA, OB와 호 AB로 이루어진 도형

(5) **호 AB의 중심각 또는 부채꼴 AOB의 중심각** 원 O에서 두 반지름 OA, OB가 이루는 각, 즉 ∠AOB

(6) **할선** 원과 두 점에서 만나는 직선

(7) **활꼴** 원에서 현과 호로 이루어진 도형

 설명 (1) 일반적으로 $\overparen{AB}$는 길이가 짧은 쪽의 호를 말한다. 길이가 긴 쪽의 호는 그 호 위에 한 점 C를 잡아 $\overparen{ACB}$와 같이 나타낸다.

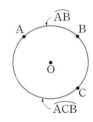

(2) 반원은 활꼴인 동시에 부채꼴이다.

| 개념 확인 | **1** 다음 용어에 알맞은 그림을 보기에서 골라라.

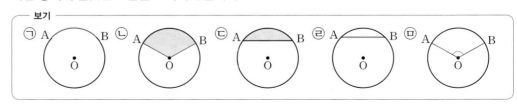

(1) 호 AB   (2) 현 AB   (3) 호 AB의 중심각

(4) 두 반지름 OA, OB와 호 AB로 이루어진 부채꼴

(5) 현 AB, 호 AB로 이루어진 활꼴

개념 ② 부채꼴의 중심각의 크기와 호의 길이, 넓이, 현의 길이 사이의 관계

(1) 중심각의 크기와 부채꼴의 호의 길이, 넓이

한 원 또는 합동인 두 원에서

① 중심각의 크기가 같은 두 부채꼴의 호의 길이와 넓이는 각각 같다.

② 부채꼴의 호의 길이와 넓이는 각각 중심각의 크기에 정비례 한다.

부채꼴의 중심각의 크기가 2배, 3배, 4배, …가 됨에 따라 부채꼴의 호의 길이와 넓이도 각각 2배, 3배, 4배, …가 된다.

(2) 중심각의 크기와 현의 길이

한 원 또는 합동인 두 원에서

① 같은 크기의 중심각에 대한 현의 길이는 같다.

② 현의 길이는 중심각의 크기에 정비례하지 않는다.

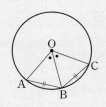

 다음 그림에서 x의 값을 구해 보자.

(1)

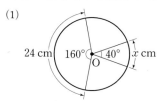

⇨ $160 : 40 = 24 : x$, 즉 $4 : 1 = 24 : x$에서

$4x = 24$ ∴ $x = 6$

(2)

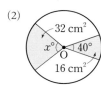

⇨ $x : 40 = 32 : 16$, 즉 $x : 40 = 2 : 1$에서

$x = 80$

• Lecture •

● '현의 길이는 중심각의 크기에 정비례하지 않는다.'를 설명하는 과정은 잘 이해하도록 한다.

오른쪽 그림의 △ABC에서 삼각형의 세 변의 길이 사이의 관계에 의하여 $\overline{AC} < \overline{AB} + \overline{BC}$이다.

즉 $\angle AOC = 2\angle AOB$이지만 $\overline{AC} < \overline{AB} + \overline{BC} = 2\overline{AB}$이다.

따라서 중심각의 크기가 2배가 되어도 현의 길이는 2배가 되지 않는다.

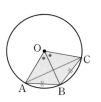

┃ 개념 확인 ┃ **2** 다음 그림의 원 O에서 x의 값을 구하여라.

(1)

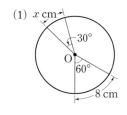

(2)

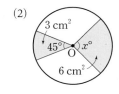

(3)

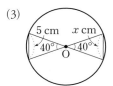

STEP **1** 기초 개념 드릴

개념 기초

1-1
오른쪽 그림의 원 O에 다음을 나타내어
라.

(1) 호 AB

(2) 현 CD

(3) 할선 AE

(4) 부채꼴 COE

(5) 호 AE의 중심각

(6) 호 AE와 현 AE로 이루어진 활꼴

쌍둥이 문제

1-2
오른쪽 그림의 원 O에 다음을 나타내어
라.

(1) 부채꼴 AOB

(2) 원 O의 지름

(3) $\overparen{BC}$에 대한 현

(4) 현 DE에 대한 호

(5) 부채꼴 AOB의 중심각

(6) $\overparen{AC}$의 중심각

2-1
다음 그림의 원 O에서 x의 값을 구하여라.

(1)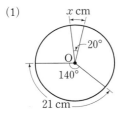

(2)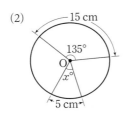

(3) (4)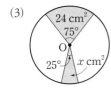

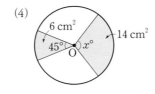

연구 (1), (2) 한 원에서 부채꼴의 호의 길이는 중심각의 크기에 ☐ 비례
한다.
(3), (4) 한 원에서 부채꼴의 넓이는 ☐☐☐의 크기에 ☐ 비례
한다.

2-2
다음 그림의 원 O에서 x의 값을 구하여라.

(1) (2)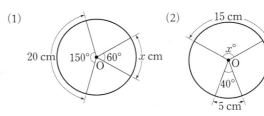

(3)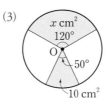

(4)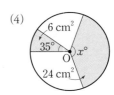

대표 유형 **1** 중심각의 크기와 호의 길이 (1)

유형 해결의 법칙 중 1–2 108쪽

한 원 또는 합동인 두 원에서 부채꼴의 호의 길이는 중심각의 크기에 정비례한다.

➡ 비례식을 세워 x의 값을 구한다.

1-1 오른쪽 그림의 원 O에서 x의 값을 구하여라.

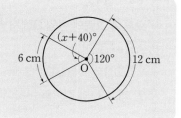

풀이 한 원에서 부채꼴의 호의 길이는 중심각의 크기에 정비례하므로

$(x+40) : 120 = 6 : 12$, 즉 $(x+40) : 120 = 1 : 2$에서

$2(x+40) = 120$, $2x+80 = 120$

$2x = 40$ ∴ $x = 20$

답 20

쌍둥이 1-2

다음 그림의 원 O에서 x의 값을 구하여라.

(1)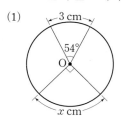

(2)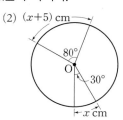

대표 유형 **2** 호의 길이의 비가 주어질 때 중심각의 크기 구하기

유형 해결의 법칙 중 1–2 108쪽

$\widehat{AB} : \widehat{BC} : \widehat{CA} = a : b : c$이면 $\angle AOB : \angle BOC : \angle COA = a : b : c$

➡ $\angle AOB = 360° \times \dfrac{a}{a+b+c}$, $\angle BOC = 360° \times \dfrac{b}{a+b+c}$, $\angle COA = 360° \times \dfrac{c}{a+b+c}$

2-1 오른쪽 그림의 원 O에서 $\widehat{AB} : \widehat{BC} : \widehat{CA} = 4 : 3 : 5$일 때, $\angle x$의 크기를 구하여라.

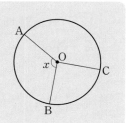

풀이 한 원에서 부채꼴의 호의 길이는 중심각의 크기에 정비례하므로

$\angle AOB : \angle BOC : \angle COA = \widehat{AB} : \widehat{BC} : \widehat{CA} = 4 : 3 : 5$

∴ $\angle x = 360° \times \dfrac{4}{4+3+5}$

$= 360° \times \dfrac{4}{12} = 120°$

답 120°

쌍둥이 2-2

오른쪽 그림에서 $\overline{AB}$는 원 O의 중심을 지나는 가장 긴 현이고 $\widehat{AC} : \widehat{CB} = 4 : 1$일 때, $\angle AOC$의 크기를 구하여라.

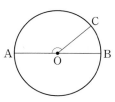

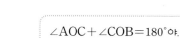
$\angle AOC + \angle COB = 180°$야.

대표 유형 ③ 중심각의 크기와 호의 길이(2)

유형 해결의 법칙 중 1-2 109쪽

- 이등변삼각형의 성질 ➡ 이등변삼각형의 두 밑각의 크기는 같다.
- 평행선의 성질 ➡ 평행한 두 직선이 다른 한 직선과 만날 때 생기는 동위각(엇각)의 크기는 서로 같다.
- 삼각형의 한 외각의 크기는 그와 이웃하지 않는 두 내각의 크기의 합과 같다.

3-1 오른쪽 그림의 원 O에서
$\overline{AB}\,/\!/\,\overline{CD}$, $\angle AOC=50°$,
$\widehat{AC}=2$ cm일 때, $\widehat{CD}$의 길이를
구하여라.

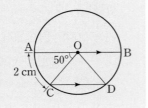

쌍둥이 3-2

오른쪽 그림의 반원 O에서
$\overline{AB}\,/\!/\,\overline{CD}$이고
$\angle DOB=30°$, $\widehat{BD}=5$ cm
일 때, $\widehat{CD}$의 길이를 구하여라.

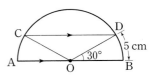

풀이 $\overline{AB}\,/\!/\,\overline{CD}$이므로

$\angle OCD=\angle AOC=50°$(엇각)

△OCD에서 $\overline{OC}=\overline{OD}$이므로

$\angle ODC=\angle OCD=50°$

$\therefore \angle COD=180°-(50°+50°)$

　　　　$=80°$

이때 $50:80=2:\widehat{CD}$, 즉 $5:8=2:\widehat{CD}$에서

$5\widehat{CD}=16$　$\therefore \widehat{CD}=\dfrac{16}{5}$ (cm)

답 $\dfrac{16}{5}$ cm

대표 유형 ④ 중심각의 크기와 호의 길이(3)

유형 해결의 법칙 중 1-2 109쪽

평행선의 성질을 이용할 수 있도록 보조선을 긋는다.

4-1 오른쪽 그림의 원 O에서
$\overline{AD}\,/\!/\,\overline{OC}$이다. $\angle COB=40°$,
$\widehat{BC}=4$ cm일 때, $\widehat{AD}$의 길이
를 구하여라.

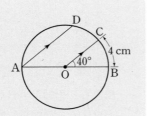

쌍둥이 4-2

오른쪽 그림의 원 O에서
$\overline{AD}\,/\!/\,\overline{OC}$이다. $\angle COB=45°$,
$\widehat{BC}=3$ cm일 때, $\widehat{AD}$의 길이
를 구하여라.

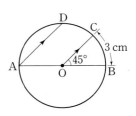

풀이 $\overline{AD}\,/\!/\,\overline{OC}$이므로

$\angle DAO=\angle COB=40°$(동위각)

오른쪽 그림과 같이 $\overline{OD}$를 그으면

△AOD에서 $\overline{OA}=\overline{OD}$이므로

$\angle ADO=\angle DAO=40°$

$\therefore \angle AOD=180°-(40°+40°)=100°$

이때 $100:40=\widehat{AD}:4$, 즉 $5:2=\widehat{AD}:4$에서

$20=2\widehat{AD}$　$\therefore \widehat{AD}=10$ (cm)

답 10 cm

대표 유형 5   중심각의 크기와 호의 길이, 부채꼴의 넓이

유형 해결의 법칙 중 1–2 111쪽

한 원 또는 합동인 두 원에서 부채꼴의 넓이는 중심각의 크기에 정비례한다.
➡ 비례식을 세워 부채꼴의 넓이를 구한다.

5-1 오른쪽 그림의 원 O에서
$\widehat{AB} : \widehat{BC} : \widehat{CA} = 5 : 4 : 3$이다. 부
채꼴 BOC의 넓이가 $24 \, \text{cm}^2$일 때,
부채꼴 AOB의 넓이를 구하여라.

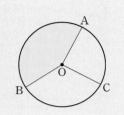

풀이 $\angle AOB : \angle BOC = \widehat{AB} : \widehat{BC} = 5 : 4$

이때 부채꼴 AOB의 넓이를 $x \, \text{cm}^2$라 하면
한 원에서 부채꼴의 넓이는 중심각의 크기에 정비례하므로
$5 : 4 = x : 24$에서 $120 = 4x$ ∴ $x = 30$
따라서 부채꼴 AOB의 넓이는 $30 \, \text{cm}^2$이다.

답 $30 \, \text{cm}^2$

(부채꼴의 중심각의 크기의 비)
=(부채꼴의 호의 길이의 비)
=(부채꼴의 넓이의 비)야.

쌍둥이 5-2

오른쪽 그림의 원 O에서
$\angle AOB = 30°$, $\angle COD = 120°$이다.
부채꼴 COD의 넓이가 $48 \, \text{cm}^2$일 때,
부채꼴 AOB의 넓이를 구하여라.

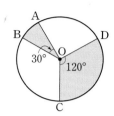

쌍둥이 5-3

오른쪽 그림에서 원 O의 넓이는
$72 \, \text{cm}^2$이고 $\overline{AB}$는 지름이다.
$\widehat{AC} : \widehat{CB} = 2 : 7$일 때, 부채꼴
AOC의 넓이를 구하여라.

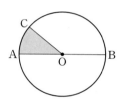

대표 유형 6   중심각의 크기와 호의 길이, 현의 길이 사이의 관계

유형 해결의 법칙 중 1–2 112쪽

한 원 또는 합동인 두 원에서
① 같은 크기의 중심각에 대한 현의 길이는 같다.
② 부채꼴의 호의 길이와 넓이는 각각 중심각의 크기에 정비례한다.
③ 현의 길이는 중심각의 크기에 정비례하지 않는다.

6-1 오른쪽 그림의 원 O에서
$\overline{AB} = \overline{CD} = \overline{DE}$이다.
$\angle COE = 110°$일 때, $\angle AOB$의 크
기를 구하여라.

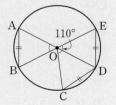

풀이   한 원에서 길이가 같은 현에 대한 중심각의 크기는 같고
$\overline{AB} = \overline{CD} = \overline{DE}$이므로
$\angle AOB = \angle COD = \angle DOE = \dfrac{1}{2} \times 110° = 55°$

답 $55°$

쌍둥이 6-2

오른쪽 그림의 원 O에서
$\angle AOB = \angle COD = \angle DOE$일 때,
다음 중 옳지 않은 것은?

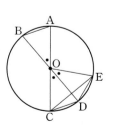

① $\overline{CD} = \overline{AB}$
② $\widehat{CD} = \widehat{AB}$
③ $\overline{CE} = 2\overline{AB}$
④ $\widehat{CE} = 2\widehat{AB}$
⑤ (부채꼴 COE의 넓이)$= 2 \times$(부채꼴 AOB의 넓이)

원과 부채꼴

(1) 호 : 원 위의 두 점을 잡았을 때 나누어지는 원의 두 부분
(2) ❶　　 : 원 위의 두 점을 잇는 선분
(3) 부채꼴 : 원에서 두 반지름과 호로 이루어진 도형
(4) 활꼴 : 원에서 현과 호로 이루어진 도형

참고 현은 원의 중심을 지날 때 가장 길고 원의 중심을 지나는 현은 그 원의 지름이다.

❶ 현

01

다음 그림의 원 O에서 ㉠~㉤으로 옳지 <u>않은</u> 것은?

 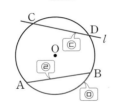

① ㉠ – 중심
② ㉡ – 반지름
③ ㉢ – 할선
④ ㉣ – 현 AB
⑤ ㉤ – 중심각 AB

02

다음 중 오른쪽 그림의 원 O에 대한 설명으로 옳지 <u>않은</u> 것은?

① $\overline{AB}$는 현이다.
② $\overset{\frown}{AB}$에 대한 중심각은 ∠AOB이다.
③ $\overline{AB}$와 $\overset{\frown}{AB}$로 둘러싸인 도형은 활꼴이다.
④ 원 위의 두 점 A, C를 양 끝점으로 하는 호는 1개이다.
⑤ $\overset{\frown}{AB}$와 반지름 OA, OB로 둘러싸인 도형은 부채꼴이다.

03

한 원에서 부채꼴과 활꼴이 같아질 때, 부채꼴의 중심각의 크기는?

① 60°
② 90°
③ 120°
④ 180°
⑤ 270°

부채꼴의 중심각의 크기와 호의 길이, 넓이, 현의 길이

(1) 부채꼴의 중심각의 크기와 호의 길이, 넓이 사이의 관계
한 원 또는 합동인 두 원에서
① 중심각의 크기가 같은 두 부채꼴의 호의 길이와 넓이는 각각 같다.
② 부채꼴의 호의 길이와 넓이는 각각 ❶　　의 크기에 정비례한다.

(2) 중심각의 크기와 현의 길이 사이의 관계
한 원 또는 합동인 두 원에서
① 중심각의 크기가 같은 두 현의 길이는 ❷　　.
② 길이가 같은 현에 대한 중심각의 크기는 같다.

참고 한 원에서 현의 길이는 중심각의 크기에 정비례하지 않는다.

❶ 중심각　❷ 같다

04

다음 중 한 원 또는 합동인 두 원에 대한 설명으로 옳지 <u>않은</u> 것은?

① 길이가 같은 호에 대한 중심각의 크기는 같다.
② 호의 길이는 중심각의 크기에 정비례한다.
③ 부채꼴의 넓이는 중심각의 크기에 정비례한다.
④ 같은 크기의 중심각에 대한 현의 길이는 같다.
⑤ 중심각의 크기가 2배가 되면 현의 길이도 2배가 된다.

05

오른쪽 그림에서 $\overline{AD}$는 원 O의 지름
이고, $\angle AOB=60°$, $\angle COD=30°$일
때, 다음 중 옳은 것은?

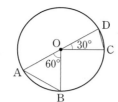

① $\overline{AB}=\overline{CD}$

② $\overline{AB}>2\overline{CD}$

③ $\widehat{AB}=2\widehat{CD}$

④ $\overline{AB}=2\overline{CD}$

⑤ $\triangle OAB=2\triangle OCD$

★ 06

다음 그림의 원 O에서 x의 값은?

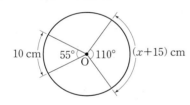

① 3   ② 5   ③ 7

④ 12   ⑤ 20

07

서술형

오른쪽 그림의 반원 O에서
$\overline{AC}=\overline{OA}=\overline{OC}$이고,
$\widehat{AC}=6\pi$ cm, $\angle DOB=30°$
일 때, $\widehat{CD}$의 길이를 구하여라.

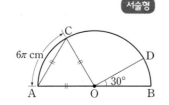

08

오른쪽 그림의 원 O에서 $\overline{AB}\,/\!/\,\overline{CD}$
이다. $\angle AOB=140°$, $\widehat{AB}=7\pi$ cm
일 때, $\widehat{AC}$의 길이는?

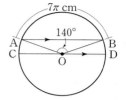

① π cm   ② 2π cm

③ 3π cm   ④ 4π cm

⑤ 5π cm

★ 09

오른쪽 그림의 반원 O에서
$\overline{AC}\,/\!/\,\overline{OD}$이다. $\angle DOB=30°$,
$\widehat{BD}=4$ cm일 때, 다음 중 옳지
않은 것은?

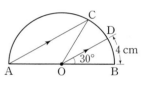

① $\angle CAO=\angle DOB$ ② $\angle AOC=120°$

③ $\angle COD=30°$ ④ $\overline{AC}=2\overline{OD}$

⑤ $\widehat{AC}=16$ cm

10

오른쪽 그림의 원 O에서
$\overline{AD}\,/\!/\,\overline{CO}$이다. $\widehat{AC}=6$ cm일 때,
$\widehat{BD}$의 길이는?

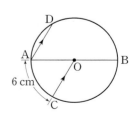

① 8 cm   ② 10 cm

③ 11 cm   ④ 12 cm

⑤ 14 cm

11

다음 그림에서 점 P는 원 O의 지름 AB의 연장선과 $\overline{CD}$의 연장선의 교점이다. $\angle P=20°$이고, $\overline{CO}=\overline{CP}$, $\overparen{BD}=18$ cm일 때, $\overparen{AC}$의 길이를 구하여라.

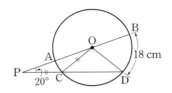

14

오른쪽 그림의 원 O에서 $\overline{AB}$는 지름이고 $\angle AOC=45°$, 부채꼴 AOC의 넓이는 4 cm²일 때, 부채꼴 COB의 넓이는?

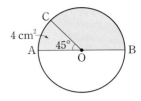

① 8 cm² ② 12 cm²

③ 20 cm² ④ 24 cm²

⑤ 28 cm²

★ 12

오른쪽 그림의 원 O에서 $\angle DOC=160°$이고 부채꼴 AOB의 넓이는 5 cm², 부채꼴 DOC의 넓이는 20 cm²일 때, $\angle x$의 크기를 구하여라.

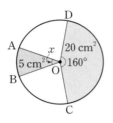

15

오른쪽 그림의 원 O에서 $\overparen{AB}:\overparen{BC}:\overparen{CDA}=3:1:5$이다. 원 O의 넓이가 72 cm²일 때, 부채꼴 BOC 의 넓이를 구하여라.

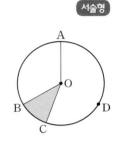

16

다음 그림과 같이 원 모양의 피자를 지연, 태인, 준호가 부채꼴 모양으로 한 조각씩 나누어 먹었다.

$\overparen{AB}:\overparen{BC}:\overparen{CA}=5:4:3$이고 지연이가 먹은 피자의 넓이가 30 cm²일 때, 태인이와 준호가 먹은 피자의 넓이를 각각 구하여라.

13

오른쪽 그림의 원 O에서 x, y의 값을 각각 구하면?

① $x=20, y=6\pi$

② $x=25, y=6\pi$

③ $x=20, y=8\pi$

④ $x=25, y=8\pi$

⑤ $x=20, y=10\pi$

2 부채꼴의 호의 길이와 넓이

개념 ① 원의 둘레의 길이와 넓이

(1) **원주율** 원의 지름의 길이에 대한 원의 둘레의 길이의 비율

➡ 원주율은 기호로 π로 나타내며 '파이'라 읽는다.

참고 원주율은 원의 크기에 상관없이 항상 일정하고, 실제의 값은 3.141592…로 한없이 계속되는 소수이다. 초등학교에서는 3.14로 계산하였다.

$$(원주율) = \frac{(원의\ 둘레의\ 길이)}{(원의\ 지름의\ 길이)} = \pi$$

(2) **원의 둘레의 길이와 넓이**

반지름의 길이가 r인 원의 둘레의 길이를 l, 넓이를 S라 하면

① $l = 2\pi r$

② $S = \pi r^2$

보충
- 반지름 r : radius의 첫 글자
- 길이 l : length의 첫 글자
- 넓이 S : Square의 첫 글자

보기 반지름의 길이가 3 cm인 원의 둘레의 길이 l과 넓이 S를 각각 구해 보자.

➪ $l = 2\pi r = 2\pi \times 3 = 6\pi$ (cm)

$S = \pi r^2 = \pi \times 3^2 = 9\pi$ (cm²)

• Lecture •

● 아래 그림과 같이 원을 한없이 잘게 잘라 붙이면 원의 넓이는 직사각형의 넓이와 같아진다.

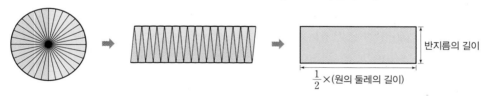

반지름의 길이

$\frac{1}{2} \times$(원의 둘레의 길이)

∴ (원의 넓이) = (직사각형의 넓이) = (가로의 길이) × (세로의 길이)

$= \frac{1}{2} \times$(원의 둘레의 길이) × (반지름의 길이) $= \frac{1}{2} \times 2\pi r \times r = \pi r^2$

┃개념 확인┃ **1** 다음 각 원에 대하여 원의 둘레의 길이 l과 넓이 S를 각각 구하여라.

(1) 반지름의 길이가 5 cm인 원

(2) 반지름의 길이가 8 cm인 원

개념 2 부채꼴의 호의 길이와 넓이

(1) 부채꼴의 호의 길이와 넓이

반지름의 길이가 r이고 중심각의 크기가 $x°$인 부채꼴의 호의 길이를 l, 넓이를 S라 하면

① $l=2\pi r\times\dfrac{x}{360}$

② $S=\pi r^2\times\dfrac{x}{360}$

(2) 부채꼴의 호의 길이와 넓이 사이의 관계

반지름의 길이가 r이고 호의 길이가 l인 부채꼴의 넓이를 S라 하면

➡ $S=\dfrac{1}{2}rl$

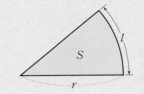

설명 부채꼴의 호의 길이와 넓이는 중심각의 크기에 정비례하므로

① $l:2\pi r=x:360$에서 $360l=2\pi rx$

    $\therefore l=2\pi r\times\dfrac{x}{360}$

② $S:\pi r^2=x:360$에서 $360S=\pi r^2 x$

    $\therefore S=\pi r^2\times\dfrac{x}{360}$

보기 (1) 반지름의 길이가 3 cm이고 중심각의 크기가 120°인 부채꼴의 호의 길이 l과 넓이 S를 각각 구해 보자.

  ⇨ $l=2\pi\times3\times\dfrac{120}{360}=2\pi$ (cm)

      $S=\pi\times3^2\times\dfrac{120}{360}=3\pi$ (cm^2)

(2) 반지름의 길이가 3 cm이고, 호의 길이가 2π cm인 부채꼴의 넓이 S를 구해 보자.

  ⇨ $S=\dfrac{1}{2}\times3\times2\pi=3\pi$ (cm^2)

• Lecture •

● 아래 그림과 같이 부채꼴을 한없이 잘게 잘라 붙이면 부채꼴의 넓이는 직사각형의 넓이와 같아진다.

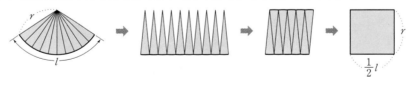

  $\therefore$ (부채꼴의 넓이)=(직사각형의 넓이)$=\dfrac{1}{2}l\times r=\dfrac{1}{2}rl$

| 개념 확인 | 2   **다음을 구하여라.**

(1) 반지름의 길이가 6 cm이고 중심각의 크기가 60°인 부채꼴의 호의 길이와 넓이

(2) 반지름의 길이가 9 cm이고 호의 길이가 14 cm인 부채꼴의 넓이

개념 기초

1-1

다음 그림과 같은 원의 둘레의 길이 l과 넓이 S를 각각 구하여라.

(1) 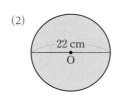 9 cm

(2) 22 cm

연구 반지름의 길이가 r인 원의
(둘레의 길이)=☐, (넓이)=☐

2-1

오른쪽 그림과 같은 부채꼴에 대하여 다음을 구하여라.

(1) 호의 길이

(2) 넓이

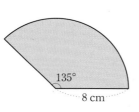 135° 8 cm

연구 반지름의 길이가 r, 중심각의 크기가 $x°$인 부채꼴의
(호의 길이)$=2\pi r \times \dfrac{\boxed{}}{360}$, (넓이)$=\boxed{} \times \dfrac{x}{360}$

3-1

오른쪽 그림과 같은 부채꼴에 대하여 다음을 구하여라.

(1) 둘레의 길이

(2) 넓이

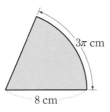 3π cm 8 cm

연구 반지름의 길이가 r, 호의 길이가 l인 부채꼴의
(넓이)$=\boxed{}$

쌍둥이 문제

1-2

다음을 구하여라.

(1) 반지름의 길이가 6 cm인 원의 둘레의 길이 l과 넓이 S

(2) 지름의 길이가 10 cm인 원의 둘레의 길이 l과 넓이 S

2-2

다음 그림과 같은 부채꼴의 호의 길이 l과 넓이 S를 각각 구하여라.

(1) 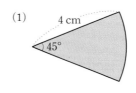 4 cm 45°

(2) 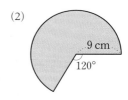 9 cm 120°

3-2

오른쪽 그림과 같은 부채꼴의 둘레의 길이와 넓이를 각각 구하여라.

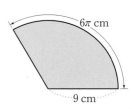 6π cm 9 cm

대표 유형 ❶ 원의 둘레의 길이와 넓이

유형 해결의 법칙 중 1-2 113쪽

반지름의 길이가 r인 원의 둘레의 길이를 l, 넓이를 S라 하면

① $l=2\pi r$　　　　② $S=\pi r^2$

1-1 다음을 구하여라.

(1) 지름의 길이가 14 cm인 원의 둘레의 길이

(2) 둘레의 길이가 26π cm인 원의 반지름의 길이

풀이 (1) 반지름의 길이가 7 cm이므로 원의 둘레의 길이는

　　　　$2\pi \times 7=14\pi$ (cm)

　　(2) 원의 반지름의 길이를 r cm라 하면

　　　　$2\pi r=26\pi$　　$\therefore r=13$

　　　　따라서 구하는 반지름의 길이는 13 cm이다.

　　　　　　　　　　　　　답 (1) 14π cm　(2) 13 cm

쌍둥이 1-2

다음을 구하여라.

(1) 반지름의 길이가 10 cm인 원의 넓이

(2) 넓이가 64π cm²인 원의 지름의 길이

대표 유형 ❷ 부채꼴의 호의 길이와 넓이(1)

유형 해결의 법칙 중 1-2 113쪽

반지름의 길이가 r, 중심각의 크기가 $x°$인 부채꼴의 호의 길이를 l, 넓이를 S라 하면

① $l=2\pi r \times \dfrac{x}{360}$　　　　　　② $S=\pi r^2 \times \dfrac{x}{360}$

2-1 다음 그림에서 x의 값을 구하여라.

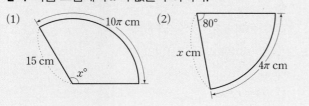

풀이 (1) $2\pi \times 15 \times \dfrac{x}{360}=10\pi$에서 $x=120$

　　(2) $2\pi \times x \times \dfrac{80}{360}=4\pi$에서 $x=9$

　　　　　　　　　　　　　답 (1) 120　(2) 9

쌍둥이 2-2

다음을 구하여라.

(1) 반지름의 길이가 6 cm이고 넓이가 4π cm²인 부채꼴의 중심각의 크기

(2) 반지름의 길이가 10 cm이고 호의 길이가 5π cm인 부채꼴의 중심각의 크기

(3) 호의 길이가 5π cm이고 중심각의 크기가 150°인 부채꼴의 반지름의 길이

대표 유형 ③ **부채꼴의 호의 길이와 넓이**(2)

유형 해결의 법칙 중 1–2 114쪽

반지름의 길이가 r, 호의 길이가 l인 부채꼴의 넓이를 S라 하면
➡ $S=\dfrac{1}{2}rl$

3-1 다음 그림에서 두 부채꼴 A, B의 넓이가 같을 때, x의 값을 구하여라.

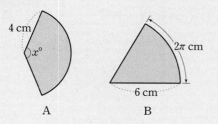

풀이 (부채꼴 B의 넓이)$=\dfrac{1}{2}\times6\times2\pi=6\pi\ (\mathrm{cm}^2)$

이때 두 부채꼴 A, B의 넓이가 같으므로

$\pi\times4^2\times\dfrac{x}{360}=6\pi$ ∴ $x=135$

답 135

쌍둥이 3-2

다음을 구하여라.

(1) 반지름의 길이가 12 cm이고 호의 길이가 20π cm인 부채꼴의 넓이

(2) 반지름의 길이가 7 cm이고 넓이가 28π cm²인 부채꼴의 호의 길이

대표 유형 ④ **색칠한 부분의 둘레의 길이와 넓이**(1)

(둘레의 길이)=(큰 원의 둘레의 길이)+(작은 원의 둘레의 길이)
(넓이)=(큰 원의 넓이)−(작은 원의 넓이)

4-1 오른쪽 그림에서 색칠한 부분의 둘레의 길이와 넓이를 각각 구하여라.

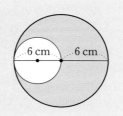

쌍둥이 4-2

오른쪽 그림에서 색칠한 부분의 둘레의 길이와 넓이를 각각 구하여라.

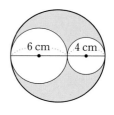

풀이 (둘레의 길이)
$=$(큰 원의 둘레의 길이)$+$(작은 원의 둘레의 길이)
$=2\pi\times6+2\pi\times3=12\pi+6\pi=18\pi\ (\mathrm{cm})$
(넓이)$=$(큰 원의 넓이)$-$(작은 원의 넓이)
$=\pi\times6^2-\pi\times3^2=36\pi-9\pi=27\pi\ (\mathrm{cm}^2)$

답 둘레의 길이 : 18π cm, 넓이 : 27π cm²

대표 유형 **5** 색칠한 부분의 둘레의 길이와 넓이 (2)

유형 해결의 법칙 중 1-2 115쪽, 116쪽

- (둘레의 길이)=$\underset{①}{\underline{(긴\ 호의\ 길이)}}$+$\underset{②}{\underline{(짧은\ 호의\ 길이)}}$+$\underset{③}{\underline{(선분의\ 길이)}}$×2
- (넓이)=(큰 부채꼴의 넓이)-(작은 부채꼴의 넓이)

주의 색칠한 부분의 둘레의 길이를 구할 때 선분의 길이를 빠뜨리지 않도록 한다.

5-1 오른쪽 그림에서 색칠한 부분의 둘레의 길이와 넓이를 각각 구하여라.

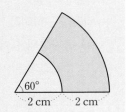

쌍둥이 5-2

오른쪽 그림에서 색칠한 부분의 둘레의 길이와 넓이를 각각 구하여라.

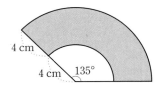

풀이 (둘레의 길이)=$2\pi \times 4 \times \dfrac{60}{360}+2\pi \times 2 \times \dfrac{60}{360}+2 \times 2$

$=\dfrac{4}{3}\pi+\dfrac{2}{3}\pi+4=2\pi+4\ (\text{cm})$

(넓이)=$\pi \times 4^2 \times \dfrac{60}{360}-\pi \times 2^2 \times \dfrac{60}{360}$

$=\dfrac{8}{3}\pi-\dfrac{2}{3}\pi=2\pi\ (\text{cm}^2)$

답 둘레의 길이 : $(2\pi+4)$ cm, 넓이 : 2π cm²

대표 유형 **6** 색칠한 부분의 둘레의 길이와 넓이 (3)

유형 해결의 법칙 중 1-2 115쪽, 116쪽

- 색칠한 부분의 둘레의 길이를 구할 때 곡선과 직선 부분으로 나누어 생각한다.
- (색칠한 부분의 넓이)=(전체 넓이)-(색칠하지 않은 부분의 넓이)

6-1 오른쪽 그림과 같은 정사각형에서 색칠한 부분의 둘레의 길이와 넓이를 각각 구하여라.

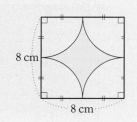

쌍둥이 6-2

오른쪽 그림에서 색칠한 부분의 둘레의 길이와 넓이를 각각 구하여라.

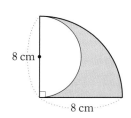

풀이 (둘레의 길이)=$\left(2\pi \times 4 \times \dfrac{90}{360}\right) \times 4=8\pi\ (\text{cm})$

(넓이)=$8 \times 8-\left(\pi \times 4^2 \times \dfrac{90}{360}\right) \times 4=64-16\pi\ (\text{cm}^2)$

답 둘레의 길이 : 8π cm, 넓이 : $(64-16\pi)$ cm²

대표 유형 ⑦ **색칠한 부분의 둘레의 길이와 넓이 (4)** 유형 해결의 법칙 중 1-2 115쪽, 116쪽

주어진 도형에 보조선을 그어 몇 개의 도형으로 나누어 생각한다.

7-1 오른쪽 그림과 같은 정사각형에서 색칠한 부분에 대하여 다음을 구하여라.
(1) 둘레의 길이

(2) 넓이

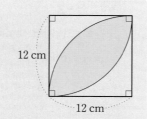

풀이 (1) (둘레의 길이)$=\left(2\pi \times 12 \times \dfrac{90}{360}\right) \times 2 = 12\pi$ (cm)

(2) 오른쪽 그림과 같이 대각선을 그으면 ①의 넓이와 ②의 넓이가 같으므로

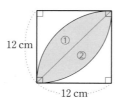

(넓이)
$=$ (①의 넓이) $\times 2$
$=\left(\pi \times 12^2 \times \dfrac{90}{360} - \dfrac{1}{2} \times 12 \times 12\right) \times 2$
$=(36\pi - 72) \times 2$
$=72\pi - 144$ (cm^2)

답 (1) 12π cm (2) $(72\pi - 144)$ cm^2

쌍둥이 7-2

오른쪽 그림과 같은 정사각형에서 색칠한 부분에 대하여 다음을 구하여라.
(1) 둘레의 길이

(2) 넓이

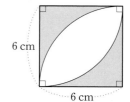

대표 유형 ⑧ **색칠한 부분의 둘레의 길이와 넓이 (5)** 유형 해결의 법칙 중 1-2 115쪽, 117쪽

도형의 일부분을 적당히 이동시키면 색칠한 부분의 넓이를 쉽게 구할 수 있다.

8-1 오른쪽 그림과 같은 정사각형에서 색칠한 부분에 대하여 다음을 구하여라.
(1) 둘레의 길이

(2) 넓이

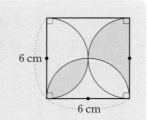

풀이 (1) (둘레의 길이)$=\left(2\pi \times 3 \times \dfrac{90}{360}\right) \times 4 + 6 = 6\pi + 6$ (cm)

(2) 오른쪽 그림과 같이 도형을 이동하면

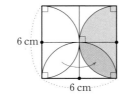

(넓이)$=\pi \times 3^2 \times \dfrac{1}{2} = \dfrac{9}{2}\pi$ (cm^2)

답 (1) $(6\pi + 6)$ cm (2) $\dfrac{9}{2}\pi$ cm^2

쌍둥이 8-2

오른쪽 그림과 같이 한 변의 길이가 8 cm인 정사각형에서 색칠한 부분에 대하여 다음을 구하여라.
(1) 둘레의 길이

(2) 넓이

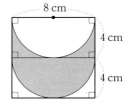

대표 유형 9 **색칠한 부분의 넓이**(1) – 보조선을 그은 후 도형을 이동시키는 경우

유형 해결의 법칙 중 1–2 117쪽

보조선을 긋고 주어진 도형의 일부를 이동하여 색칠한 부분을 간단한 모양으로 바꾼다.

9-1 오른쪽 그림에서 색칠한 부분의 넓이를 구하여라.

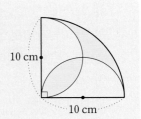

쌍둥이 9-2

오른쪽 그림에서 색칠한 부분의 넓이를 구하여라.

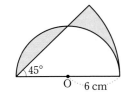

풀이 오른쪽 그림과 같이 도형을 이동하면

$$(넓이) = \pi \times 10^2 \times \frac{90}{360} - \frac{1}{2} \times 10 \times 10$$
$$= 25\pi - 50 \ (\text{cm}^2)$$

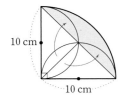

답 $(25\pi - 50) \ \text{cm}^2$

대표 유형 10 **색칠한 부분의 넓이**(2)

유형 해결의 법칙 중 1–2 117쪽

주어진 도형을 몇 개의 도형으로 나누어 넓이의 합과 차를 이용한다.

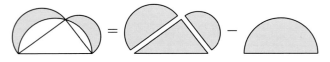

10-1 오른쪽 그림은 ∠A = 90°인 직각삼각형 ABC의 각 변을 지름으로 하는 반원을 그린 것이다. 색칠한 부분의 넓이를 구하여라.

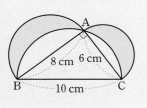

쌍둥이 10-2

오른쪽 그림은 ∠A = 90°인 직각삼각형 ABC의 각 변을 지름으로 하는 반원을 그린 것이다. 색칠한 부분의 넓이를 구하여라.

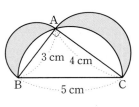

풀이 색칠한 부분의 넓이는 다음과 같이 구할 수 있다.

$$\therefore (넓이) = \pi \times 4^2 \times \frac{1}{2} + \pi \times 3^2 \times \frac{1}{2} + \frac{1}{2} \times 8 \times 6 - \pi \times 5^2 \times \frac{1}{2}$$
$$= 8\pi + \frac{9}{2}\pi + 24 - \frac{25}{2}\pi$$
$$= 24 \ (\text{cm}^2)$$

답 $24 \ \text{cm}^2$

원의 둘레의 길이와 넓이 / 부채꼴의 호의 길이와 넓이

(1) 반지름의 길이가 r인 원의 둘레의 길이를 l, 넓이를 S라 하면

$$l=2\pi r,\ S=\boxed{①}$$

(2) 반지름의 길이가 r, 중심각의 크기가 $x°$인 부채꼴의 호의 길이를 l, 넓이를 S라 하면

$$l=2\pi r\times\frac{x}{360},\ S=\pi r^2\times\frac{x}{360}$$

(3) 반지름의 길이가 r, 호의 길이가 l인 부채꼴의 넓이를 S라 하면

$$S=\boxed{②}$$

답 ❶ πr^2 ❷ $\frac{1}{2}rl$

01

지름의 길이가 30 cm인 원의 둘레의 길이와 넓이를 각각 구하여라.

⭐02

서술형

오른쪽 그림과 같은 부채꼴의 호의 길이를 a cm, 넓이를 b cm²라 할 때, $a+b$의 값을 구하여라.

03

오른쪽 그림과 같이 한 변의 길이가 10 cm인 정오각형 ABCDE에서 색칠한 부채꼴 BCA의 넓이를 구하여라.

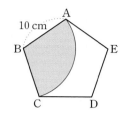

04

융합형

오른쪽 그림은 승헌이가 반지름의 길이가 9 cm인 원 모양의 종이에 그린 생활계획표이다. 승헌이가 학교에서 생활하는 부분에 해당하는 부채꼴의 넓이를 구하여라.

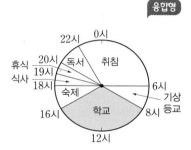

05

창의 융합

지안이와 도경이는 요리 실습 시간에 각각 반지름의 길이가 20 cm, 24 cm인 원 모양의 피자를 만든 후 다음 그림과 같이 부채꼴 모양으로 조각내었다. 어느 조각 피자의 양이 더 많은지 말하여라. (단, 피자의 두께는 무시한다.)

지안

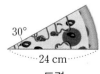
도경

★
06

오른쪽 그림과 같이 반지름의
길이가 4 cm, 호의 길이가
3π cm인 부채꼴의 중심각의
크기를 구하여라.

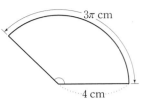

07

중심각의 크기가 $160°$이고 호의 길이가 8π cm인 부채꼴의 반
지름의 길이를 구하여라.

08

호의 길이가 4π cm, 넓이가 12π cm²인 부채꼴의 반지름의
길이와 중심각의 크기를 차례로 구하면?

① 3 cm, $60°$ ② 3 cm, $90°$ ③ 3 cm, $120°$

④ 6 cm, $60°$ ⑤ 6 cm, $120°$

09

오른쪽 그림에서 색칠한 부분의 둘레의
길이와 넓이를 각각 구하여라.

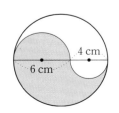

10
서술형

다음 그림과 같이 세 개의 반원으로 둘러싸인 도형에서 색칠한
부분의 둘레의 길이와 넓이를 각각 구하여라.

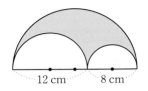

★
11

오른쪽 그림에서 색칠한 부분의 둘레
의 길이와 넓이를 각각 구하여라.

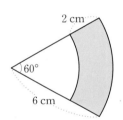

12

오른쪽 그림과 같이 한 변의 길이가
10 cm인 정사각형에서 색칠한 부
분의 둘레의 길이와 넓이를 각각 구
하여라.

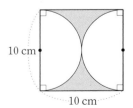

13

오른쪽 그림과 같이 한 변의 길이가 8 cm인 정사각형에서 색칠한 부분의 둘레의 길이는?

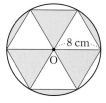

① 12π cm

② 32π cm

③ $(8\pi+32)$ cm

④ $(12\pi+16)$ cm

⑤ $(12\pi+32)$ cm

14

오른쪽 그림과 같이 한 변의 길이가 3 cm인 정사각형 ABCD에서 색칠한 부분의 넓이는?

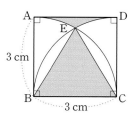

① $\left(9-\dfrac{1}{2}\pi\right)$ cm²

② $(9-\pi)$ cm²

③ $\left(9-\dfrac{3}{2}\pi\right)$ cm²

④ $(9-2\pi)$ cm²

⑤ $\left(9-\dfrac{5}{2}\pi\right)$ cm²

15

오른쪽 그림과 같이 한 변의 길이가 12 cm인 정사각형에서 색칠한 부분의 넓이를 구하여라.

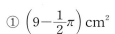

16

오른쪽 그림과 같이 반지름의 길이가 8 cm인 원 O의 중심을 지나는 세 개의 선분이 원의 둘레의 길이를 6등분 한다고 한다. 이때 색칠한 부분의 넓이는?

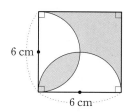

① 32π cm² ② 36π cm² ③ 40π cm²

④ 44π cm² ⑤ 48π cm²

★ 17

오른쪽 그림과 같이 한 변의 길이가 6 cm인 정사각형에서 색칠한 부분의 넓이를 구하여라.

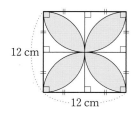

18

창의력

아래 그림과 같이 한 변의 길이가 6 cm인 정육각형 ABCDEF에 부채꼴 ①, ②, ③이 차례로 붙어 있다. 이때 다음 물음에 답하여라.

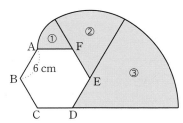

(1) 부채꼴 ①의 중심각의 크기를 구하여라.

(2) 부채꼴 ②의 호의 길이를 구하여라.

(3) 세 부채꼴 ①, ②, ③의 넓이의 합을 구하여라.

7 다면체와 회전체

학습 목표

- 다면체의 성질을 이해한다.
- 회전체의 성질을 이해한다.

1 다면체

개념 1 다면체

(1) **다면체** 다각형인 면으로만 둘러싸인 입체도형

  ① 면 : 다면체를 둘러싸고 있는 다각형

  ② 모서리 : 다면체를 이루는 다각형의 변

  ③ 꼭짓점 : 다면체를 이루는 다각형의 꼭짓점

(2) 다면체는 둘러싸인 면의 개수에 따라 사면체, 오면체, 육면체, …라 한다.

참고 원기둥, 원뿔, 구와 같이 원 또는 곡면으로 둘러싸인 입체도형은 다면체가 아니다.

용어
● 다면체 (많다 多, 면 面, 몸 體)
많은 면으로 둘러싸인 입체도형

 보기

(1) ⇨ 면이 6개이므로 육면체
꼭짓점의 개수는 8
모서리의 개수는 12

(2) ⇨ 원기둥은 원과 곡면으로 둘러싸여 있으므로 다면체가 아니다.

● **Lecture** ●

● 다각형: 3개 이상의 선분으로 둘러싸인 평면도형

  다면체: 4개 이상의 면으로 둘러싸인 입체도형

● 다각형이 되려면 최소한 변이 3개 있어야 하듯이 다면체가 되려면 최소한 면이 4개 있어야 한다.

  따라서 다면체 중에서 면의 개수가 가장 적은 것은 오른쪽 그림과 같이 각 면의 모양이 삼각형인 사면체

  이다.

┃ 개념 확인 ┃ **1**   다음 중 다면체인 것을 찾아 몇 면체인지 말하고, 꼭짓점의 개수와 모서리의 개수를 각각 구하여라.

(1)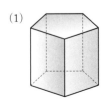

(2)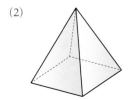

(3)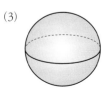

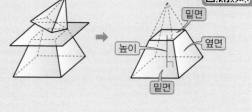

개념 2 각뿔대

(1) **각뿔대** 각뿔을 밑면에 평행한 평면으로 자를 때 생기는 두 다면체 중
에서 각뿔이 아닌 쪽의 다면체

① 밑면 : 각뿔대에서 서로 평행한 두 면

② 옆면 : 각뿔대에서 밑면이 아닌 면

③ 높이 : 각뿔대의 두 밑면에 수직인 선분의 길이

(2) 각뿔대의 밑면의 모양은 다각형이고 옆면의 모양은 모두 사다리꼴이다.

(3) 각뿔대는 밑면의 모양에 따라 삼각뿔대, 사각뿔대, 오각뿔대, …라 한다.

참고 사면체, 오면체, 육면체, …는 다면체를 면의 개수에 따라 분류한 것이고, 각기둥, 각뿔, 각뿔대는 다면체를 그 모양에 따라 분류한 것이다.

보충 각기둥과 각뿔에 대해 알아보자.

(1) 각기둥

① 두 밑면이 서로 평행
하면서 그 모양이
합동인 다각형이고,
옆면의 모양이 모두
직사각형인 다면체

② 밑면의 모양에 따라 삼각기둥, 사각기둥, 오각
기둥, …이라 한다.

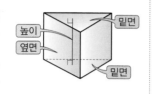

(2) 각뿔

① 밑면의 모양이 다각형이
고, 옆면의 모양이 모두
삼각형인 다면체

② 밑면의 모양에 따라 삼
각뿔, 사각뿔, 오각뿔, …이라 한다.

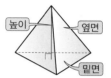

● Lecture ●

→ 서로 평행하고 합동이다.

	n각기둥	n각뿔	n각뿔대
밑면의 모양	n각형	n각형	n각형 → 서로 평행하고 모양은 같지만 크기가 다르다.
옆면의 모양	직사각형	삼각형	사다리꼴
면의 개수	$n+2$	$n+1$	$n+2$
꼭짓점의 개수	$2n$	$n+1$	$2n$
모서리의 개수	$3n$	$2n$	$3n$

▎개념 확인▎ **2** 다음 표를 완성하여라.

	삼각기둥	삼각뿔	삼각뿔대
겨냥도			
밑면의 모양			
옆면의 모양			
면의 개수			
꼭짓점의 개수			
모서리의 개수			

(1) 정다면체

① 각 면이 모두 합동인 정다각형

② 각 꼭짓점에 모인 면의 개수가 모두 같은 다면체 ┐→ 두 조건을 모두 만족해야 정다면체이다.

(2) 정다면체의 종류 정사면체, 정육면체, 정팔면체, 정십이면체, 정이십면체의 5가지뿐이다.

보기

	정사면체	정육면체	정팔면체	정십이면체	정이십면체
겨냥도					
전개도					
면의 모양	정삼각형	정사각형	정삼각형	정오각형	정삼각형
한 꼭짓점에 모인 면의 개수	3	3	4	3	5
면의 개수	4	6	8	12	20
꼭짓점의 개수	4	8	6	20	12
모서리의 개수	6	12	12	30	30

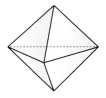

ㅣ개념 확인ㅣ **3**의 도형과 정팔면체를 많이 혼동하므로 두 입체도형을 정확히 기억해야 돼.

육면체　　　정팔면체

ㅣ개념 확인ㅣ **3**　오른쪽 입체도형은 합동인 삼각형 6개로 이루어진 다면체이다. 다음은 이 다면체가 정다면체가 아닌 이유를 설명하는 과정이다. ㉠~㉣에 알맞은 것을 써넣어라.

각 꼭짓점에 모인 면의 개수를 써넣으면 오른쪽 그림과 같다.

따라서 주어진 입체도형은 각 꼭짓점에 모인 ☐㉣ 의 개수가 같지 않으므로 정다면체가 아니다.

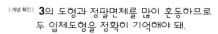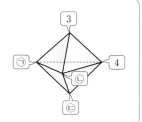

교과서 속 원리| 알아보기   정다면체가 5가지뿐인 이유

정다면체는 입체도형이므로 다음을 만족해야 한다.

❶ 한 꼭짓점에서 3개 이상의 면이 만나야 한다.

❷ 한 꼭짓점에 모인 각의 크기의 합은 360°보다 작아야 한다.

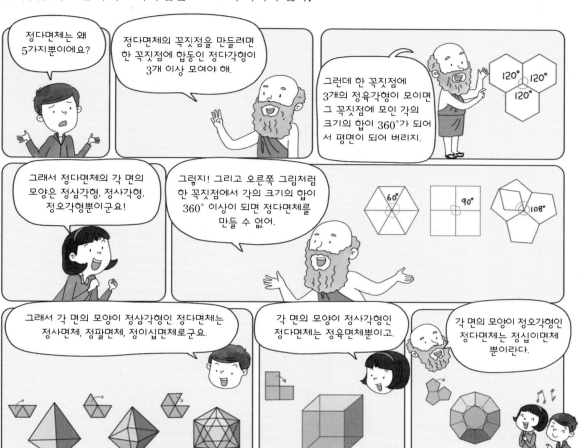

• **Lecture** •

● 면의 모양에 따른 정다면체의 분류

　① 정삼각형 : 정사면체, 정팔면체, 정이십면체

　② 정사각형 : 정육면체

　③ 정오각형 : 정십이면체

● 한 꼭짓점에 모인 면의 개수에 따른 정다면체의 분류

　① 3개 : 정사면체, 정육면체, 정십이면체

　② 4개 : 정팔면체

　③ 5개 : 정이십면체

┃개념 확인┃　**4**　다음 조건을 모두 만족시키는 정다면체를 구하여라.

┌─ 조건 ─────────────────────────────
│ ㈎ 각 면이 모두 합동인 정삼각형이다.
│ ㈏ 각 꼭짓점에 모인 면의 개수가 3이다.
└──────────────────────────────────

1-1

다음 입체도형은 몇 면체인지 말하여라.

(1) 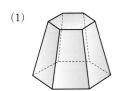　　　(2)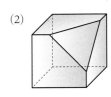

2-1

다음 중 다면체에 대한 설명으로 옳은 것에는 ○표, 옳지 않은 것에는 × 표를 하여라.

(1) 각뿔의 옆면의 모양은 모두 삼각형이다.　　(　)

(2) 각기둥의 두 밑면은 서로 평행하다.　　(　)

(3) 각뿔대의 두 밑면은 서로 합동이다.　　(　)

(4) 각뿔대의 옆면의 모양은 모두 사다리꼴이다.　　(　)

3-1

다음 중 정다면체에 대한 설명으로 옳은 것에는 ○표, 옳지 않은 것에는 × 표를 하여라.

(1) 각 꼭짓점에 모인 면의 개수는 모두 같다.　　(　)

(2) 각 면이 모두 합동인 정다각형으로 이루어진 다면체를 정다면체라 한다.　　(　)

(3) 각 면의 모양이 정육각형인 정다면체는 정이십면체이다.
　　(　)

(4) 정다면체의 종류는 모두 6가지이다.　　(　)

연구 정다면체에는 정사면체, [　　　], 정팔면체, [　　　], 정이십면체가 있다.

1-2

다음 보기의 입체도형 중 다면체를 모두 골라라.

┌─ 보기 ──────────────────────┐
ㄱ 구　　　　ㄴ 삼각뿔　　　ㄷ 원기둥
ㄹ 사각기둥　ㅁ 사각뿔　　　ㅂ 원뿔
└───────────────────────────┘

2-2

다음 표를 완성하여라.

	오각기둥	오각뿔	오각뿔대
겨냥도			
밑면의 모양			
옆면의 모양			
면의 개수			
꼭짓점의 개수			
모서리의 개수			

3-2

다음 표를 완성하여라.

	정사면체	정육면체	정팔면체	정십이면체	정이십면체
겨냥도					
면의 모양			정삼각형		
한 꼭짓점에 모인 면의 개수		3			
꼭짓점의 개수				20	
모서리의 개수					30

STEP 2 대표 유형으로 개념 잡기

대표 유형 ① 다면체의 면, 꼭짓점, 모서리의 개수

유형 해결의 법칙 중 1-2 129쪽, 130쪽

	n각기둥	n각뿔	n각뿔대
면의 개수	$n+2$	$n+1$	$n+2$
꼭짓점의 개수	$2n$	$n+1$	$2n$
모서리의 개수	$3n$	$2n$	$3n$

다면체에는 각기둥, 각뿔, 각뿔대가 있어.

1-1 삼각기둥의 면의 개수를 a, 사각뿔의 꼭짓점의 개수를 b, 오각뿔대의 모서리의 개수를 c라 할 때, $a+b+c$의 값을 구하여라.

풀이 삼각기둥의 면의 개수는 $3+2=5$이므로 $a=5$
사각뿔의 꼭짓점의 개수는 $4+1=5$이므로 $b=5$
오각뿔대의 모서리의 개수는 $3\times5=15$이므로 $c=15$
∴ $a+b+c=5+5+15=25$

답 25

쌍둥이 1-2

다음 다면체 중 면의 개수가 나머지 넷과 다른 하나는?

① 팔각뿔　　　② 칠각뿔　　　③ 육각뿔대
④ 정팔면체　　　⑤ 육각기둥

쌍둥이 1-3

다음 다면체 중 꼭짓점의 개수가 가장 많은 것은?

① 구각뿔　　　② 사각뿔대　　　③ 육각뿔대
④ 오각기둥　　　⑤ 팔각기둥

대표 유형 ② 다면체의 옆면의 모양

유형 해결의 법칙 중 1-2 128쪽

	각기둥	각뿔	각뿔대
옆면의 모양	직사각형	삼각형	사다리꼴

2-1 다음 다면체 중 옆면의 모양이 사각형이 <u>아닌</u> 것은?
① 삼각기둥　　　② 육각기둥　　　③ 사각뿔
④ 오각뿔대　　　⑤ 직육면체

풀이 주어진 다면체의 옆면의 모양은 다음과 같다.
① 삼각기둥 － 직사각형
② 육각기둥 － 직사각형
③ 사각뿔 － 삼각형
④ 오각뿔대 － 사다리꼴
⑤ 직육면체 － 직사각형
따라서 옆면의 모양이 사각형이 아닌 것은 ③이다.

답 ③

쌍둥이 2-2

다음 중 다면체와 그 옆면의 모양을 잘못 짝 지은 것을 모두 고르면? (정답 2개)

① 오각뿔 － 삼각형　　　② 육각뿔대 － 사다리꼴
③ 칠각기둥 － 직사각형　　　④ 삼각뿔대 － 삼각형
⑤ 오각기둥 － 오각형

대표 유형 ❸ 다면체의 이해

유형 해결의 법칙 중 1-2 132쪽

- 각기둥 : 두 밑면이 서로 평행하면서 그 모양이 합동인 다각형이고, 옆면의 모양이 모두 직사각형인 다면체
- 각뿔 : 밑면의 모양이 다각형이고, 옆면의 모양이 모두 삼각형인 다면체
- 각뿔대 : 각뿔을 밑면에 평행한 평면으로 자를 때 생기는 두 다면체 중에서 각뿔이 아닌 쪽의 다면체
  ➡ 밑면의 모양은 다각형이고 옆면의 모양은 모두 사다리꼴이다.

3-1 다음 중 사각뿔대에 대한 설명으로 옳지 <u>않은</u> 것은?

① 밑면의 모양은 사각형이다.

② 옆면의 모양은 사다리꼴이다.

③ 두 밑면은 합동인 사각형이다.

④ 사각뿔을 밑면에 평행한 평면으로 자를 때 생기는 두 다면체 중에서 각뿔이 아닌 쪽의 다면체이다.

⑤ 오각뿔과 면의 개수가 같다.

풀이 ③ 사각뿔대의 두 밑면은 모양은 같지만 크기가 다르므로 합동이 아니다.

⑤ 사각뿔대와 오각뿔의 면의 개수는 6으로 같다.

따라서 옳지 않은 것은 ③이다.　　　　　　　　**답** ③

쌍둥이 3-2

다음 중 다면체에 대한 설명으로 옳은 것은?

① 각뿔대의 두 밑면은 합동이다.

② 오면체에는 오각형인 면이 있다.

③ 각뿔은 밑면이 2개이다.

④ 오각기둥의 모서리와 꼭짓점의 개수의 합은 20이다.

⑤ 오각뿔대를 밑면에 평행한 평면으로 자를 때 생기는 단면의 모양은 오각형이다.

대표 유형 ❹ 조건을 만족시키는 다면체

유형 해결의 법칙 중 1-2 131쪽

(1) 다면체의 두 밑면이 서로 평행하면 각기둥 또는 각뿔대이다.

(2) 옆면의 모양이 ┌ 직사각형이면 각기둥
　　　　　　　　├ 삼각형이면 각뿔
　　　　　　　　└ 직사각형이 아닌 사다리꼴이면 각뿔대

4-1 다음 조건을 모두 만족시키는 입체도형의 이름을 말하여라.

┌─ 조건 ─
│ ㈎ 팔면체이다.
│ ㈏ 두 밑면은 서로 평행하고 합동인 다각형이다.
│ ㈐ 옆면의 모양은 직사각형이다.
└─

풀이 조건 ㈏, ㈐를 만족시키는 입체도형은 각기둥이다.

구하는 입체도형을 n각기둥이라 하면 조건 ㈎에서

$n+2=8$　∴ $n=6$

따라서 구하는 입체도형은 육각기둥이다.

답 육각기둥

쌍둥이 4-2

다음 조건을 모두 만족시키는 입체도형의 이름을 말하여라.

┌─ 조건 ─
│ ㈎ 꼭짓점의 개수가 8이다.
│ ㈏ 옆면의 모양은 모두 직사각형이 아닌 사다리꼴이다.
│ ㈐ 두 밑면이 서로 평행하다.
└─

대표 유형 **5** 정다면체의 이해

유형 해결의 법칙 중 1-2 132쪽, 133쪽

> 정다면체는 각 면이 모두 합동인 정다각형이고, 각 꼭짓점에 모인 면의 개수가 모두 같은 다면체이다.

5-1 다음 조건을 모두 만족시키는 정다면체의 이름을 말하여라

― 조건 ―
㉠ 모든 면은 합동인 정삼각형이다.
㉡ 한 꼭짓점에 모인 면의 개수는 4이다.

풀이 조건 ㉠를 만족시키는 정다면체는 정사면체, 정팔면체, 정이십면체이다.
이 중 조건 ㉡를 만족시키는 정다면체는 정팔면체이다.

답 정팔면체

쌍둥이 5-2

다음 중 정다면체에 대한 설명으로 옳지 <u>않은</u> 것은?
① 정다면체의 종류는 5가지뿐이다.
② 정팔면체의 꼭짓점의 개수는 6이다.
③ 각 꼭짓점에 모인 면의 개수는 모두 같다.
④ 정십이면체의 한 꼭짓점에 모인 면의 개수는 3이다.
⑤ 면의 모양이 정삼각형인 정다면체는 정사면체, 정팔면체, 정십이면체이다.

대표 유형 **6** 정다면체의 전개도

유형 해결의 법칙 중 1-2 134쪽

> 다면체의 전개도에서 면의 개수를 세어 보면 몇 면체인지 알 수 있다.

6-1 오른쪽 그림의 전개도로 정다면체를 만들 때, 다음을 구하여라.
(1) 정다면체의 이름
(2) 꼭짓점의 개수
(3) 꼭짓점 A와 겹치는 점

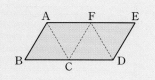

풀이 (1) 면의 개수가 4이므로 정사면체이다.
(2) 주어진 전개도로 정사면체를 만들면 오른쪽 그림과 같으므로 꼭짓점의 개수는 4이다.
(3) 꼭짓점 A와 겹치는 점은 점 E이다.

답 (1) 정사면체 (2) 4 (3) 점 E

쌍둥이 6-2

오른쪽 그림의 전개도로 정다면체를 만들 때, 다음을 구하여라.
(1) 정다면체의 이름

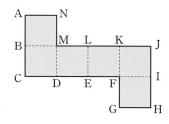

(2) 꼭짓점 A와 겹치는 점

(3) $\overline{BC}$와 겹치는 모서리

7 다면체와 회전체

다면체

(1) 다면체 : ❶ [ ] 인 면으로만 둘러싸인 입체도형

(2) 다면체의 면, 꼭짓점, 모서리의 개수

	n각기둥	n각뿔	n각뿔대
옆면의 모양	직사각형	삼각형	사다리꼴
면의 개수	$n+2$	$n+1$	$n+2$
꼭짓점의 개수	$2n$	$n+1$	$2n$
모서리의 개수	$3n$	❷ [ ]	$3n$

답 ❶ 다각형 ❷ $2n$

01

다음 보기의 입체도형 중 다면체의 개수는?

─ 보기 ─
ㄱ 구 ㄴ 원기둥 ㄷ 삼각뿔 ㄹ 사각기둥
ㅁ 원뿔 ㅂ 사각뿔 ㅅ 오각뿔대 ㅇ 정사면체

① 1 ② 2 ③ 3
④ 4 ⑤ 5

02

다음 다면체 중 면의 개수가 가장 많은 것은?

① 육각기둥 ② 팔각뿔 ③ 팔각뿔대
④ 정팔면체 ⑤ 구각기둥

03

서술형

삼각기둥의 모서리의 개수를 a, 칠각뿔대의 꼭짓점의 개수를 b라 할 때, $a+b$의 값을 구하여라.

04

면의 개수가 8인 각뿔의 모서리의 개수를 a, 꼭짓점의 개수를 b라 할 때, $a-b$의 값은?

① 5 ② 6 ③ 7
④ 8 ⑤ 9

★ 05

다음 중 다면체와 그 옆면의 모양을 잘못 짝 지은 것은?

① 사각기둥 ─ 직사각형 ② 사각뿔 ─ 삼각형
③ 오각뿔대 ─ 사다리꼴 ④ 사각뿔대 ─ 삼각형
⑤ 육각기둥 ─ 직사각형

★ 06

다음 중 각뿔대에 대한 설명으로 옳지 않은 것은?

① 삼각뿔대는 오면체이다.
② 각뿔대에서 두 밑면은 서로 평행하다.
③ 육각뿔대의 모서리의 개수는 12이다.
④ 각뿔대의 옆면의 모양은 모두 사다리꼴이다.
⑤ 각뿔을 밑면에 평행한 평면으로 자를 때 생기는 두 입체도형 중에서 각뿔이 아닌 쪽의 다면체를 각뿔대라 한다.

07

서술형

다음 조건을 모두 만족시키는 입체도형의 이름을 말하여라.

조건
㈎ 팔면체이다.
㈏ 두 밑면은 서로 평행하다.
㈐ 옆면의 모양은 모두 직사각형이 아닌 사다리꼴이다.

정다면체

(1) **정다면체** : 각 면이 모두 합동인 정다각형이고, 각 꼭짓
점에 모인 ❶ 의 개수가 모두 같은 다면체

(2) 정다면체의 종류

정사면체   정육면체   ❷

정십이면체   정이십면체

답 ❶면 ❷정팔면체

08

다음 중 정다면체가 <u>아닌</u> 것은?

① 정육면체   ② 정팔면체   ③ 정십면체
④ 정십이면체   ⑤ 정이십면체

09

다음 중 정다면체에서 한 꼭짓점에 모인 면의 개수가 같은 것끼
리 짝 지은 것은?

① 정사면체, 정육면체, 정십이면체
② 정사면체, 정팔면체, 정십이면체
③ 정사면체, 정팔면체, 정이십면체
④ 정육면체, 정팔면체, 정이십면체
⑤ 정육면체, 정십이면체, 정이십면체

10

다음 중 정다면체에 대한 설명으로 옳지 <u>않은</u> 것은?

① 정다면체의 모든 면은 서로 합동이다.
② 각 면의 모양이 정육각형인 정다면체는 없다.
③ 한 꼭짓점에 모인 면의 개수가 가장 많은 것은 정이십면
체이다.
④ 정다면체의 한 면이 될 수 있는 것은 정삼각형, 정사각
형, 정오각형의 3가지뿐이다.
⑤ 한 꼭짓점에 모인 면의 개수가 6인 정다면체도 있다.

11

다음 그림은 합동인 정삼각형으로 이루어진 어떤 입체도형의
전개도이다. 이 입체도형에 대한 설명으로 옳지 <u>않은</u> 것을 모두
고르면? (정답 2개)

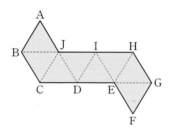

① 꼭짓점의 개수는 6이다.
② 모서리의 개수는 12이다.
③ $\overline{CD}$와 겹쳐지는 모서리는 $\overline{EF}$이다.
④ $\overline{AB}$와 $\overline{CJ}$는 평행하다.
⑤ 한 꼭짓점에 모인 모서리의 개수는 4이다.

12

창의력

오른쪽 그림과 같은 정육면체를 세 꼭짓
점 B, G, D를 지나는 평면으로 자를 때
생기는 단면의 모양은?

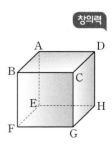

① 정삼각형   ② 정사각형
③ 평행사변형   ④ 직각삼각형
⑤ 마름모

7
다
면
체
와
회
전
체

2 회전체

개념 **1** 회전체

(1) **회전체** 평면도형을 한 직선을 축으로 하여 1회전 시킬 때 생기는 입체도형

   ① 회전축 : 회전 시킬 때 축으로 사용한 직선

   ② 모선 : 회전체의 옆면을 만드는 선분

(2) **원뿔대** 원뿔을 밑면에 평행한 평면으로 자를 때 생기는 두 입체도형 중에서 원뿔이 아닌 쪽의 입체도형

   ① 밑면 : 원뿔대에서 서로 평행한 두 면

   ② 옆면 : 원뿔대에서 밑면이 아닌 곡면

   ③ 높이 : 원뿔대의 두 밑면에 수직인 선분의 길이

> **용어**
> ● 회전체 (돌리다 回, 구르다 轉, 몸 體)
> 회전하여 생기는 입체도형

보기

	원기둥	원뿔	원뿔대	구
겨냥도				
회전시키는 평면도형	직사각형	직각삼각형	사다리꼴	반원

● **Lecture** ●

● 입체도형의 분류

   ① 다면체 : 각기둥, 각뿔, 각뿔대

   ② 회전체 : 원기둥, 원뿔, 원뿔대, 구

● 구의 특징

   ① 옆면이 없으므로 모선을 생각하지 않는다.

   ② 회전축이 무수히 많다.

┃ 개념 확인 ┃ **1**   다음 그림과 같은 평면도형을 직선 l 을 축으로 하여 1회전 시킬 때 생기는 회전체를 그려라.

(1)

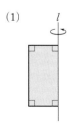

(2)

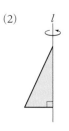

> 회전체는 이렇게 그리면 돼.
>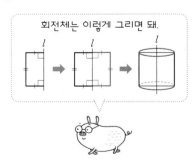

개념 ② 회전체의 성질

(1) 회전체를 회전축에 수직인 평면으로 자른 단면은 항상 원이다.

(2) 회전체를 회전축을 포함하는 평면으로 자른 단면은 모두 합동이고, 회전축에 대하여 선대칭도형이다.

> 참고 어떤 직선을 접는 선으로 하여 접었을 때 완전히 겹쳐지는 도형을 선대칭도형이라 하고, 그 직선을 대칭축이라 한다.

보기 (1) 회전체를 회전축에 수직인 평면으로 자른 단면은 항상 원이지만 그 크기는 다를 수 있다.

원기둥	원뿔	원뿔대	구

(2) 회전체를 회전축을 포함하는 평면으로 자른 단면은 회전체를 정면에서 본 모양과 같다.

원기둥	원뿔	원뿔대	구
직사각형	이등변삼각형	사다리꼴	원

> 회전체를 위에서 내려다보면 항상 원,
> 정면에서 보면 회전축에 대하여 대칭을 이루는 도형이야.

• **Lecture** •

● 구는 어느 방향으로 잘라도 그 단면은 항상 원이다.

  구의 단면이 가장 큰 경우는 구의 중심을 지나는 평면으로 잘랐을 때이다.

│개념 확인│ 2 다음 회전체를 주어진 평면으로 자를 때 생기는 단면의 모양을 써넣어라.

	구	원뿔대	원뿔	원기둥
회전축에 수직인 평면				
회전축을 포함하는 평면				

STEP 1 기초 개념 드릴

개념 기초

1-1

다음 보기 중 회전체가 <u>아닌</u> 것을 모두 골라라.

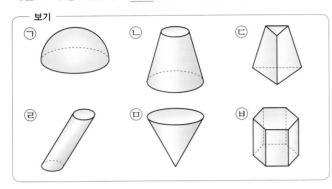

연구 평면도형을 한 직선을 축으로 하여 1회전 시킬 때 생기는 입체도형을 [ ]라 한다.

2-1

다음 그림과 같은 평면도형을 직선 l을 축으로 하여 1회전 시킬 때 생기는 회전체를 그려라.

(1) 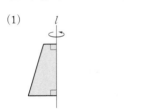   (2)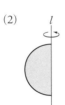

3-1

아래 그림과 같은 평면도형을 직선 l을 축으로 하여 1회전 시킬 때 생기는 회전체를 그리고, 다음을 말하여라.

(1) 회전축에 수직인 평면으로 자른 단면의 모양
(2) 회전축을 포함하는 평면으로 자른 단면의 모양

쌍둥이 문제

1-2

다음 보기 중 회전체를 모두 골라라.

보기
㉠ 구   ㉡ 원뿔대   ㉢ 삼각뿔대
㉣ 원기둥   ㉤ 정육면체   ㉥ 오각기둥

2-2

다음 그림과 같은 평면도형을 직선 l을 축으로 하여 1회전 시킬 때 생기는 회전체를 그려라.

(1)    (2)

3-2

오른쪽 그림과 같은 회전체를 회전축에 수직인 평면으로 자른 단면의 모양과 회전축을 포함하는 평면으로 자른 단면의 모양을 차례로 그려라.

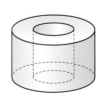

대표 유형 **1** 회전체의 겨냥도

유형 해결의 법칙 중 1-2 137쪽

회전체를 그리는 방법

① 회전축을 축으로 하는 선대칭도형을 그린다.

② 회전축을 포함하는 단면의 모양이 ①에서 그린 도형이 되도록 겨냥도를 그린다.

주의 평면도형이 회전축과 떨어져 있는 경우에는 가운데에 구멍이 뚫린 회전체가 만들어진다.

1-1 다음 보기 중 평면도형을 직선 *l*을 축으로 하여 1회전 시킬 때 생기는 입체도형을 잘못 짝 지은 것을 골라라.

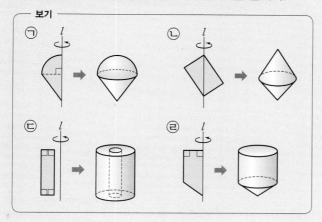

쌍둥이 1-2

오른쪽 그림과 같은 입체도형은 다음 중 어느 도형을 직선 *l*을 축으로 하여 1회전 시킨 것인가?

① ②

③ ④ ⑤

풀이

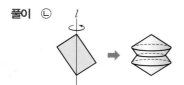

답 ㉡

대표 유형 **2** 회전체의 단면의 모양

유형 해결의 법칙 중 1-2 138쪽

(1) 회전축에 수직인 평면으로 자를 때 생기는 단면 ➡ 항상 원

(2) 회전축을 포함하는 평면으로 자를 때 생기는 단면

　① 원기둥 : 직사각형　　② 원뿔 : 이등변삼각형　　③ 원뿔대 : 사다리꼴　　④ 구 : 원

2-1 다음 중 회전체와 그 회전체를 회전축을 포함한 평면으로 자를 때 생기는 단면의 모양을 짝 지은 것으로 옳은 것은?

① 원기둥 − 원　　② 원뿔 − 부채꼴

③ 원뿔대 − 사다리꼴　　④ 반구 − 원

⑤ 구 − 반원

쌍둥이 2-2

다음 조건을 모두 만족시키는 회전체의 이름을 말하여라.

─ 조건 ─

㈎ 회전축에 수직인 평면으로 자른 단면은 원이다.

㈏ 회전축을 포함하는 평면으로 자른 단면은 직사각형이다.

풀이 ① 원기둥 − 직사각형　　② 원뿔 − 이등변삼각형

　④ 반구 − 반원　　⑤ 구 − 원

　따라서 옳은 것은 ③이다.　　　　답 ③

대표 유형 ③ 회전체의 단면의 넓이

유형 해결의 법칙 중 1-2 139쪽

회전체를 회전축을 포함하는 평면으로 자를 때 생기는 단면의 넓이 ➡ (회전시키기 전 평면도형의 넓이)×2

3-1 오른쪽 그림과 같은 사다리꼴을 직선 l을 축으로 하여 1회전 시킬 때 생기는 회전체를 회전축을 포함하는 평면으로 잘랐다. 이때 생기는 단면의 넓이를 구하여라.

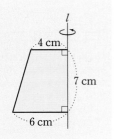

쌍둥이 3-2

오른쪽 그림과 같은 원뿔을 회전축을 포함하는 평면으로 잘랐다. 이때 생기는 단면의 넓이를 구하여라.

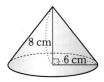

풀이　회전체는 오른쪽 그림과 같은 원뿔대이다. 이때 구하는 단면은 사다리꼴이므로 그 넓이는
$\frac{1}{2} \times (8+12) \times 7 = 70 \ (\text{cm}^2)$

답 $70 \ \text{cm}^2$

대표 유형 ④ 회전체의 이해

유형 해결의 법칙 중 1-2 141쪽

• 회전체를 회전축에 수직인 평면으로 자른 단면은 항상 원이다.
• 회전체를 회전축을 포함하는 평면으로 자른 단면은 모두 합동이고, 회전축에 대하여 선대칭도형이다.

4-1 다음 보기 중 옳은 것을 모두 골라라.

┌─ 보기 ─
ㄱ 원뿔을 회전축에 평행한 평면으로 자르면 원뿔대가 생긴다.
ㄴ 반원을 지름을 축으로 하여 1회전 시키면 구가 생긴다.
ㄷ 원뿔대를 회전축에 수직인 평면으로 자른 단면은 모두 합동이다.
ㄹ 회전체의 옆면을 만드는 선분을 모선이라 한다.
└────

풀이　ㄱ 원뿔을 밑면에 평행한 평면으로 자를 때 생기는 두 입체도형 중에서 원뿔이 아닌 쪽을 원뿔대라 한다.
ㄷ 원뿔대를 회전축에 수직인 평면으로 자른 단면은 모두 원이지만 그 크기는 다르다.
따라서 옳은 것은 ㄴ, ㄹ이다.　　　　**답** ㄴ, ㄹ

쌍둥이 4-2

다음 중 회전체에 대한 설명으로 옳지 <u>않은</u> 것은?
① 평면도형을 한 직선을 축으로 하여 1회전 시킬 때 생기는 입체도형을 회전체라 한다.
② 구를 평면으로 자른 단면은 항상 원이다.
③ 회전체를 회전축을 포함하는 평면으로 자를 때 생기는 단면은 모두 합동이다.
④ 회전체를 회전축을 포함하는 평면으로 자를 때 생기는 단면은 회전축에 대하여 선대칭도형이다.
⑤ 모든 회전체는 전개도를 그릴 수 있다.

회전체

(1) 회전체 : 평면도형을 한 직선을 축으로 하여 1회전 시킬 때 생기는 입체도형

(2) 회전체의 단면의 모양

   ① 회전축에 수직인 평면으로 자를 때 생기는 단면

   ➡ **❶**

   ② 회전축을 포함하는 평면으로 자를 때 생기는 단면

   ➡ 원기둥 − 직사각형, 원뿔 − **❷**

      원뿔대 − 사다리꼴, 구 − 원

🔑 ❶원 ❷이등변삼각형

01

다음 보기 중 회전체를 모두 골라라.

┌─ 보기 ─────────────────────────┐
│ ㉠ 원기둥   ㉡ 오각뿔대   ㉢ 직육면체 │
│ ㉣ 원뿔   ㉤ 정팔면체   ㉥ 원뿔대 │
└────────────────────────────────┘

★ 02

오른쪽 그림과 같은 평면도형을 직선 *l*을 축으로 하여 1회전 시킬 때 생기는 입체도형은?

① 　②

③ 　④ 　⑤

03

반지름의 길이가 3 cm인 구를 평면으로 자를 때 생기는 단면 중에서 그 크기가 가장 큰 단면의 넓이를 구하여라.

★ 04

오른쪽 그림과 같은 직각삼각형을 직선 *l*을 축으로 하여 1회전 시켜 회전체를 만들었다. 이 회전체를 회전축을 포함하는 평면으로 자를 때 생기는 단면의 넓이를 구하여라.

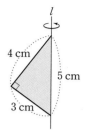

05

다음 보기 중 회전체를 회전축을 포함하는 평면으로 자를 때 생기는 단면의 모양을 모두 골라라.

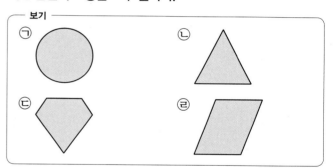

★ 06

다음 중 회전체에 대한 설명으로 옳지 **않은** 것을 모두 고르면?

(정답 2개)

① 구를 회전축에 수직인 평면으로 자른 단면은 모두 합동이다.

② 회전체를 회전축에 수직인 평면으로 자른 단면의 모양은 항상 원이다.

③ 직각삼각형을 한 변을 축으로 하여 1회전 시킬 때 생기는 입체도형은 항상 원뿔이다.

④ 원뿔대의 두 밑면은 서로 평행하다.

⑤ 구의 회전축은 무수히 많다.

8 입체도형의 겉넓이와 부피

학습 목표

• 각기둥과 원기둥의 겉넓이와 부피를 구할 수 있다.
• 각뿔과 원뿔의 겉넓이와 부피를 구할 수 있다.
• 구의 겉넓이와 부피를 구할 수 있다.

1 기둥의 겉넓이와 부피

개념 ① 각기둥의 겉넓이

기둥의 겉넓이를 구할 때에는 그 전개도를 이용하면 편리하다.

각기둥의 전개도는 서로 합동인 두 밑면과 직사각형 모양의 옆면으로 이루어져 있다.

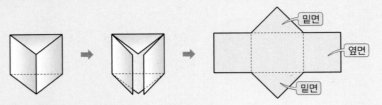

겉넓이는 입체도형을 싸고 있는 겉면의 넓이, 즉 전개도의 넓이를 말해.

(각기둥의 겉넓이)=(밑넓이)×2+(옆넓이)

↳(밑면의 둘레의 길이)×(높이)

보기 다음 그림과 같은 사각기둥의 겉넓이를 구해 보자.

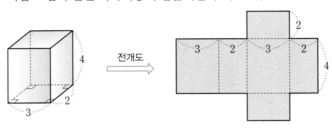

전개도

① (밑넓이)=3×2=6

② (옆넓이)=(3+2+3+2)×4=40
   ↳(밑면의 둘레의 길이)

③ (겉넓이)=⑥×2+④⓪=52
   밑넓이   옆넓이

• Lecture •

● 기둥에서 한 밑면의 넓이를 밑넓이, 옆면 전체의 넓이를 옆넓이, 겉면 전체의 넓이를 겉넓이라 한다.

● 기둥의 옆면 전체는 전개도에서 하나의 큰 직사각형으로 그려지는데 큰 직사각형에서

  (가로의 길이)=(밑면의 둘레의 길이), (세로의 길이)=(기둥의 높이)

┃개념 확인┃ **1** 다음 그림은 각기둥과 그 전개도이다. □ 안에 알맞은 수를 써넣고 다음을 구하여라.

(1)

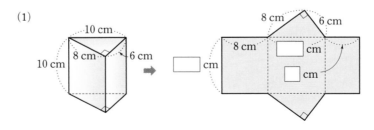

① 밑넓이: _____

② 옆넓이: _____

③ 겉넓이: _____

(2)

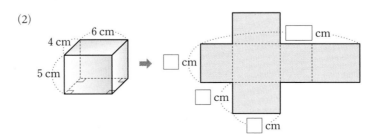

① 밑넓이: _____

② 옆넓이: _____

③ 겉넓이: _____

개념 ② 원기둥의 겉넓이

원기둥의 전개도는 합동인 두 밑면과 직사각형 모양의 옆면으로 이루어져 있다.

밑면인 원의 반지름의 길이가 r이고 높이가 h인 원기둥의 겉넓이 S는

(원기둥의 겉넓이)=(밑넓이)×2+(옆넓이)

➡ $S=2\pi r^2+2\pi rh$

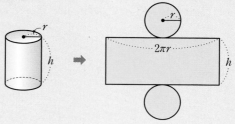

보기 다음 그림과 같은 원기둥의 겉넓이를 구해 보자.

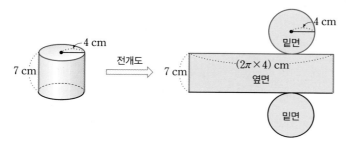

① (밑넓이)=$\pi \times 4^2=16\pi$ (cm^2)

② (옆넓이)=$(2\pi \times 4) \times 7=56\pi$ (cm^2)
  └→ (밑면인 원의 둘레의 길이)

③ (겉넓이)=$\boxed{16\pi} \times 2+\boxed{56\pi}=88\pi$ (cm^2)
  밑넓이   옆넓이

• **Lecture** •

● 반지름의 길이가 r인 원의 넓이 ➡ πr^2, 둘레의 길이 ➡ $2\pi r$

● 원기둥의 옆면 전체는 전개도에서 하나의 직사각형으로 그려지는데 직사각형에서

  (가로의 길이)=(밑면인 원의 둘레의 길이), (세로의 길이)=(원기둥의 높이)

8
입체도형의 겉넓이와 부피

개념 확인 2 다음 그림은 원기둥과 그 전개도이다. □ 안에 알맞은 수를 써넣고 다음을 구하여라.

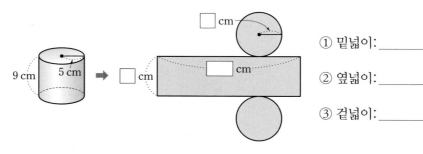

① 밑넓이: _____

② 옆넓이: _____

③ 겉넓이: _____

개념 **3** 기둥의 부피

(1) 각기둥의 부피

밑넓이가 S이고 높이가 h인 각기둥의 부피 V는

(각기둥의 부피)=(밑넓이)×(높이)

➡ $V=Sh$

(2) 원기둥의 부피

밑면인 원의 반지름의 길이가 r, 높이가 h인 원기둥의 부피 V는

(원기둥의 부피)=(밑넓이)×(높이)

➡ $V=\pi r^2 h$

보기 다음 그림과 같은 기둥의 부피를 구해 보자.

(1)

⇨ (밑넓이)$=\dfrac{1}{2}\times 6\times 4=12$

(높이)$=8$

∴ (부피)$=12\times 8=96$

(2)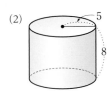

⇨ (밑넓이)$=\pi\times 5^2=25\pi$

(높이)$=8$

∴ (부피)$=25\pi\times 8=200\pi$

• Lecture •

● 여러 가지 평면도형의 넓이 S

삼각형	직각삼각형	직사각형	사다리꼴	원
$S=\dfrac{1}{2}ah$	$S=\dfrac{1}{2}ah$	$S=ah$	$S=\dfrac{1}{2}(a+b)h$	$S=\pi r^2$

다각형의 넓이 공식을 알아두면 기둥의 밑넓이를 구할 때 편리해.

주의 단위에 주의하자.

① 길이의 단위: cm, m, ⋯

② 넓이의 단위: cm^2, m^2, ⋯

③ 부피의 단위: cm^3, m^3, ⋯

| 개념 확인 | **3** 아래 그림과 같은 기둥에 대하여 다음을 구하여라.

(1)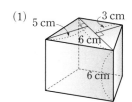

① 밑넓이: _____

② 높이: _____

③ 부피: _____

(2)

① 밑넓이: _____

② 높이: _____

③ 부피: _____

(1) **각기둥의 부피**

오른쪽 그림과 같이 직육면체를 대각선 방향으로 자르면 모양과 크기가 같은 두 개의 삼각기둥으로 나누어진다. 이때 이 삼각기둥 하나의 부피는 직육면체의 부피의 $\frac{1}{2}$이고, 삼각기둥의 밑넓이도 직육면체의 밑넓이의 $\frac{1}{2}$이 된다.

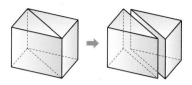

$$(삼각기둥의 부피) = \frac{1}{2} \times (직육면체의 부피)$$
$$= \frac{1}{2} \times (직육면체의 밑넓이) \times (높이)$$
$$= (삼각기둥의 밑넓이) \times (높이)$$

또, 오각기둥, 육각기둥, …과 같은 각기둥은 다음 그림과 같이 3개, 4개, …의 삼각기둥으로 나눌 수 있으므로 각기둥의 부피는 나누어진 삼각기둥의 부피의 합으로 구할 수 있다.

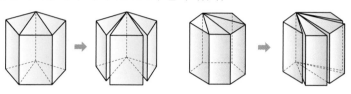

각기둥의 부피는 (밑넓이)×(높이)라는 사실을 알 수 있어.

(2) **원기둥의 부피**

다음 그림과 같이 원기둥을 밑면인 원의 중심각이 같게 잘라 엇갈리게 이어 붙이면 사각기둥에 가까워짐을 알 수 있다.

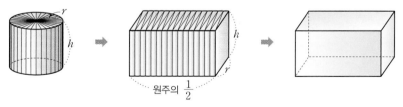

원주의 $\frac{1}{2}$

이때 원기둥의 밑면인 원의 반지름의 길이를 r, 높이를 h라 하면

$$(원기둥의 부피) = (사각기둥의 부피)$$
$$= (밑넓이) \times (높이)$$
$$= \left(원주의 \frac{1}{2}\right) \times (반지름의 길이) \times (높이)$$
$$= \pi r \times r \times h = \pi r^2 h$$

개념 기초

1-1

다음 그림과 같은 각기둥의 겉넓이를 구하여라.

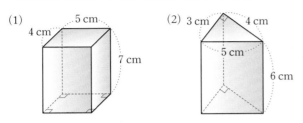

(1) 4 cm, 5 cm, 7 cm

(2) 3 cm, 4 cm, 5 cm, 6 cm

연구 (기둥의 겉넓이)＝(밑넓이)×□＋(옆넓이)

2-1

다음 그림과 같은 원기둥의 전개도를 그리고, 겉넓이를 구하여라.

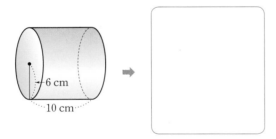

6 cm, 10 cm

연구 밑면인 원의 반지름의 길이가 r이고 높이가 h인 원기둥에서
(겉넓이)＝$2\pi r^2$＋□

3-1

다음 그림과 같은 기둥의 부피를 구하여라.

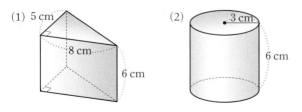

(1) 5 cm, 8 cm, 6 cm

(2) 3 cm, 6 cm

연구 (기둥의 부피)＝(밑넓이)×(높이)

쌍둥이 문제

1-2

다음 그림과 같은 각기둥의 겉넓이를 구하여라.

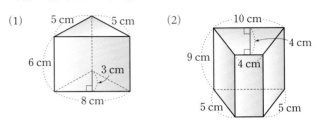

(1) 5 cm, 5 cm, 6 cm, 3 cm, 8 cm

(2) 10 cm, 4 cm, 9 cm, 4 cm, 5 cm, 5 cm

2-2

다음 그림과 같은 원기둥의 전개도를 그리고, 겉넓이를 구하여라.

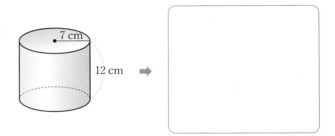

7 cm, 12 cm

3-2

다음 그림과 같은 기둥의 부피를 구하여라.

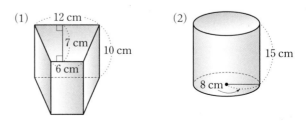

(1) 12 cm, 7 cm, 10 cm, 6 cm

(2) 15 cm, 8 cm

대표 유형 1 각기둥의 겉넓이와 부피

유형 해결의 법칙 중 1-2 149쪽, 150쪽

① (각기둥의 겉넓이)=(밑넓이)×2+(옆넓이)

② (각기둥의 부피)=(밑넓이)×(높이)

(각기둥의 옆넓이)
=(밑면의 둘레의 길이)×(높이)야.

1-1 오른쪽 그림과 같은 사각기둥의 겉넓이와 부피를 각각 구하여라.

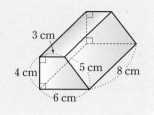

풀이 $(밑넓이)=\dfrac{1}{2}×(3+6)×4=18 \ (cm^2)$

$(옆넓이)=(3+4+6+5)×8=144 \ (cm^2)$

$∴ (겉넓이)=18×2+144=180 \ (cm^2)$

$(부피)=18×8=144 \ (cm^3)$

답 겉넓이 : 180 cm², 부피 : 144 cm³

쌍둥이 1-2

다음 그림과 같은 기둥의 겉넓이와 부피를 각각 구하여라.

(1)

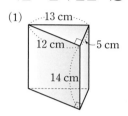

(2)

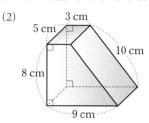

대표 유형 2 원기둥의 겉넓이와 부피

유형 해결의 법칙 중 1-2 150쪽, 151쪽

원기둥의 밑면인 원의 반지름의 길이를 r, 높이를 h라 하면

① $(원기둥의 겉넓이)=(밑넓이)×2+(옆넓이)=2πr^2+2πrh$

② $(원기둥의 부피)=(밑넓이)×(높이)=πr^2h$

2-1 오른쪽 그림과 같은 원기둥의 겉넓이와 부피를 각각 구하여라.

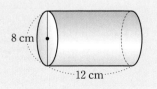

풀이 밑면인 원의 반지름의 길이가 4 cm이므로

$(밑넓이)=π×4^2=16π \ (cm^2)$

$(옆넓이)=(2π×4)×12=96π \ (cm^2)$

$∴ (겉넓이)=16π×2+96π=128π \ (cm^2)$

$(부피)=16π×12=192π \ (cm^3)$

답 겉넓이 : 128π cm², 부피 : 192π cm³

쌍둥이 2-2

오른쪽 그림과 같은 원기둥의 겉넓이와 부피를 각각 구하여라.

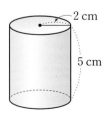

대표 유형 **3** 전개도가 주어진 기둥의 겉넓이와 부피

전개도에서
① (옆면의 가로의 길이)=(밑면의 둘레의 길이) ② (옆면의 세로의 길이)=(기둥의 높이)

3-1 다음 그림과 같은 전개도로 만들어지는 원기둥의 겉넓이와 부피를 각각 구하여라.

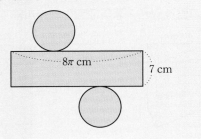

풀이 원기둥의 밑면인 원의 반지름의 길이를 r cm라 하면

$2\pi \times r = 8\pi \qquad \therefore r = 4$

(밑넓이)$=\pi \times 4^2 = 16\pi$ (cm^2), (옆넓이)$=8\pi \times 7 = 56\pi$ (cm^2)

$\therefore$ (겉넓이)$=16\pi \times 2 + 56\pi = 88\pi$ (cm^2)

(부피)$=16\pi \times 7 = 112\pi$ (cm^3)

답 겉넓이 : 88π cm^2, 부피 : 112π cm^3

쌍둥이 3-2

다음 그림과 같은 전개도로 만들어지는 사각기둥의 겉넓이와 부피를 각각 구하여라.

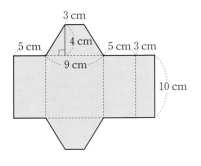

대표 유형 **4** 밑면이 부채꼴인 기둥의 겉넓이와 부피

유형 해결의 법칙 중 1-2 152쪽

반지름의 길이가 r, 중심각의 크기가 $x°$인 부채꼴에서
① (부채꼴의 호의 길이)$=2\pi r \times \dfrac{x}{360}$ ② (부채꼴의 넓이)$=\pi r^2 \times \dfrac{x}{360}$

4-1 오른쪽 그림과 같은 입체도형의 겉넓이와 부피를 각각 구하여라.

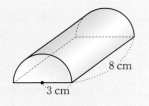

풀이 (밑넓이)$=(\pi \times 3^2) \times \dfrac{1}{2} = \dfrac{9}{2}\pi$ (cm^2)

(옆넓이)$=\left(2\pi \times 3 \times \dfrac{1}{2} + 6\right) \times 8 = 24\pi + 48$ (cm^2)

$\therefore$ (겉넓이)$=\dfrac{9}{2}\pi \times 2 + (24\pi + 48) = 33\pi + 48$ (cm^2)

(부피)$=\dfrac{9}{2}\pi \times 8 = 36\pi$ (cm^3)

답 겉넓이 : $(33\pi + 48)$ cm^2, 부피 : 36π cm^3

쌍둥이 4-2

다음 그림과 같은 입체도형의 겉넓이와 부피를 각각 구하여라.

(1) 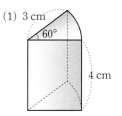 (2)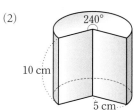

대표 유형 ⑤ 가운데가 뚫린 기둥의 겉넓이와 부피

유형 해결의 법칙 중 1-2 153쪽

① (밑넓이)=(큰 기둥의 밑넓이)−(작은 기둥의 밑넓이)
 (옆넓이)=(큰 기둥의 옆넓이)+(작은 기둥의 옆넓이)
 ➡ (겉넓이)=(밑넓이)×2+(옆넓이)

② (부피)=(큰 기둥의 부피)−(작은 기둥의 부피)

주의 가운데가 뚫린 기둥의 겉넓이를 구할 때 안쪽의 겉넓이를 빠뜨리지 않도록 주의한다.

5-1 오른쪽 그림과 같이 가운데가 뚫린 입체도형의 겉넓이와 부피를 각각 구하여라.

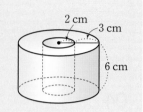

풀이 (밑넓이)=$\pi \times 5^2 - \pi \times 2^2 = 21\pi$ (cm²)
 (옆넓이)=$(2\pi \times 5) \times 6 + (2\pi \times 2) \times 6 = 84\pi$ (cm²)
 ∴ (겉넓이)=$21\pi \times 2 + 84\pi = 126\pi$ (cm²)
 (부피)=$(\pi \times 5^2) \times 6 - (\pi \times 2^2) \times 6 = 126\pi$ (cm³)

답 겉넓이 : 126π cm², 부피 : 126π cm³

쌍둥이 5-2 오른쪽 그림과 같이 가운데가 뚫린 입체도형의 겉넓이와 부피를 각각 구하여라.

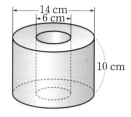

대표 유형 ⑥ 회전체의 겉넓이와 부피(1) – 원기둥

유형 해결의 법칙 중 1-2 153쪽

①
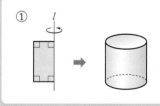

②
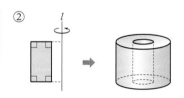

6-1 오른쪽 그림의 직사각형을 직선 l을 축으로 하여 1회전 시킬 때 생기는 회전체의 겉넓이와 부피를 각각 구하여라.

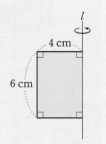

쌍둥이 6-2 오른쪽 그림의 직사각형을 직선 l을 축으로 하여 1회전 시킬 때 생기는 입체도형의 겉넓이와 부피를 각각 구하여라.

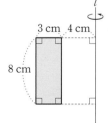

풀이 회전체는 오른쪽 그림과 같으므로
 (밑넓이)=$\pi \times 4^2 = 16\pi$ (cm²)
 (옆넓이)=$(2\pi \times 4) \times 6 = 48\pi$ (cm²)
 ∴ (겉넓이)=$16\pi \times 2 + 48\pi = 80\pi$ (cm²)
 (부피)=$16\pi \times 6 = 96\pi$ (cm³)

답 겉넓이 : 80π cm², 부피 : 96π cm³

기둥의 겉넓이와 부피

(1) 기둥의 겉넓이
  ① (각기둥의 겉넓이)=(밑넓이)×2+(옆넓이)
  ② 원기둥의 밑면인 원의 반지름의 길이를 r, 높이를 h라 하면
    (원기둥의 겉넓이)=(밑넓이)×2+(옆넓이)
    $=\boxed{❶}+2\pi rh$

(2) 기둥의 부피
  ① (각기둥의 부피)=(밑넓이)×(높이)
  ② 원기둥의 밑면인 원의 반지름의 길이를 r, 높이를 h라 하면
    (원기둥의 부피)=(밑넓이)×(높이)$=\pi r^2 h$

답 ❶ $2\pi r^2$

01

오른쪽 그림과 같은 사각기둥에 대하여 다음 물음에 답하여라.

(1) 전개도를 그려라.

(2) 겉넓이를 구하여라.

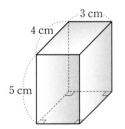

02

서술형

오른쪽 그림과 같은 삼각기둥의 겉넓이가 $300\ \mathrm{cm}^2$일 때, h의 값을 구하여라.

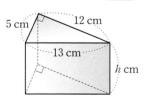

03

⭐

오른쪽 그림과 같은 입체도형의 부피를 구하여라.

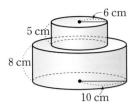

04

오른쪽 그림과 같은 오각형을 밑면으로 하고, 높이가 7 cm인 기둥의 부피를 구하여라.

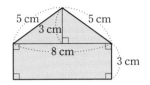

05

어떤 과자 회사에서 다음 그림과 같이 원기둥 모양의 과자 상자 A, B를 만들었다. 이 두 상자의 부피가 같다고 할 때, A 상자의 겉넓이를 구하여라. (단, 상자의 두께는 생각하지 않는다.)

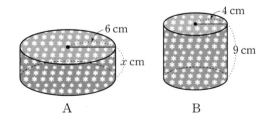

06

오른쪽 그림은 한 모서리의 길이가 5 cm인 정육면체에서 삼각기둥을 잘라 낸 입체도형이다. 이 입체도형의 부피를 구하여라.

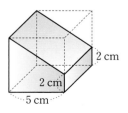

07

다음 그림과 같은 전개도로 만들어지는 원기둥의 겉넓이는?

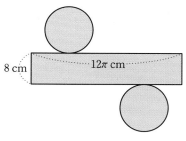

① $72\pi\ \text{cm}^2$ ② $120\pi\ \text{cm}^2$ ③ $132\pi\ \text{cm}^2$
④ $168\pi\ \text{cm}^2$ ⑤ $288\pi\ \text{cm}^2$

08

창의력

오른쪽 그림과 같이 밑면인 원의 반지름의 길이가 $10\ \text{cm}$이고 높이가 $5\ \text{cm}$인 원기둥 모양의 치즈 케이크가 10조각으로 똑같이 나누어져 있다. 10조각 중 한 조각의 겉넓이는?

① $100\pi\ \text{cm}^2$ ② $150\pi\ \text{cm}^2$
③ $(10\pi+20)\ \text{cm}^2$ ④ $(40\pi+50)\ \text{cm}^2$
⑤ $(30\pi+100)\ \text{cm}^2$

09

서술형

오른쪽 그림과 같이 밑면이 부채꼴 모양인 기둥의 겉넓이와 부피를 각각 구하여라.

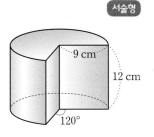

10

오른쪽 그림과 같은 입체도형의 부피는?

① $220\ \text{cm}^3$ ② $330\ \text{cm}^3$
③ $440\ \text{cm}^3$ ④ $550\ \text{cm}^3$
⑤ $660\ \text{cm}^3$

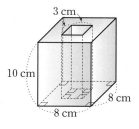

11

오른쪽 그림과 같은 직사각형을 직선 l을 축으로 하여 1회전 시킬 때 생기는 회전체에 대하여 다음을 구하여라.

(1) 겉넓이

(2) 부피

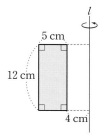

12

창의 융합

다음 그림과 같이 아랫부분이 원기둥 모양인 병이 있다. 이 병에 물의 높이가 $10\ \text{cm}$가 되도록 물을 넣은 다음 병을 뒤집었을 때, 물이 없는 부분의 높이는 $5\ \text{cm}$가 되었다. 이때 병의 부피를 구하여라. (단, 병의 두께는 생각하지 않는다.)

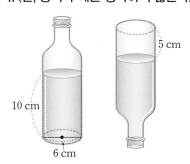

2 뿔의 겉넓이와 부피

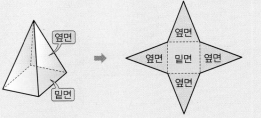

개념 1 각뿔의 겉넓이

각뿔의 겉넓이를 구할 때에는 그 전개도를 이용하면 편리하다.
각뿔의 전개도는 하나의 밑면과 삼각형 모양의 옆면으로 이루어져
있다.

(각뿔의 겉넓이)=(밑넓이)+(옆넓이)

보기 다음 그림과 같이 밑면이 정사각형이고 옆면이 모두 합동인 이등변삼각형으로 이루어진 사각뿔의 겉넓이를 구해
보자.

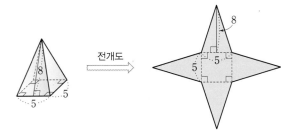

① (밑넓이)=5×5=25

② (옆넓이)= $\dfrac{1}{2}$ ×5×8×4=80

옆면 1개의 넓이
옆면의 개수

③ (겉넓이)=25+80=105
밑넓이 옆넓이

• **Lecture** •

● 사각뿔의 옆면이 모두 합동인 것은 아니다.

① 정사각뿔 ➡ 옆면이 모두 합동인 이등변삼각형이다.

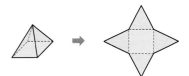

② 사각뿔 ➡ 옆면이 모두 합동인 것은 아니다.

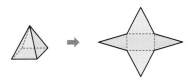

∥ 개념 확인 ∥ **1** 다음 그림은 각뿔과 그 전개도이다. ☐ 안에 알맞은 수를 써넣고 다음을 구하여라.

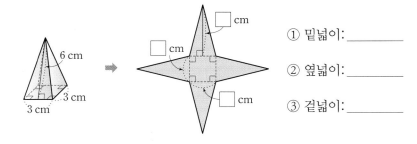

① 밑넓이: _____

② 옆넓이: _____

③ 겉넓이: _____

개념 ❷ 원뿔의 겉넓이

원뿔의 겉넓이를 구할 때에는 그 전개도를 이용하면 편리하다.

원뿔의 전개도는 원 모양인 밑면과 부채꼴 모양인 옆면으로 이루어져 있다.

밑면인 원의 반지름의 길이가 r, 모선의 길이가 l인 원뿔에서

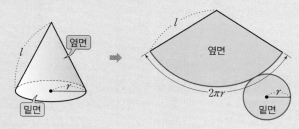

(원뿔의 겉넓이)=(밑넓이)+(옆넓이)=$\pi r^2 + \pi r l$

$$\frac{1}{2} \times l \times 2\pi r = \pi r l$$

<u>참고</u> 원뿔의 전개도에서

(옆면인 부채꼴의 호의 길이)=(밑면인 원의 둘레의 길이), (옆면인 부채꼴의 반지름의 길이)=(원뿔의 모선의 길이)

 다음 그림과 같이 밑면인 원의 반지름의 길이가 3, 모선의 길이가 7인 원뿔의 겉넓이를 구해 보자.

 전개도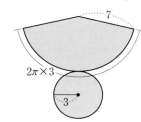

① (밑넓이)$=\pi \times 3^2 = 9\pi$

② (옆넓이)$=\pi \times 3 \times 7 = 21\pi$

③ (겉넓이)$=\boxed{9\pi} + \boxed{21\pi} = 30\pi$
　　　　　　밑넓이　옆넓이

• **Lecture** •

● 부채꼴의 넓이

① 부채꼴의 반지름의 길이와 중심각의 크기가 주어질 때

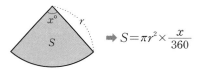 ➡ $S = \pi r^2 \times \dfrac{x}{360}$

② 부채꼴의 반지름의 길이와 호의 길이가 주어질 때

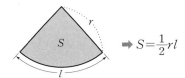 ➡ $S = \dfrac{1}{2} r l$

│ 개념 확인 │ **2** 다음 그림은 원뿔과 그 전개도이다. □ 안에 알맞은 수를 써넣고 다음을 구하여라.

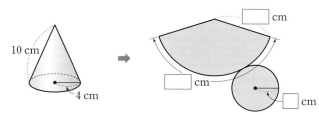

① 밑넓이: _____

② 옆넓이: _____

③ 겉넓이: _____

8 입체도형의 겉넓이와 부피

개념 **3** 뿔의 부피

(1) 각뿔의 부피

밑넓이가 S이고 높이가 h인 각뿔의 부피 V는

(각뿔의 부피)$=\dfrac{1}{3}\times$(밑넓이)$\times$(높이)
⌞ 각기둥의 부피

➡ $V=\dfrac{1}{3}Sh$

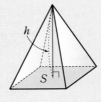

(2) 원뿔의 부피

밑면인 원의 반지름의 길이가 r, 높이가 h인 원뿔의 부피 V는

(원뿔의 부피)$=\dfrac{1}{3}\times$(밑넓이)$\times$(높이)
⌞ 원기둥의 부피

➡ $V=\dfrac{1}{3}\pi r^2 h$

보기 다음 그림과 같은 뿔의 부피를 구해 보자.

(1)

⇨ (밑넓이)$=\dfrac{1}{2}\times 3\times 4=6$

(높이)$=4$

∴ (부피)$=\dfrac{1}{3}\times 6\times 4=8$

(2)

⇨ (밑넓이)$=\pi\times 3^2=9\pi$

(높이)$=4$

∴ (부피)$=\dfrac{1}{3}\times 9\pi\times 4=12\pi$

• Lecture •

● 뿔의 부피가 기둥의 부피의 $\dfrac{1}{3}$인 이유

다음 그림과 같이 밑넓이와 높이가 각각 같은 뿔과 기둥 모양의 그릇이 있을 때, 뿔 모양의 그릇에 물을 가득 채워 기둥 모양의 그릇에 부으면 3번 만에 가득 채워진다. 즉 뿔의 부피는 기둥의 부피의 $\dfrac{1}{3}$이다.

(각뿔의 부피)$=\dfrac{1}{3}\times$(각기둥의 부피)　　　(원뿔의 부피)$=\dfrac{1}{3}\times$(원기둥의 부피)

▌ 개념 확인 ▌ 3　**아래 그림과 같은 뿔에 대하여 다음을 구하여라.**

(1)
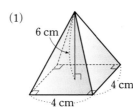

① 밑넓이: _____

② 높이: _____

③ 부피: _____

(2)

① 밑넓이: _____

② 높이: _____

③ 부피: _____

개념 기초

1-1

오른쪽 그림과 같은 각뿔에서 다음을
구하여라. (단, 옆면은 모두 합동이다.)

(1) 밑넓이

(2) 옆넓이

(3) 겉넓이

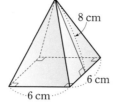

연구 (각뿔의 겉넓이)=(밑넓이)+(옆넓이)

2-1

다음 그림은 원뿔과 그 전개도이다. ☐ 안에 알맞은 수를 써넣
고 겉넓이를 구하여라.

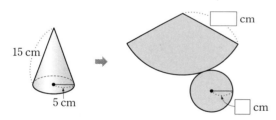

연구 밑면인 원의 반지름의 길이가 r, 모선의 길이가 l인 원뿔에서
(겉넓이)=(밑넓이)+(옆넓이)=$\pi r^2 +$ ☐

3-1

다음 그림과 같은 뿔의 부피를 구하여라.

(1)
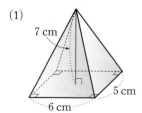

(2)
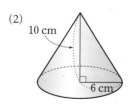

연구 (뿔의 부피)= ☐ ×(밑넓이)×(높이)

쌍둥이 문제

1-2

오른쪽 그림과 같은 각뿔에서 다음을
구하여라. (단, 옆면은 모두 합동이다.)

(1) 밑넓이

(2) 옆넓이

(3) 겉넓이

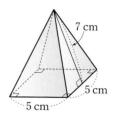

2-2

오른쪽 그림과 같은 원뿔에서 다음을
구하여라.

(1) 밑넓이

(2) 옆넓이

(3) 겉넓이

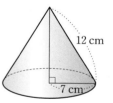

3-2

다음 그림과 같은 뿔의 부피를 구하여라.

(1)
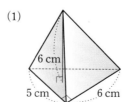

(2)
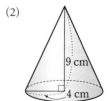

대표 유형 ❶ 각뿔의 겉넓이

유형 해결의 법칙 중 1-2 155쪽

(각뿔의 겉넓이)=(밑넓이)+(옆넓이)

1-1 오른쪽 그림과 같이 밑면은 한 변의 길이가 12 cm인 정사각형이고, 옆면은 모두 높이가 10 cm인 이등변삼각형으로 이루어진 사각뿔의 겉넓이를 구하여라.

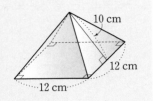

풀이 (밑넓이)=$12 \times 12 = 144$ (cm²)

(옆넓이)=$\left(\dfrac{1}{2} \times 12 \times 10\right) \times 4 = 240$ (cm²)

∴ (겉넓이)=(밑넓이)+(옆넓이)

$= 144 + 240 = 384$ (cm²)

답 384 cm²

쌍둥이 1-2

오른쪽 그림과 같이 밑면은 정사각형이고, 옆면은 모두 합동인 이등변삼각형으로 이루어진 사각뿔의 겉넓이를 구하여라.

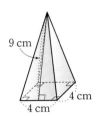

쌍둥이 1-3

오른쪽 그림과 같이 밑면은 한 변의 길이가 6 cm인 정사각형이고, 옆면은 모두 합동인 이등변삼각형으로 이루어진 사각뿔의 겉넓이가 96 cm²일 때, x의 값을 구하여라.

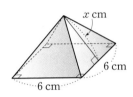

대표 유형 ❷ 원뿔의 겉넓이

유형 해결의 법칙 중 1-2 155쪽

밑면인 원의 반지름의 길이가 r, 모선의 길이가 l인 원뿔의 겉넓이 S

➡ $S=$(밑넓이)+(옆넓이)$=\pi r^2 + \pi r l$

2-1 오른쪽 그림과 같은 원뿔의 겉넓이를 구하여라.

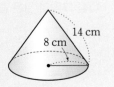

풀이 (밑넓이)=$\pi \times 8^2 = 64\pi$ (cm²)

(옆넓이)=$\pi \times 8 \times 14 = 112\pi$ (cm²)

∴ (겉넓이)=(밑넓이)+(옆넓이)

$= 64\pi + 112\pi = 176\pi$ (cm²)

답 176π cm²

쌍둥이 2-2

오른쪽 그림과 같은 원뿔의 옆넓이가 90π cm²일 때, 밑면인 원의 반지름의 길이를 구하여라.

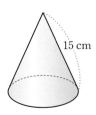

대표 유형 **3** 원뿔의 전개도

유형 해결의 법칙 중 1-2 156쪽

원뿔의 전개도에서 (옆면인 부채꼴의 호의 길이)=(밑면인 원의 둘레의 길이)이다.

➡ $2\pi l \times \dfrac{x}{360} = 2\pi r$

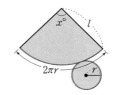

3-1 오른쪽 그림과 같은 전개도로 만들어지는 원뿔의 겉넓이를 구하여라.

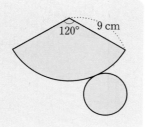

쌍둥이 3-2

오른쪽 그림과 같은 원뿔의 전개도에서 옆면인 부채꼴의 중심각의 크기를 구하여라.

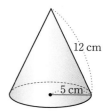

풀이 밑면인 원의 반지름의 길이를 r cm라 하면

$2\pi \times 9 \times \dfrac{120}{360} = 2\pi r$에서 $6\pi = 2\pi r$ ∴ $r = 3$

∴ (원뿔의 겉넓이)$= \pi \times 3^2 + \pi \times 3 \times 9$

$= 9\pi + 27\pi = 36\pi \ (\text{cm}^2)$

답 $36\pi \ \text{cm}^2$

대표 유형 **4** 뿔대의 겉넓이

유형 해결의 법칙 중 1-2 156쪽

① (각뿔대의 겉넓이)=(두 밑면의 넓이의 합)+(옆면인 사다리꼴의 넓이의 합)

② (원뿔대의 겉넓이)=(두 밑면인 원의 넓이의 합)+(옆넓이)→(큰 부채꼴의 넓이)-(작은 부채꼴의 넓이)

4-1 오른쪽 그림과 같은 원뿔대의 겉넓이를 구하여라.

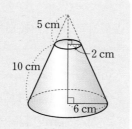

쌍둥이 4-2

오른쪽 그림과 같은 원뿔대의 겉넓이를 구하여라.

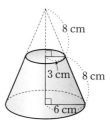

풀이 (두 밑면인 원의 넓이의 합)

$= \pi \times 2^2 + \pi \times 6^2$

$= 4\pi + 36\pi = 40\pi \ (\text{cm}^2)$

(옆넓이)=(큰 부채꼴의 넓이)

$-$(작은 부채꼴의 넓이)

$= \pi \times 6 \times 15 - \pi \times 2 \times 5$

$= 90\pi - 10\pi = 80\pi \ (\text{cm}^2)$

∴ (겉넓이)$= 40\pi + 80\pi = 120\pi \ (\text{cm}^2)$

답 $120\pi \ \text{cm}^2$

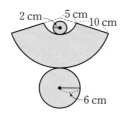

쌍둥이 4-3

오른쪽 그림과 같은 사각뿔대의 겉넓이를 구하여라. (단, 옆면은 모두 합동이다.)

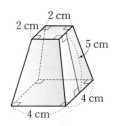

대표 유형 5 뿔의 부피

유형 해결의 법칙 중 1-2 157쪽, 158쪽

$$(뿔의 부피)=\frac{1}{3}\times(밑넓이)\times(높이)$$

5-1 다음 그림과 같은 뿔의 부피를 구하여라.

(1)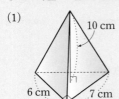

(2)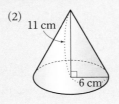

풀이 (1) $(부피)=\frac{1}{3}\times\left(\frac{1}{2}\times6\times7\right)\times10=70\ (cm^3)$

(2) $(부피)=\frac{1}{3}\times(\pi\times6^2)\times11=132\pi\ (cm^3)$

답 (1) $70\ cm^3$ (2) $132\pi\ cm^3$

쌍둥이 5-2

다음 그림과 같은 뿔의 부피를 구하여라.

(1)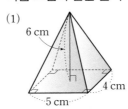

(2)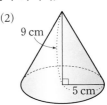

쌍둥이 5-3

오른쪽 그림과 같은 원뿔의 부피가 $98\pi\ cm^3$일 때, 이 원뿔의 높이를 구하여라.

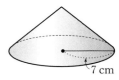

대표 유형 6 직육면체에서 잘라 낸 삼각뿔의 부피

유형 해결의 법칙 중 1-2 160쪽

직육면체에서 삼각뿔을 자른 경우 잘라 낸 삼각뿔을 그려 보면 주어진 입체도형의 부피를 쉽게 구할 수 있다.

6-1 오른쪽 그림은 직육면체의 일부를 잘라 낸 것이다. 이 입체도형의 부피를 구하여라.

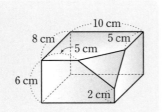

풀이 직육면체에서 잘라 낸 부분은 오른쪽 그림과 같다.

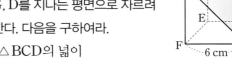

∴ (부피)
= (직육면체의 부피)
  − (잘라 낸 부분의 부피)
$=8\times10\times6-\frac{1}{3}\times\left(\frac{1}{2}\times5\times4\right)\times3$
$=480-10=470\ (cm^3)$

답 $470\ cm^3$

쌍둥이 6-2

오른쪽 그림과 같이 한 모서리의 길이가 6 cm인 정육면체를 세 꼭짓점 B, G, D를 지나는 평면으로 자르려고 한다. 다음을 구하여라.

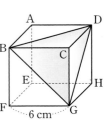

(1) △BCD의 넓이

(2) $\overline{CG}$의 길이

(3) 색칠한 삼각뿔의 부피

대표 유형 **7** 뿔대의 부피

유형 해결의 법칙 중 1–2 159쪽

① 각뿔대의 부피

 = −

② 원뿔대의 부피

 = −

7-1 오른쪽 그림과 같은 각뿔대의 부피를 구하여라.

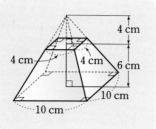

쌍둥이 7-2
오른쪽 그림과 같은 원뿔대의 부피를 구하여라.

풀이 (부피)=(자르기 전 큰 각뿔의 부피)−(잘린 작은 각뿔의 부피)

$$=\frac{1}{3}\times(10\times10)\times10-\frac{1}{3}\times(4\times4)\times4$$

$$=\frac{1000}{3}-\frac{64}{3}=312\ (\text{cm}^3)$$

답 312 cm³

대표 유형 **8** 회전체의 겉넓이와 부피(2) – 원뿔, 원뿔대

유형 해결의 법칙 중 1–2 159쪽

① 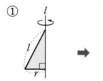 ➡

② ➡

8-1 오른쪽 그림과 같은 평면도형을 직선 *l*을 축으로 하여 1회전 시킬 때 생기는 회전체의 겉넓이를 구하여라.

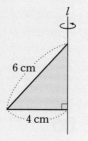

쌍둥이 8-2
오른쪽 그림과 같은 사다리꼴을 직선 *l*을 축으로 하여 1회전 시킬 때 생기는 회전체의 부피를 구하여라.

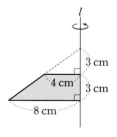

풀이 회전체는 오른쪽 그림과 같으므로
(겉넓이)=(밑넓이)+(옆넓이)
$$=\pi\times4^2+\pi\times4\times6$$
$$=16\pi+24\pi=40\pi\ (\text{cm}^2)$$

답 40π cm²

뿔의 겉넓이와 부피

(1) 뿔의 겉넓이

① (각뿔의 겉넓이)=(밑넓이)+(옆넓이)

② 밑면인 원의 반지름의 길이가 r, 모선의 길이가 l인 원뿔의 겉넓이를 S라 하면

$$S = \boxed{❶} + \pi r l$$

(2) 뿔의 부피

① (각뿔의 부피)$=\dfrac{1}{3} \times$(밑넓이)$\times$(높이)

② 밑면인 원의 반지름의 길이가 r, 높이가 h인 원뿔의 부피를 V라 하면

$$V = \boxed{❷} \pi r^2 h$$

답 ❶ πr^2 ❷ $\dfrac{1}{3}$

01

오른쪽 그림과 같은 사각뿔의 겉넓이를 구하여라. (단, 옆면은 모두 합동이다.)

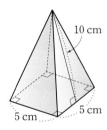

02

오른쪽 그림과 같이 밑면인 원의 반지름의 길이가 6 cm인 원뿔의 겉넓이가 96π cm²일 때, 이 원뿔의 모선의 길이를 구하여라.

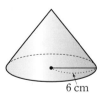

03

오른쪽 그림과 같은 원뿔의 전개도에서 밑면인 원의 넓이는?

① 25π cm²   ② 36π cm²

③ 49π cm²   ④ 64π cm²

⑤ 81π cm²

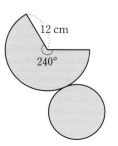

★ 04

오른쪽 그림과 같은 원뿔대의 겉넓이는?

① 24π cm²   ② 32π cm²

③ 43π cm²   ④ 50π cm²

⑤ 71π cm²

05 서술형

아래 그림과 같은 각기둥과 각뿔이 주어졌을 때, 다음을 구하여라.

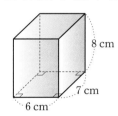 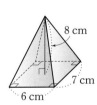

(1) 각기둥의 부피

(2) 각뿔의 부피

(3) 각기둥과 각뿔의 부피의 비 (단, 가장 간단한 자연수의 비로 나타내어라.)

★ 06

오른쪽 그림과 같은 원뿔의 겉넓이와 부피를 각각 구하여라.

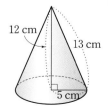

07

오른쪽 그림과 같은 입체도형의
부피를 구하여라.

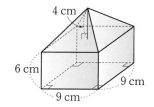

08 창의력

다음 그림과 같은 원뿔 모양의 그릇에 모래를 가득 부어 원기둥
모양의 그릇에 모래를 채우려고 한다. 원뿔 모양의 그릇을 사용
하여 원기둥 모양의 그릇에 모래를 가득 채우려면 모래를 최소
한 몇 번 부어야 하는지 구하여라. (단, 그릇의 두께는 생각하지
않는다.)

 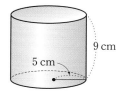

★ 09 서술형

다음 그림과 같은 두 직육면체 모양의 그릇 A, B에 같은 양의
물이 들어 있다. 이때 x의 값을 구하여라. (단, 그릇의 두께는 생
각하지 않는다.)

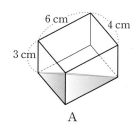 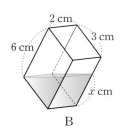

A   B

10

오른쪽 그림은 직육면체의 일부를
잘라 낸 것이다. 이 입체도형의 부피
를 구하여라.

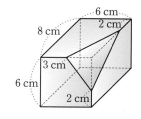

11 창의력

오른쪽 그림의 삼각형 ABC를 $\overline{AD}$
를 축으로 하여 1회전 시킬 때 생기
는 회전체의 겉넓이를 구하여라.

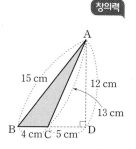

12

오른쪽 그림과 같은 사각형 ABCD를 직
선 l를 축으로 하여 1회전 시킬 때 생기는
회전체의 부피를 구하여라.

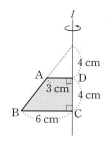

13 창의 · 융합

오른쪽 그림과 같은 우주선은 지구로
다시 돌아올 때, 아랫부분에 있는 원기
둥 모양의 추진체를 버리고 윗부분에
있는 원뿔대 모양의 비행체만 착륙하게
된다. 이때 원뿔대 모양의 비행체의 부
피를 구하여라.

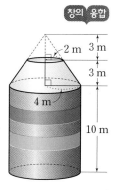

3 구의 겉넓이와 부피

개념 ① 구의 겉넓이와 부피

반지름의 길이가 r인 구에서

(1) 구의 겉넓이 S ➡ $S = 4\pi r^2$

(2) 구의 부피 V ➡ $V = \dfrac{4}{3}\pi r^3$

보기 다음 그림과 같이 반지름의 길이가 4 cm인 구의 겉넓이와 부피를 각각 구해 보자.

$$\Rightarrow \text{(겉넓이)} = 4\pi \times 4^2 = 64\pi \ (\text{cm}^2)$$

$$\text{(부피)} = \dfrac{4}{3}\pi \times 4^3 = \dfrac{256}{3}\pi \ (\text{cm}^3)$$

• Lecture •

● 구는 전개도를 그릴 수 없으므로 구의 겉넓이는 171쪽과 같은 실험을 통해 이해하도록 한다.

구의 겉넓이와 부피 구하는 공식은 고등 수학에서도 이용하므로 꼭 기억하도록 한다.

│개념 확인│ 1 다음 그림과 같은 구의 겉넓이와 부피를 각각 구하여라.

(1)

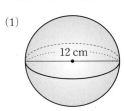

(반지름의 길이) = ☐ cm

(겉넓이) = ☐$\pi \times$ ☐^{2} = ☐ (cm^2)

(부피) = $\dfrac{4}{3}\pi \times$ ☐^{3} = ☐ (cm^3)

(2)

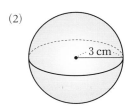

(1) **구의 겉넓이**

 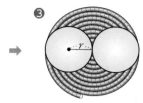 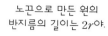 

노끈으로 만든 원의 반지름의 길이는 $2r$야.

❶ 반구의 겉면을 노끈으로 감는다.

❷ 감았던 끈을 풀고, 그 끈의 2배의 길이로 평면 위에 원을 이루도록 감는다.

❸ 2개의 반구를 ❷의 원 위에 놓고, 원의 반지름의 길이와 반구의 반지름의 길이 사이의 관계를 찾아낸다.

　➡ 반지름의 길이가 r인 구의 겉넓이는 반지름의 길이가 $2r$인 원의 넓이와 같다.

$$\text{(구의 겉넓이)} = \pi \times \text{(끈으로 만든 원의 반지름의 길이)}^2$$
$$= \pi \times (2r)^2 = 4\pi r^2$$

(2) **구와 원기둥의 부피 사이의 관계**

다음과 같이 구가 꼭 맞게 들어가는 원기둥 모양의 그릇이 있다.

 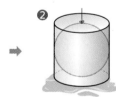 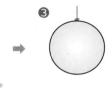 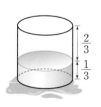 

구를 넣었다 뺐더니 원기둥의 높이의 $\frac{1}{3}$만큼 물이 남아.

❶ 원기둥 모양의 그릇에 물을 가득 채운다.

❷ 지름의 길이가 원기둥의 밑면인 원의 지름의 길이와 같은 구를 ❶의 그릇에 넣어 물 속에 완전히 잠기게 한다.

❸ 원기둥 모양의 그릇에 넣었던 구를 꺼낸 후 남은 물의 높이를 이용하여 구와 원기둥의 부피 사이의 관계를 찾아낸다.

　➡ 남은 물의 높이가 원기둥의 높이의 $\frac{1}{3}$이므로 구의 부피는 원기둥의 부피의 $\frac{2}{3}$이다.

$$\text{(구의 부피)} = \frac{2}{3} \times \text{(원기둥의 부피)}$$
$$= \frac{2}{3} \times \text{(밑넓이)} \times \text{(높이)}$$
$$= \frac{2}{3} \times \pi r^2 \times 2r = \frac{4}{3}\pi r^3$$

개념 기초

1-1

구의 반지름의 길이가 다음과 같을 때, 구의 겉넓이와 부피를 각각 구하여라.

(1) 5 cm   (2) 8 cm

연구 반지름의 길이가 r인 구에서

$$(겉넓이)=4\pi r^2, \ (부피)=\frac{4}{3}\pi r^3$$

2-1

다음을 구하여라.

(1) 겉넓이가 36π cm^{2}인 구의 반지름의 길이

(2) 부피가 36π cm^{3}인 구의 반지름의 길이

연구 (1) 구의 반지름의 길이를 r cm라 하면

$$4\pi r^2=\boxed{}, \ r^2=\boxed{} \quad \therefore r=\boxed{}$$

(2) 구의 반지름의 길이를 r cm라 하면

$$\frac{4}{3}\pi r^3=\boxed{}, \ r^3=\boxed{} \quad \therefore r=\boxed{}$$

3-1

오른쪽 그림과 같이 반지름의 길이가 3 cm인 반구에 대하여 다음 □ 안에 알맞은 것을 써넣어라.

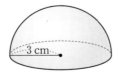

(1) $(겉넓이)=\pi \times \boxed{}^2+\boxed{} \times (4\pi \times \boxed{}^2)$

$$=\boxed{}+\boxed{}=\boxed{} \ (cm^2)$$

(2) $(부피)=\boxed{} \times \left(\frac{4}{3}\pi \times \boxed{}^3\right)=\boxed{} \ (cm^3)$

연구 반구의 겉넓이를 구할 때 단면인 원의 넓이를 빠뜨리지 않도록 주의한다.

쌍둥이 문제

1-2

구의 지름의 길이가 다음과 같을 때, 구의 겉넓이와 부피를 각각 구하여라.

(1) 4 cm   (2) 18 cm

2-2

다음을 구하여라.

(1) 겉넓이가 144π cm^{2}인 구의 반지름의 길이

(2) 부피가 288π cm^{3}인 구의 반지름의 길이

3-2

오른쪽 그림과 같이 반지름의 길이가 8 cm인 반구에 대하여 다음을 구하여라.

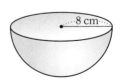

(1) 겉넓이

(2) 부피

대표 유형 1 구의 겉넓이와 부피를 이용한 다양한 입체도형의 겉넓이와 부피

유형 해결의 법칙 중 1-2 161쪽, 162쪽

> 반지름의 길이가 r인 구의 겉넓이를 S, 부피를 V라 하면
>
> $S = 4\pi r^2,\ V = \dfrac{4}{3}\pi r^3$

1-1 오른쪽 그림과 같이 반구와 원뿔로 이루어진 입체도형의 겉넓이와 부피를 각각 구하여라.

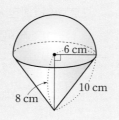

쌍둥이 1-2

오른쪽 그림과 같이 반구와 원기둥으로 이루어진 입체도형의 겉넓이와 부피를 각각 구하여라.

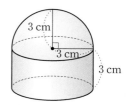

풀이 (겉넓이)$= \dfrac{1}{2} \times (4\pi \times 6^2) + \pi \times 6 \times 10$

$\qquad\qquad = 72\pi + 60\pi = 132\pi \ (\mathrm{cm}^2)$

$\quad$ (부피)$= \dfrac{1}{2} \times \left(\dfrac{4}{3}\pi \times 6^3 \right) + \dfrac{1}{3} \times (\pi \times 6^2) \times 8$

$\qquad\qquad = 144\pi + 96\pi = 240\pi \ (\mathrm{cm}^3)$

답 겉넓이 : $132\pi \ \mathrm{cm}^2$, 부피 : $240\pi \ \mathrm{cm}^3$

대표 유형 2 구의 일부분을 잘라 낸 입체도형의 겉넓이와 부피

유형 해결의 법칙 중 1-2 161쪽, 162쪽

 $\xrightarrow{\frac{1}{2}}$ $\xrightarrow{\frac{1}{2}}$ $\xrightarrow{\frac{1}{2}}$

2-1 오른쪽 그림은 반지름의 길이가 $2\,\mathrm{cm}$인 구를 $\dfrac{1}{4}$로 잘라 낸 입체도형이다. 이 입체도형의 겉넓이와 부피를 각각 구하여라.

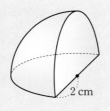

쌍둥이 2-2

오른쪽 그림은 반지름의 길이가 $6\,\mathrm{cm}$인 구의 $\dfrac{1}{8}$을 잘라 낸 입체도형이다. 이 입체도형의 겉넓이와 부피를 각각 구하여라.

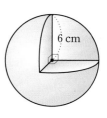

풀이 (겉넓이)$= \dfrac{1}{4} \times (4\pi \times 2^2) + \left(\dfrac{1}{2} \times \pi \times 2^2 \right) \times 2$

$\qquad\qquad = 4\pi + 4\pi = 8\pi \ (\mathrm{cm}^2)$

$\quad$ (부피)$= \dfrac{1}{4} \times \left(\dfrac{4}{3}\pi \times 2^3 \right) = \dfrac{8}{3}\pi \ (\mathrm{cm}^3)$

답 겉넓이 : $8\pi \ \mathrm{cm}^2$, 부피 : $\dfrac{8}{3}\pi \ \mathrm{cm}^3$

대표 유형 ③ 회전체의 겉넓이와 부피 (3) – 구

유형 해결의 법칙 중 1-2 163쪽

- 반원을 지름을 축으로 하여 1회전 시킬 때 생기는 회전체는 구이다.
- 사분원을 반지름을 축으로 하여 1회전 시킬 때 생기는 회전체는 반구이다.

3-1 오른쪽 그림과 같은 반원을 직선 l을 축으로 하여 1회전 시킬 때 생기는 회전체의 겉넓이와 부피를 각각 구하여라.

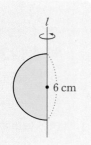

쌍둥이 3-2 오른쪽 그림과 같은 도형을 직선 l을 축으로 하여 1회전 시킬 때 생기는 회전체의 겉넓이와 부피를 각각 구하여라.

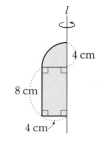

풀이 회전체는 오른쪽 그림과 같으므로

$$(겉넓이) = 4\pi \times 3^2 = 36\pi \ (cm^2)$$

$$(부피) = \frac{4}{3}\pi \times 3^3 = 36\pi \ (cm^3)$$

답 겉넓이 : $36\pi \ cm^2$, 부피 : $36\pi \ cm^3$

대표 유형 ④ 원기둥에 꼭 맞게 들어가는 입체도형

유형 해결의 법칙 중 1-2 165쪽

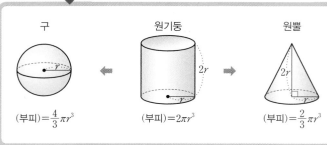

구　　　　　원기둥　　　　　원뿔

$$(부피) = \frac{4}{3}\pi r^3$$　　$$(부피) = 2\pi r^3$$　　$$(부피) = \frac{2}{3}\pi r^3$$

4-1 오른쪽 그림은 밑면인 원의 반지름의 길이가 1 cm이고 높이가 2 cm인 원기둥에 꼭 맞는 구와 원뿔을 나타낸 것이다. 원뿔, 구, 원기둥의 부피의 비를 가장 간단한 자연수의 비로 나타내어라.

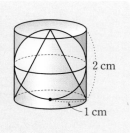

쌍둥이 4-2 오른쪽 그림은 밑면인 원의 반지름의 길이가 3 cm이고 높이가 6 cm인 원기둥에 꼭 맞는 구와 원뿔을 나타낸 것이다. 다음 물음에 답하여라.

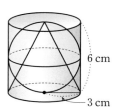

(1) 원뿔, 구, 원기둥의 부피를 각각 구하여라.

(2) 원뿔, 구, 원기둥의 부피의 비를 가장 간단한 자연수의 비로 나타내어라.

풀이 $(원뿔의 부피) = \frac{1}{3} \times (\pi \times 1^2) \times 2 = \frac{2}{3}\pi \ (cm^3)$

$(구의 부피) = \frac{4}{3}\pi \times 1^3 = \frac{4}{3}\pi \ (cm^3)$

$(원기둥의 부피) = (\pi \times 1^2) \times 2 = 2\pi \ (cm^3)$

$\therefore (원뿔의 부피) : (구의 부피) : (원기둥의 부피)$

$= \frac{2}{3}\pi : \frac{4}{3}\pi : 2\pi = 1 : 2 : 3$

답 $1 : 2 : 3$

구의 겉넓이와 부피

반지름의 길이가 r인 구에서
(1) 구의 겉넓이 $S =$ ❶
(2) 구의 부피 $V = \dfrac{4}{3}\pi r^3$

답 ❶ $4\pi r^2$

★
01

다음 보기 중 오른쪽 그림과 같이 반지름의 길이가 5 cm인 구에 대한 설명으로 옳은 것을 모두 골라라.

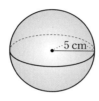

┌─ 보기 ──────────────────────┐
ㄱ 곡면으로만 이루어져 있다.
ㄴ 부피는 $\dfrac{500}{3}\pi$ cm³이다.
ㄷ 겉넓이는 100 cm²이다.
ㄹ 지름을 포함하는 평면으로 자를 때 생기는 단면의 모양은 원이다.
└──────────────────────────┘

02

오른쪽 그림과 같은 반구의 겉넓이가 108π cm²일 때, 이 반구의 부피를 구하여라.

03

오른쪽 그림은 반지름의 길이가 6 cm인 구의 $\dfrac{3}{4}$을 잘라 내고 남은 입체도형이다. 이 입체도형의 겉넓이와 부피를 각각 구하여라.

서술형

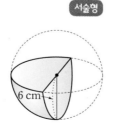

04

다음 그림과 같이 원뿔 모양의 그릇에 물이 담겨 있다. 이 물의 부피는 반지름의 길이가 3 cm인 구의 부피와 같다고 할 때, h의 값을 구하여라. (단, 그릇의 두께는 생각하지 않는다.)

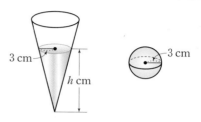

★
05

오른쪽 그림과 같은 도형을 직선 l을 축으로 하여 1회전 시킬 때 생기는 회전체의 부피를 구하여라.

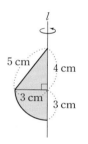

06

창의 융합

아래 그림과 같은 구 모양의 지구 모형에 대하여 다음을 구하여라.

(1) 구 모양의 지구 모형의 부피

(2) 구 모양의 지구 모형에서 맨틀의 부피

9 자료의 정리와 해석

초등학교 5~6학년	중1	중학교 2~3학년
•띠그래프	•줄기와 잎 그림, 도수분포표	•확률과 그 기본 성질 (중2)
•원그래프	•히스토그램과 도수분포다각형	•대푯값과 산포도 (중3)
	•상대도수	•상관관계 (중3)

학습 목표

• 자료를 줄기와 잎 그림, 도수분포표, 히스토그램, 도수분포다각형으로 나타내고 해석한다.
• 상대도수를 구하며, 이를 그래프로 나타내고, 상대도수의 분포를 이해한다.

1 줄기와 잎 그림, 도수분포표

개념 동영상

개념 1 줄기와 잎 그림

(1) **변량** 키, 몸무게, 성적 등의 자료를 수량으로 나타낸 것

(2) **줄기와 잎 그림** 줄기와 잎을 이용하여 자료를 나타낸 그림

(3) **줄기와 잎 그림을 만드는 방법**

① 줄기와 잎을 정하고, 변량을 줄기와 잎으로 구분한다.

② 세로선을 긋고, 세로선의 왼쪽에 줄기에 해당하는 수를 크기순으로 세로로 쓴다.

③ 세로선의 오른쪽에 각 줄기에 해당하는 잎을 크기순으로 가로로 쓴다.

④ '줄기잎'을 설명한다.

참고 (7|1은 71점)은 줄기가 7이고 잎이 1일 때 71점임을 뜻한다.

> **용어**
> • 변량 (변하다 變, 양 量)
>   여러 가지 값으로 변하는 양

수학 점수

(7|1은 71점)

줄기	잎
7	1 2
8	5 8 9
9	3 4 6 8

< 줄기와 잎 그림 >

보기 대성이네 반 학생들의 윗몸일으키기 횟수를 줄기와 잎 그림으로 나타낼 때, 줄기는 십의 자리의 숫자, 잎은 일의 자리의 숫자로 정하여 다음과 같이 나타낼 수 있다.

(단위 : 회)

14	25	36	19	20	45
27	30	38	41	27	32

잎의 개수는 자료의 개수와 같다.

윗몸일으키기 횟수

(1|4는 14회)

줄기	잎
1	4 9
2	0 5 7 7
3	0 2 6 8
4	1 5

십의 자리의 숫자 ← → 일의 자리의 숫자

중복된 변량은 중복된 횟수만큼 나열해야 해.

• Lecture •

● 줄기와 잎 그림의 장점과 단점

① 장점 : 첫째, 원래의 변량을 정확히 알 수 있다.

   둘째, 자료의 전체적인 분포 상태를 쉽게 파악할 수 있다.

② 단점 : 첫째, 자료의 개수가 많을 때에는 제한된 공간에 많은 자료들의 값을 일일이 나열하기 불편하다.

   둘째, 자료의 폭이 클 때에는 줄기의 개수가 너무 많아질 수가 있어서 줄기와 잎 그림으로 나타내기에 적절하지 않다.

| 개념 확인 | 1 아래는 어느 동호회 회원들의 나이를 조사한 자료이다. 줄기와 잎 그림으로 나타내고 다음을 구하여라.

(단위 : 세)

17	34	10	24	22	12	15
17	22	26	29	22	34	30

동호회 회원들의 나이

(1|0은 10세)

줄기	잎
1	0

(1) 잎이 가장 많은 줄기

(2) 줄기가 1인 잎의 개수

개념 동영상

개념 2 도수분포표

(1) **계급** 변량을 일정한 간격으로 나눈 구간

(2) **계급의 크기** 변량을 나눈 구간의 폭

➡ (계급의 크기)＝(계급의 양 끝 값의 차)

(3) **계급의 개수** 변량을 나눈 구간의 개수

(4) **도수** 각 계급에 속하는 변량의 수

(5) **도수분포표** 자료 전체를 몇 개의 계급으로 나누고, 각 계급의 도수를 구하여 나타낸 표

참고 계급, 계급의 크기, 도수에는 단위를 붙인다.

수학 성적(점)	학생 수(명)
50^{이상}~ 60^{미만}	2
60 ~ 70	3
70 ~ 80	10
80 ~ 90	4
90 ~100	1
합계	20

＜도수분포표＞

보기 오른쪽 표는 강준이네 반 학생들의 과학 수행 평가 점수를 도수분포표로 나타낸 것이다.

① 변량 ⇨ 강준이네 반 학생들의 과학 수행 평가 점수

② 계급의 크기 ⇨ 2점

③ 계급의 개수 ⇨ 5개

④ 강준이네 반의 전체 학생 수 ⇨ 32명

⑤ 2점 이상 4점 미만인 계급의 도수 ⇨ 8명

⑥ 수행 평가 점수가 가장 높은 학생의 점수 ⇨ 알 수 없다.

수행 평가 점수(점)	학생 수(명)
0^{이상}~ 2^{미만}	4
2 ~ 4	8
4 ~ 6	12
6 ~ 8	5
8 ~10	3
합계	32

• **Lecture** •

● 도수분포표의 장점과 단점

① 장점 : 첫째, 전체적인 경향이나 어떤 자료가 전체에서 차지하는 위치를 알아보는 데 편리하다.

둘째, 각 계급의 도수를 한눈에 알아보기 쉽다.

② 단점 : 첫째, 각 자료의 값을 정확하게 알 수 없다.

둘째, 계급의 개수가 너무 많거나 적으면 자료의 특성이 명확하게 드러나지 않을 수 있다.

| 개념 확인 | **2** 오른쪽 표는 서윤이네 반 학생들이 가입한 인터넷 카페의 개수를 조사하여 나타낸 도수분포표이다. 다음을 구하여라.

(1) 서윤이네 반의 전체 학생 수

(2) 계급의 크기

(3) 계급의 개수

(4) 도수가 가장 큰 계급

인터넷 카페(개)	학생 수(명)
0^{이상}~ 2^{미만}	2
2 ~ 4	7
4 ~ 6	4
6 ~ 8	3
8 ~10	4
합계	

개념 ③ 도수분포표를 만드는 방법

① 자료에서 가장 큰 변량과 가장 작은 변량을 찾는다.

② 계급의 크기를 정하여 구간별로 나누어 쓴다.→ 계급은 그 범위를 나눌 때 a 이상 b 미만 (단, $a<b$)으로 나눈다는 것에 주의한다.

③ 각 계급에 속하는 변량의 개수를 세어 계급의 도수를 구한다.

참고 계급의 크기는 모두 같게 하고, 계급의 개수는 자료의 양에 따라 달라지지만 보통 5~15개가 적당하다.

보기 다음은 준서네 반 학생들이 하루 동안 스마트폰으로 게임을 하는 시간을 조사한 자료이다. 도수분포표로 나타내어 보자.

스마트폰 게임 시간

(단위 : 분)

25	50	35	80	100	80
110	60	130	40	105	115
50	125	70	[15]	26	100
40	110	100	85	[140]	60
50	65	80	60	75	65

└→ ① 가장 작은 변량   ┌→ ① 가장 큰 변량

⇒

스마트폰 게임 시간(분)		학생 수(명)
0이상 ~ 30미만	///	3
30 ~ 60	糾 /	6
60 ~ 90	糾 糾 /	11
90 ~120	糾 //	7
120 ~150	///	3
합계		30

→ ③ 각 계급의 도수를 구한다.

└→ ② 계급의 크기를 30분으로 정하여 구간별로 나누어 쓴다.

• Lecture •

● 위 보기의 자료에서 계급의 크기를 75분으로 하여 도수분포표를 만들면 오른쪽과 같다. 자료를 도수분포표로 나타낼 때 계급의 개수가 너무 적으면 자료의 분포 상태를 파악하기 어렵다. 마찬가지로 계급의 개수가 너무 많아도 계급으로 나눈 의미가 사라져 자료의 분포 상태를 알 수 없다.

스마트폰 게임 시간(분)	학생 수(명)
0이상 ~ 75미만	15
75 ~150	15
합계	30

개념 확인 **3** 다음은 어떤 인터넷 카페에 신규 회원으로 가입한 28명의 나이를 조사한 자료이다. 도수분포표를 완성하여라.

(단위 : 세)

27	18	19	32	15	12	16
17	12	30	25	10	31	20
12	17	13	29	15	20	19
15	14	23	30	24	17	33

나이(세)		회원 수(명)
10이상~15미만	糾 /	6
합계		28

20세는 20세 이상 25세 미만인 계급에 속해.

개념 기초

1-1

다음은 민성이네 반 학생 20명이 등교하는 데 걸리는 시간을 조사한 자료이다. 십의 자리의 숫자를 줄기로, 일의 자리의 숫자를 잎으로 하는 줄기와 잎 그림을 완성하여라.

(단위 : 분)

15	18	23	44	39
46	12	30	24	35
18	3	33	27	25
10	8	18	28	6

등교하는 데 걸리는 시간

(0|3은 3분)

줄기	잎
0	3 6 8
1	0 2
2	
3	
4	4 6

연구 줄기와 잎 그림을 만들 때 중복되는 변량은 중복되는 횟수만큼 쓴다.

2-1

다음은 어느 반 학생들이 하루 동안 받은 문자 메시지의 건수를 조사한 자료이다. 물음에 답하여라.

(단위 : 건)

6	7	24	18	22	14	24	16
28	8	14	29	4	12	16	11
2	10	15	19	27	8	28	11

(1) 오른쪽 도수분포표를 완성하여라.

(2) (1)의 도수분포표에서 도수가 가장 큰 계급을 구하여라.

건수(건)	학생 수(명)
0이상 ~ 5미만	
합계	

쌍둥이 문제

1-2

다음은 윤아네 반 학생 14명의 수학 성적을 조사한 자료이다. 물음에 답하여라.

(단위 : 점)

| 63 | 92 | 70 | 85 | 85 | 75 | 83 |
| 94 | 78 | 81 | 96 | 87 | 85 | 75 |

(1) 위의 자료에 대하여 줄기와 잎 그림을 완성하여라.

수학 성적

(6|3은 63점)

줄기	잎
6	3

(2) 학생들이 가장 많은 점수는 몇 점대인지 말하여라.

2-2

오른쪽 표는 민호네 반 학생 30명이 지난 일요일 하루 동안 인터넷을 이용한 시간을 조사하여 나타낸 도수분포표이다. 다음을 구하여라.

이용 시간(분)	학생 수(명)
0이상 ~ 30미만	5
30 ~ 60	4
60 ~ 90	
90 ~ 120	8
120 ~ 150	6
합계	30

(1) 계급의 크기

(2) 60분 이상 90분 미만인 계급의 도수

(어떤 계급의 도수)
= (전체 도수) - (나머지 계급의 도수의 총합)

(3) 인터넷 이용 시간이 2시간인 학생이 속하는 계급

대표 유형 **1** 줄기와 잎 그림 해석하기 (1)

유형 해결의 법칙 중 1-2 176쪽

변량이 두 자리의 수일 때, 줄기와 잎 그림에서 줄기와 잎은 다음과 같이 구분한다.

➡ 줄기 : 십의 자리의 숫자, 잎 : 일의 자리의 숫자

참고 줄기와 잎 그림을 그릴 때, 중복된 자료의 값은 중복된 횟수만큼 쓴다.

1-1 다음은 민호네 반 학생들의 통학 시간을 조사하여 줄기와 잎 그림으로 나타낸 것이다. 물음에 답하여라.

통학 시간

(0|7은 7분)

줄기	잎								
0	7	9							
1	2	2	3	6	6	8			
2	0	0	0	3	6	8	9	9	9
3	2	2	3	5	6	7	7		
4	0	2	2	2	4	9			

(1) 통학 시간이 30분 이상인 학생 수를 구하여라.

(2) 잎이 가장 많은 줄기를 구하여라.

(3) 민호네 반의 전체 학생 수를 구하여라.

(4) 통학 시간이 20분 이상 30분 미만인 학생은 전체의 몇 %인지 구하여라.

풀이 (1) 줄기가 3인 잎이 7개, 줄기가 4인 잎이 6개이므로 통학 시간이 30분 이상인 학생 수는

$7+6=13$(명)

(2) 잎이 가장 많은 줄기는 2이다.

(3) 민호네 반의 전체 학생 수는 전체 잎의 개수와 같으므로

$2+6+9+7+6=30$(명)

(4) 전체 학생 수는 30명이고 통학 시간이 20분 이상 30분 미만인 학생은 9명이므로 전체의 $\frac{9}{30} \times 100 = 30$ (%)이다.

답 (1) 13명 (2) 2 (3) 30명 (4) 30 %

쌍둥이 1-2

다음은 A회사에서 8월 한 달 동안 헌혈에 참가한 사람 20명의 나이를 조사하여 나타낸 줄기와 잎 그림이다. 물음에 답하여라.

헌혈에 참가한 사람의 나이

(2|0은 20세)

줄기	잎							
2	0	1	1	3	4	5	7	8
3	1	1	3	4	5	7	7	9	9
4	3	5						
5	0							

(1) 잎이 가장 많은 줄기를 구하여라.

(2) 헌혈에 참가한 사람 중 나이가 가장 많은 사람의 나이를 구하여라.

(3) 나이가 적은 쪽에서 11번째인 사람의 나이를 구하여라.

쌍둥이 1-3

오른쪽은 승훈이네 반 학생들의 영어 성적을 조사하여 줄기와 잎 그림으로 나타낸 것이다. 다음 중 옳지 <u>않은</u> 것은?

영어 성적

(5|4는 54점)

줄기	잎						
5	4	8					
6	2	4	5	8	8		
7	0	1	3	4	7	8	9	9
8	0	2	3	5	7	7	8
9	0	3	3	6	8	9	

① 잎이 가장 적은 줄기는 5이다.

② 승훈이네 반의 전체 학생 수는 28명이다.

③ 영어 성적이 70점 미만인 학생은 전체의 25 %이다.

④ 영어 성적이 가장 높은 학생과 가장 낮은 학생의 점수 차는 5점이다.

⑤ 승훈이의 영어 성적이 87점일 때, 승훈이는 반에서 8등이다.

대표 유형 2 줄기와 잎 그림 해석하기 (2)

유형 해결의 법칙 중 1-2 177쪽

하나의 줄기에 두 개의 잎이 만들어진 줄기와 잎 그림으로 두 집단의 분포 상태를 비교할 수 있다.

2-1 다음은 레나네 반의 남학생과 여학생의 수학 성적을 조사하여 줄기와 잎 그림으로 나타낸 것이다. 물음에 답하여라.

수학 성적

(5|3은 53점)

잎(남학생)					줄기	잎(여학생)					
				6	5	3	6				
		5	4	0	6	0	0	4	8	8	
	7	6	6	3	1	7	1	2	2	5	5	7
9	8	4	4	0	0	8	0	1	4	9	
	7	6	3	2	2	9	5	5	8		

(1) 수학 성적이 가장 좋은 학생은 남학생과 여학생 중 어느 쪽에 있는지 말하여라.

(2) 수학 성적이 70점대인 학생은 남학생과 여학생 중 어느 쪽이 더 많은지 말하여라.

(3) 남학생과 여학생 중 대체로 어느 쪽의 수학 성적이 더 높다고 할 수 있는지 말하여라.

풀이 (1) 수학 성적이 가장 좋은 학생의 점수는 98점으로 여학생이다.

(2) 남학생 중에서 줄기가 7인 잎은 5개, 여학생 중에서 줄기가 7인 잎은 6개이므로 수학 성적이 70점대인 학생은 여학생이 남학생보다 1명 더 많다.

(3) 남학생의 잎이 여학생의 잎보다 대체로 줄기의 값이 큰 쪽에 더 많으므로 남학생이 여학생보다 대체로 수학 성적이 더 높다고 할 수 있다.

답 (1) 여학생 (2) 여학생 (3) 남학생

쌍둥이 2-2

다음은 어느 반 학생들의 30초 동안의 줄넘기 횟수를 조사하여 줄기와 잎 그림으로 나타낸 것이다. 물음에 답하여라.

줄넘기 횟수

(1|5는 15회)

잎(남학생)				줄기	잎(여학생)			
			7	1	5	6	8	9
			6	2	1	2	5	
		4	2	3	0	5	8	
	7	5	2	4	4	7	8	9
8	6	4	0	5	3			
	8	3	0	6	1			

(1) 이 반의 남학생 수와 여학생 수를 각각 구하여라.

(2) 남학생의 줄기 중 잎이 가장 많은 줄기를 말하여라.

(3) 줄넘기 횟수가 가장 많은 학생과 가장 적은 학생의 줄넘기 횟수의 차를 구하여라.

(4) 줄넘기 횟수가 50회 이상인 학생은 전체의 몇 %인지 구하여라.

쌍둥이 2-3

다음은 어느 반 남학생과 여학생의 국어능력인증 시험 점수를 조사하여 나타낸 줄기와 잎 그림이다. 여학생과 남학생 중 대체로 어느 쪽의 점수가 더 좋은지 말하여라.

국어능력인증 시험 점수

(12|1은 121점)

잎(남학생)			줄기	잎(여학생)					
7	3	2	12	1	1				
5	5	4	1	13	0	2			
9	9	7	7	5	0	14	2	2	3	9
	8	3	1	15	3	3	3	6	7	7
	8	4	2	16	1	7	8	9	
		1	17	3	5				

9 자료의 정리와 해석

대표 유형 ③ 도수분포표 해석하기

유형 해결의 법칙 중 1-2 178쪽

① 계급의 크기 : 계급의 양 끝 값의 차

② 계급의 개수 : 변량을 나눈 구간의 개수

③ 도수 : 각 계급에 속하는 변량의 수

참고 어느 한 계급의 도수가 주어지지 않을 때, (그 계급의 도수)=(도수의 총합)−(나머지 도수의 합)이다.

3-1 오른쪽 표는 어느 유기견 보호 센터에서 유기견 25마리의 치아 상태로 나이를 측정하여 나타낸 도수분포표이다. 다음 물음에 답하여라.

나이(세)	유기견 수(마리)
0^{이상} ~ 2^{미만}	2
2 ~ 4	3
A	6
6 ~ 8	B
8 ~ 10	6
합계	25

(1) A, B에 알맞은 것을 구하여라.

(2) 계급의 크기를 구하여라.

(3) 계급의 개수를 구하여라.

(4) 도수가 가장 큰 계급을 구하여라.

(5) 나이가 많은 쪽에서 8번째인 유기견이 속하는 계급을 구하여라.

(6) 나이가 4세 미만인 유기견은 전체의 몇 %인지 구하여라.

쌍둥이 3-2

오른쪽 표는 진수네 반 학생 33명의 왼손 한 뼘의 길이를 조사하여 나타낸 도수분포표이다. 물음에 답하여라.

길이(cm)	학생 수(명)
17^{이상} ~ 18^{미만}	1
18 ~ 19	3
19 ~ 20	8
20 ~ 21	A
21 ~ 22	6
22 ~ 23	4
합계	33

(1) A의 값을 구하여라.

(2) 도수가 가장 큰 계급을 구하여라.

(3) 왼손 한 뼘의 길이가 22 cm인 학생이 속하는 계급의 도수를 구하여라.

풀이 (1) A에 알맞은 것은 4~6이다.

$B=25-(2+3+6+6)=8$

(2) 계급의 크기는 2세이다.

(3) 계급의 개수는 5개이다.

(4) 도수가 가장 큰 계급은 6세 이상 8세 미만이다.

(5) 나이가 8세 이상인 유기견이 6마리, 나이가 6세 이상인 유기견이 $8+6=14$(마리)이므로 나이가 많은 쪽에서 8번째인 유기견이 속하는 계급은 6세 이상 8세 미만이다.

(6) 나이가 4세 미만인 유기견은 $2+3=5$(마리)이므로 전체의 $\frac{5}{25} \times 100=20$ (%)이다.

답 (1) A : 4~6, $B=8$ (2) 2세 (3) 5개

(4) 6세 이상 8세 미만 (5) 6세 이상 8세 미만

(6) 20 %

쌍둥이 3-3

오른쪽 표는 세정이네 반 학생들의 멀리뛰기 기록을 조사하여 나타낸 도수분포표이다. 다음 중 옳은 것은?

기록(cm)	학생 수(명)
160^{이상} ~ 170^{미만}	3
170 ~ 180	4
180 ~ 190	11
190 ~ 200	5
200 ~ 210	A
210 ~ 220	1
합계	30

① 계급의 크기는 5 cm이다.

② A의 값은 8이다.

③ 멀리뛰기 기록이 200 cm 이상인 학생은 6명이다.

④ 멀리뛰기 기록이 190 cm 이상인 학생은 전체의 35 %이다.

⑤ 멀리뛰기 기록이 좋은 쪽에서 10번째인 학생이 속하는 계급의 도수는 5명이다.

줄기와 잎 그림

(1) 줄기와 잎 그림 : 줄기와 잎을 이용하여 자료를 나타낸 그림

(2) 변량이 두 자리의 수일 때
→ 줄기 : 십의 자리의 숫자
잎 : 일의 자리의 숫자

(3) 줄기와 잎 그림에서 자료의 개수는 **❶** 의 개수와 같다.

달 ❶ 잎

★ 01

아래는 주희네 반 학생들의 30초 동안의 줄넘기 횟수를 조사하여 나타낸 줄기와 잎 그림이다. 다음 설명 중 옳지 <u>않은</u> 것은?

줄넘기 횟수

(1|2는 12회)

줄기	잎					
1	2	3	5			
2	3	4	5	8	9	
3	0	1	3	6	6	8
4	2	3	4	9		
5	0	7				

① 잎이 가장 많은 줄기는 3이다.

② 주희네 반의 전체 학생 수는 20명이다.

③ 줄넘기 횟수가 42회 이상인 학생은 6명이다.

④ 줄넘기 횟수가 가장 많은 학생의 줄넘기 횟수는 57회이다.

⑤ 줄넘기를 적게 한 쪽에서 5번째인 학생의 줄넘기 횟수는 25회이다.

02

다음은 보검이네 반 학생들의 수학 수행 평가 점수를 조사하여 줄기와 잎 그림으로 나타낸 것이다. 보검이의 점수가 32점일 때, 보검이보다 성적이 좋은 학생은 전체의 몇 %인지 구하여라.

수학 수행 평가 점수

(1|0은 10점)

줄기	잎							
1	0	2	3	5	8			
2	0	0	3	6	7	7	8	
3	0	2	2	3	3	4	5	9
4	0	2	3	5	5			

03

아래는 어느 중학교 1학년 1반과 2반 학생들의 몸무게를 조사하여 나타낸 줄기와 잎 그림이다. 다음 설명 중 옳지 <u>않은</u> 것을 모두 고르면? (정답 2개)

몸무게

(4 | 5는 45 kg)

잎(1반)						줄기	잎(2반)						
			8	5	1	4	5	6					
5	5	4	2	2	0	5	1	1	3	4	8		
	8	7	3	3	1	6	0	2	2	3	5	6	9
					2	7	0						

① 1반 학생 수와 2반 학생 수는 같다.

② 몸무게가 가장 많이 나가는 학생은 2반에 있다.

③ 몸무게가 60 kg대인 학생은 전체의 40 %이다.

④ 몸무게가 가벼운 쪽에서 9번째인 학생의 몸무게는 54 kg이다.

⑤ 2반 학생들이 1반 학생들보다 대체로 몸무게가 더 많이 나가는 편이다.

도수분포표

(1) **계급** : 변량을 일정한 간격으로 나눈 구간

(2) **계급의 크기** : 변량을 나눈 구간의 폭

(3) **계급의 개수** : 변량을 나눈 구간의 개수

(4) **❶** : 각 계급에 속하는 변량의 수

(5) **도수분포표** : 자료 전체를 몇 개의 계급으로 나누고, 각 계급의 도수를 구하여 나타낸 표

달 ❶ 도수

04

다음 중 도수분포표에 대한 설명으로 옳은 것은?

① 각 계급에 속하는 자료의 개수를 변량이라 한다.

② 도수분포표에서는 실제 자료의 값을 알 수 있다.

③ 도수분포표를 만들 때, 각 계급의 크기를 다르게 해도 상관없다.

④ 도수의 총합은 변량의 총 개수와 같다.

⑤ 도수분포표에서 계급의 개수를 많게 할수록 자료의 분포 상태를 알기 쉽다.

05

다음은 수아네 반 학생 16명의 1분간 맥박 수를 조사한 자료와
도수분포표이다. 물음에 답하여라.

(단위 : 회)

77	75	87	79
72	90	84	91
86	82	83	85
86	88	94	84

맥박 수(회)	학생 수(명)
70^{이상}~75^{미만}	㉢
㉠	3
80 ~85	㉣
㉡	5
90 ~95	3
합계	㉤

(1) ㉠~㉤에 알맞은 것을 써넣어라.

(2) 계급의 크기를 구하여라.

(3) 계급의 개수를 구하여라.

(4) 도수가 가장 작은 계급을 구하여라.

★ 06

오른쪽 표는 정수네 반 학
생 30명의 일주일 동안의
독서 시간을 조사하여 나
타낸 도수분포표이다. 다
음 설명 중 옳지 않은 것
은?

독서 시간(시간)	학생 수(명)
0^{이상}~ 3^{미만}	8
3 ~ 6	6
6 ~ 9	9
9 ~12	A
12 ~15	2
합계	30

① A의 값은 5이다.

② 계급의 크기는 3시간이다.

③ 도수가 가장 큰 계급은 12시간 이상 15시간 미만이다.

④ 독서 시간이 6시간 이상 9시간 미만인 학생은 전체의
30 %이다.

⑤ 독서 시간이 많은 쪽에서 5번째인 학생이 속하는 계급의
도수는 5명이다.

07

오른쪽 표는 버들이네 반 학
생 20명이 강가에서 물수제
비를 뜬 횟수를 조사하여 나
타낸 도수분포표인데 일부가
찢어졌다. 물수제비를 4번째
로 많이 뜬 학생이 속하는 계
급을 구하여라.

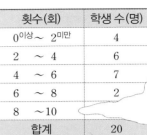

횟수(회)	학생 수(명)
0^{이상}~ 2^{미만}	4
2 ~ 4	6
4 ~ 6	7
6 ~ 8	2
8 ~10	
합계	20

08

오른쪽 표는 어느 누리집
의 일일 방문자 수를 조사
하여 나타낸 도수분포표
이다. 이 도수분포표가 다
음 두 조건을 모두 만족시
킬 때, A, B, C의 값을 각
각 구하여라.

방문자 수(명)	날수(일)
50^{이상}~ 65^{미만}	1
65 ~ 80	4
80 ~ 95	A
95 ~110	5
110 ~125	B
125 ~140	4
합계	C

┌ 조건 ────────────────────
㉮ 일일 방문자 수가 80명 이상 95명 미만인 날수는 95
   명 이상 110명 미만인 날수의 2배이다.

㉯ 일일 방문자 수가 95명 미만인 날수는 전체의 50 %
   이다.
└──────────────────────────

2 히스토그램과 도수분포다각형

개념 1 히스토그램

(1) **히스토그램** 도수분포표의 계급의 크기를 가로로, 각 계급의 도수를 세로로 하는 직사각형으로 나타낸 그래프

(2) **히스토그램을 그리는 방법**

① 가로축에 계급의 양 끝 값을 차례로 써넣는다.

② 세로축에 도수를 차례로 써넣는다.

③ 계급의 크기를 가로로, 도수를 세로로 하는 직사각형을 차례로 그린다.

(3) **히스토그램의 특징**

① 자료의 특성 및 자료의 분포 상태를 한눈에 알아볼 수 있다.

② 각 직사각형의 넓이는 세로의 길이인 각 계급의 도수에 정비례한다.

　즉 도수가 2배, 3배, …가 됨에 따라 직사각형의 넓이도 2배, 3배, …가 된다.

③ (직사각형의 넓이의 합) = {(계급의 크기) × (그 계급의 도수)} 의 합

　　　　　　　　　　　　 = (계급의 크기) × (도수의 총합)

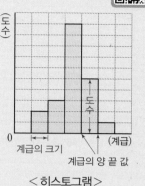

< 히스토그램 >

보기 다음 도수분포표를 히스토그램으로 나타내어 보자.

수학 성적(점)	학생 수(명)
50^{이상} ~ 60^{미만}	2
60 ~ 70	3
70 ~ 80	10
80 ~ 90	4
90 ~ 100	1
합계	20

계급의 크기를 가로로, 도수를 세로로 하는 직사각형을 그린다.

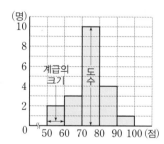

그릴 때 주의 사항!

① 직사각형의 가로의 길이는 모두 같게 그린다.

② 직사각형을 서로 붙여서 그린다.

설명 히스토그램의 특징 ②의 설명

위의 히스토그램에서

50점 이상 60점 미만인 계급의 직사각형의 넓이는

$$\underset{계급의 크기}{10} \times \underset{도수}{2} = 20$$

70점 이상 80점 미만인 계급의 직사각형의 넓이는

$$\underset{계급의 크기}{10} \times \underset{도수}{10} = 100$$

따라서 도수가 5배가 됨에 따라 직사각형의 넓이도 5배가 됨을 알 수 있다.
　　　　　└2명 → 10명　　　　　　　　 └20 → 100

● 초등학교 때 배운 막대그래프와 히스토그램의 차이점

(1) 막대그래프

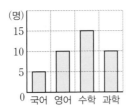

① 좋아하는 과목, 혈액형 등 변량이 연속적이지 않은 자료에 사용한다.

② 막대의 폭이 지니는 의미가 없다.

③ 막대들을 서로 떨어지게 그린다.

(2) 히스토그램

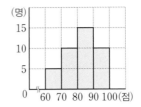

① 점수, 키, 몸무게 등 변량이 연속적인 자료에 사용한다.

② 막대의 폭이 계급의 크기를 나타낸다.

③ 막대들을 서로 붙여서 그린다.

│개념 확인│ 1 다음은 세계 주요 도시 45개의 어느 해 8월 최고 기온의 평균을 조사하여 나타낸 도수분포표이다. 이를 히스토그램으로 나타내어라.

최고 기온(℃)	도수(개)
$12^{이상} \sim 16^{미만}$	2
$16 \sim 20$	5
$20 \sim 24$	9
$24 \sim 28$	5
$28 \sim 32$	15
$32 \sim 36$	9
합계	45

 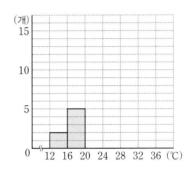

히스토그램에서
① (직사각형의 개수)=(계급의 개수)
② (직사각형의 가로의 길이)=(계급의 크기)
③ (직사각형의 세로의 길이)=(계급의 도수)

│개념 확인│ 2 오른쪽 그림은 영미네 반 학생들의 50 m 달리기 기록을 조사하여 나타낸 히스토그램이다. 다음을 구하여라.

(1) 계급 개수

(2) 계급의 크기

(3) 도수가 가장 큰 계급

(4) 도수가 가장 작은 계급의 도수

(5) 영미네 반의 전체 학생 수

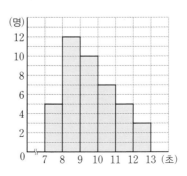

개념 ❷ 도수분포다각형

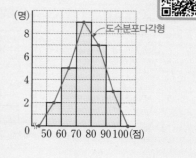

(1) **도수분포다각형** 히스토그램의 각 직사각형의 윗변의 중앙에 점을 찍어 차례로 선분으로 연결하고, 양 끝에 도수가 0인 계급을 하나씩 추가하여 그 중앙의 점과 선분으로 연결하여 만든 그래프

(2) **도수분포다각형을 그리는 방법**

① 히스토그램에서 각 직사각형의 윗변의 중앙에 점을 찍는다.

② 양 끝에 도수가 0인 계급이 하나씩 더 있다고 생각하고 그 중앙에 점을 찍는다.

③ 찍은 점들을 차례로 선분으로 연결한다.

(3) **도수분포다각형의 특징**

① 자료의 전체적인 분포 상태를 연속적으로 관찰할 수 있다.

② 두 개 이상의 자료의 분포 상태를 동시에 나타내어 비교하는 데 편리하다.

③ (도수분포다각형과 가로축으로 둘러싸인 부분의 넓이)

 =(히스토그램의 직사각형의 넓이의 합)

 =(계급의 크기)×(도수의 총합)

주의 도수분포다각형에서 계급의 개수를 셀 때, 양 끝의 도수가 0인 계급은 세지 않는다.

보기 다음 히스토그램을 도수분포다각형으로 나타내어 보자.

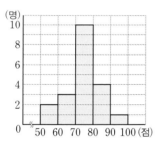 ⇨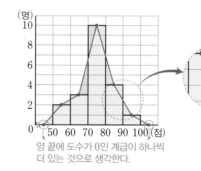

양 끝에 도수가 0인 계급이 하나씩 더 있는 것으로 생각한다.

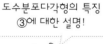

두 직각삼각형 A, B에서 밑변의 길이와 높이가 각각 같으므로 넓이는 같다.

도수분포다각형의 특징 ③에 대한 설명!

주의 도수분포다각형을 그릴 때 주의해야 할 점

(1)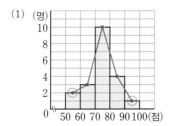

⇨ 양 끝에 도수가 0인 계급을 연결하지 않았다.

(2)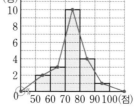

⇨ 양 끝 점의 위치가 도수가 0인 계급의 중앙이 아니다.

9 자료의 정리와 해석

Lecture

● 2개 이상의 자료를 표현할 때에는 도수분포다각형이 히스토그램보다 편리하다.

히스토그램은
두 반의 그래프가
겹쳐져서 알아보기
어려워.

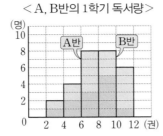

<A, B반의 1학기 독서량>

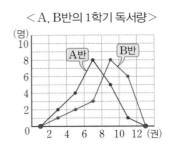

<A, B반의 1학기 독서량>

B반의 그래프가 A반
의 그래프보다 오른쪽
으로 치우쳐 있으니
B반의 학생들이 A반
의 학생들보다 책을 더
많이 읽는 편이구나.

▎개념 확인 ▎ **3** 오른쪽 그림은 예원이네 반 학생들의 국어 성적을 조사하여 나타
낸 히스토그램이다. 이 히스토그램을 이용하여 도수분포다각형을
그려라.

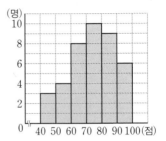

▎개념 확인 ▎ **4** 다음은 어느 중학교 1학년 학생 25명의 봉사 활동 시간을 조사하여 나타낸 도수분포표이다. 이 도
수분포표를 이용하여 도수분포다각형을 그려라.

봉사 활동 시간(시간)	학생 수(명)
2이상 ~ 4미만	2
4 ~ 6	5
6 ~ 8	6
8 ~10	8
10 ~12	4
합계	25

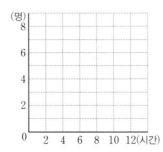

▎개념 확인 ▎ **5** 오른쪽 그림은 지영이네 학교 1학년 학생들의 방과 후 운동 시간
을 조사하여 나타낸 도수분포다각형이다. 다음을 구하여라.

(1) 계급의 크기

(2) 계급의 개수

(3) 전체 학생 수

(4) 도수가 가장 큰 계급

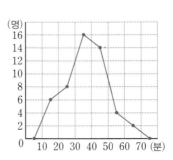

개념 기초

1-1

다음은 어느 중학교 학생들이 한 달 동안 받은 그린 마일리지 점수를 조사하여 나타낸 도수분포표와 히스토그램이다. A, B, C의 값을 각각 구하여라.

마일리지 점수(점)	학생 수(명)
5이상 ~ 10미만	4
10 ~ 15	10
15 ~ 20	A
20 ~ 25	20
25 ~ 30	B
합계	C

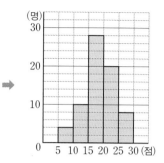

연구 히스토그램에서
① (직사각형의 가로의 길이)=(계급의 [　　])
② (직사각형의 세로의 길이)=([　　])

2-1

아래 그림은 어느 반 학생들의 수학 성적을 조사하여 ㈎와 ㈏의 두 가지 그래프로 나타낸 것이다. 다음 설명 중 옳은 것은 ○표, 옳지 않은 것은 ×표를 하여라.

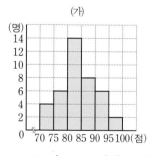 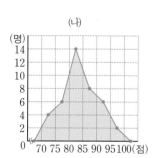

(1) ㈎는 히스토그램이고 ㈏는 도수분포다각형이다.
　　　　　　　　　　　　　　　　(　)

(2) 계급의 개수는 8개이다.　　　　　(　)

(3) 계급의 크기는 5점이다.　　　　　(　)

(4) 이 반의 전체 학생 수는 40명이다.　(　)

(5) 두 그래프의 색칠한 부분의 넓이는 서로 다르다.
　　　　　　　　　　　　　　　　(　)

연구 (5) (도수분포다각형과 가로축으로 둘러싸인 부분의 넓이)
　　　　　=(계급의 크기)×(도수의 총합)

쌍둥이 문제

1-2

오른쪽 그림은 승봉이네 반 학생들의 수학 성적을 조사하여 나타낸 히스토그램이다. 다음을 구하여라.

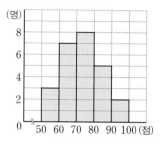

(1) 계급의 개수

(2) 계급의 크기

(3) 승봉이네 반의 전체 학생 수

(4) 수학 성적이 60점 이상 80점 미만인 학생 수

(5) 직사각형의 넓이의 합

2-2

오른쪽 그림은 어느 중학교 1학년 학생들이 등교하는 데 걸리는 시간을 조사하여 나타낸 도수분포다각형이다. 다음을 구하여라.

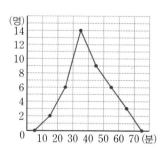

(1) 계급의 크기

(2) 전체 학생 수

(3) 도수가 9명인 계급

(4) 등교하는 데 걸리는 시간이 40분 이상인 학생 수

(5) 도수분포다각형과 가로축으로 둘러싸인 부분의 넓이

9 자료의 정리와 해석

대표 유형 ❶ 히스토그램 해석하기

유형 해결의 법칙 중 1-2 180쪽

히스토그램에서

(1) (직사각형의 개수)=(계급의 개수)

(2) (직사각형의 가로의 길이)=(계급의 크기)

(3) (직사각형의 세로의 길이)=(도수)

(4) (직사각형의 넓이의 합)={(계급의 크기)×(그 계급의 도수)}의 합

=(계급의 크기)×(도수의 총합)

1-1 오른쪽 그림은 어느 반 학생들의 몸무게를 조사하여 나타낸 히스토그램이다. 다음 물음에 답하여라.

(1) 전체 학생 수를 구하여라.

(2) 도수가 가장 큰 계급을 구하여라.

(3) 직사각형의 넓이의 합을 구하여라.

(4) 몸무게가 50 kg 미만인 학생은 전체의 몇 %인지 구하여라.

(5) 몸무게가 무거운 쪽에서 8번째인 학생이 속하는 계급을 구하여라.

쌍둥이 1-2

오른쪽 그림은 예빈이네 반 학생들이 받는 한 달 용돈을 조사하여 나타낸 히스토그램이다. 다음 물음에 답하여라.

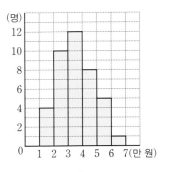

(1) 전체 학생 수를 구하여라.

(2) 도수가 가장 큰 계급의 도수를 구하여라.

(3) 한 달 용돈이 5만 원 이상인 학생은 전체의 몇 %인지 구하여라.

(4) 한 달 용돈을 많이 받는 쪽에서 10번째인 학생이 속하는 계급을 구하여라.

풀이 (1) (전체 학생 수)=2+5+11+13+6+3=40(명)

(2) 도수가 가장 큰 계급은 55 kg 이상 60 kg 미만이다.

(3) (직사각형의 넓이의 합)

=(계급의 크기)×(도수의 총합)

=5×40=200

(4) 몸무게가 50 kg 미만인 학생은 2+5=7(명)이므로 전체의

$\frac{7}{40}×100=17.5$ (%)이다.

(5) 몸무게가 65 kg 이상인 학생이 3명, 60 kg 이상인 학생이 6+3=9(명)이므로 몸무게가 무거운 쪽에서 8번째인 학생이 속하는 계급은 60 kg 이상 65 kg 미만이다.

답 (1) 40명 (2) 55 kg 이상 60 kg 미만 (3) 200

(4) 17.5 % (5) 60 kg 이상 65 kg 미만

쌍둥이 1-3

오른쪽 그림은 은기네 반 학생들의 기초수학능력을 조사하여 나타낸 히스토그램이다. 이 히스토그램에서 직사각형의 넓이의 합을 구하여라.

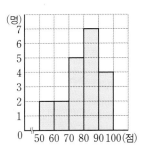

대표 유형 ❷ 도수분포다각형 해석하기

유형 해결의 법칙 중 1-2 182쪽

도수분포다각형에서

(1) 계급의 크기 : 계급의 양 끝 값의 차

(2) 계급의 개수 : 양 끝의 도수가 0인 계급의 점을 제외한 점의 개수

(3) (도수분포다각형과 가로축으로 둘러싸인 부분의 넓이)＝(히스토그램의 직사각형의 넓이의 합)

＝(계급의 크기)×(도수의 총합)

2-1 오른쪽 그림은 어느 반 학생들이 한 학기 동안 읽은 책의 수를 조사하여 나타낸 도수분포다각형이다. 다음을 구하여라.

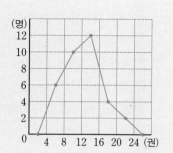

(1) 계급의 크기

(2) 계급의 개수

(3) 전체 학생 수

(4) 도수가 가장 작은 계급

(5) 책을 12권 이상 20권 미만 읽은 학생 수

(6) 책을 많이 읽은 쪽에서 5번째인 학생이 속하는 계급

풀이 (1) 계급의 크기는 4권이다.

(2) 계급의 개수는 5개이다.

(3) (전체 학생 수)＝6＋10＋12＋4＋2＝34(명)

(4) 도수가 가장 작은 계급은 도수가 2명인 20권 이상 24권 미만 이다.

(5) 책을 12권 이상 20권 미만 읽은 학생 수는

12＋4＝16(명)

(6) 책을 20권 이상 읽은 학생이 2명, 16권 이상 읽은 학생이 4＋2＝6(명)이므로 책을 많이 읽은 쪽에서 5번째인 학생이 속 하는 계급은 16권 이상 20권 미만이다.

답 (1) 4권 (2) 5개 (3) 34명 (4) 20권 이상 24권 미만

(5) 16명 (6) 16권 이상 20권 미만

쌍둥이 2-2

오른쪽 그림은 다솜이네 반 학생들의 몸무게를 조사하여 나타낸 도수분포다각형이다. 다음 물음에 답하여라.

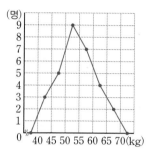

(1) 계급의 크기와 계급의 개수를 각각 구하여라.

(2) 도수가 가장 큰 계급을 구하여라.

(3) 몸무게가 60 kg 이상인 학생은 전체의 몇 %인지 구 하여라.

(4) 몸무게가 가벼운 쪽에서 8번째인 학생이 속하는 계급 의 도수를 구하여라.

쌍둥이 2-3

오른쪽 그림은 예지네 반 학생들의 수학 성적을 조 사하여 히스토그램과 도 수분포다각형으로 나타낸 것이다. 도수분포다각형 과 가로축으로 둘러싸인 부분의 넓이를 구하여라.

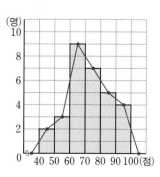

대표 유형 ③ 찢어진 히스토그램

유형 해결의 법칙 중 1-2 181쪽

> 찢어진 히스토그램에서 도수의 총합이 주어져 있으면 도수의 총합을 이용하여 찢어진 부분의 도수를 구한다.

3-1 오른쪽 그림은 어느 반 학생 30명의 수면 시간을 조사하여 나타낸 히스토그램인데 일부가 찢어졌다. 다음 물음에 답하여라.

(1) 수면 시간이 7시간 이상 8시간 미만인 학생은 몇 명인지 구하여라.

(2) 수면 시간이 8시간 이상인 학생은 전체의 몇 %인지 구하여라.

쌍둥이 3-2

오른쪽 그림은 어느 농장에서 수확한 포도 50송이의 무게를 측정하여 나타낸 히스토그램이다. 무게가 90 g 이상 110 g 미만인 포도가 전체의 40 %일 때, 110 g 이상 120 g 미만인 계급의 도수를 구하여라.

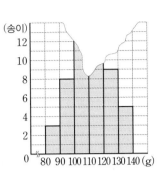

풀이 (1) 구하는 학생 수는

$$30-(1+3+6+7+2)=11(명)$$

(2) 수면 시간이 8시간 이상인 학생은 $7+2=9$(명)이므로

전체의 $\dfrac{9}{30}\times100=30$ (%)이다.

답 (1) 11명 (2) 30 %

대표 유형 ④ 찢어진 도수분포다각형

유형 해결의 법칙 중 1-2 183쪽

> 찢어진 도수분포다각형에서 도수의 총합이 주어져 있으면 도수의 총합을 이용하여 찢어진 부분의 도수를 구한다.

4-1 오른쪽 그림은 어느 반 학생 40명의 몸무게를 조사하여 나타낸 도수분포다각형인데 일부가 찢어졌다. 몸무게가 50 kg 이상인 학생이 전체의 55 %일 때, 몸무게가 45 kg 이상 50 kg 미만인 학생 수를 구하여라.

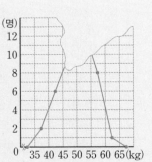

쌍둥이 4-2

오른쪽 그림은 희석이네 반 학생 35명의 하루 독서 시간을 조사하여 나타낸 도수분포다각형인데 일부가 찢어져 보이지 않는다. 독서 시간이 75분 미만인 학생이 전체의 60 %일 때, 독서 시간이 75분 이상 90분 미만인 학생 수를 구하여라.

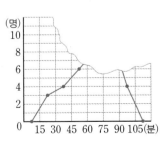

풀이 몸무게가 50 kg 이상인 학생 수는 $40\times\dfrac{55}{100}=22(명)$

따라서 몸무게가 45 kg 이상 50 kg 미만인 학생 수는

$$40-(2+6+22)=10(명)$$

답 10명

대표 유형 ⑤ 두 집단의 도수분포다각형 비교하기

유형 해결의 법칙 중 1-2 184쪽

도수분포다각형은 도수의 총합이 같은 2개 이상의 자료의 분포 상태를 동시에 나타내어 비교할 때 편리하다.

주의 달리기 기록에 대한 도수분포다각형을 비교할 때에는 그래프가 왼쪽으로 더 치우쳐 있는 집단의 기록이 더 좋다는 사실에 주의한다.

5-1 아래 그림은 어느 중학교 1학년 남학생과 여학생의 키를 조사하여 나타낸 도수분포다각형이다. 다음 보기에서 옳지 <u>않은</u> 것을 모두 골라라.

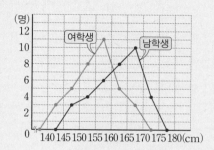

┌─ 보기 ─────────────────────────────┐
ⓐ 여학생 수와 남학생 수는 다르다.
ⓑ 여학생과 남학생의 계급의 개수는 각각 6개이다.
ⓒ 키가 가장 큰 학생은 남학생 중에 있다.
ⓓ 여학생의 도수분포다각형에서 도수가 가장 큰 계급의 도수는 10명이다.
ⓔ 남학생이 여학생보다 키가 더 큰 편이다.
└────────────────────────────────────┘

풀이 ⓐ (여학생 수)=3+5+8+11+5+3=35(명)

(남학생 수)=3+4+6+8+10+4=35(명)

따라서 여학생 수와 남학생 수는 같다.

ⓒ 키가 170 cm 이상 175 cm 미만인 학생은 남학생만 4명이므로 키가 가장 큰 학생은 남학생 중에 있다.

ⓓ 여학생의 도수분포다각형에서 도수가 가장 큰 계급은 155 cm 이상 160 cm 미만이고 그 도수는 11명이다.

ⓔ 남학생의 그래프가 여학생의 그래프보다 오른쪽으로 더 치우쳐 있으므로 남학생이 여학생보다 키가 더 큰 편이다.

따라서 옳지 않은 것은 ⓐ, ⓓ이다.　　　　　　**답** ⓐ, ⓓ

쌍둥이 5-2

다음 그림은 어느 반 남학생과 여학생의 50 m 달리기 기록을 조사하여 나타낸 도수분포다각형이다. 남학생과 여학생 중 어느 쪽이 달리기 기록이 더 좋은지 말하여라.

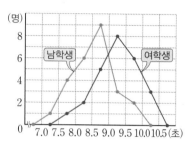

쌍둥이 5-3

다음 그림은 승기네 반 남학생과 여학생의 한 달 동안의 패스트푸드점 이용 횟수를 조사하여 나타낸 도수분포다각형이다. 한 달 동안의 이용 횟수가 10회 이상 12회 미만인 학생은 전체의 몇 %인지 구하여라.

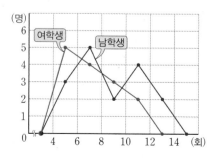

9
자료의 정리와 해석

히스토그램

(1) 히스토그램 : 도수분포표의 계급의 크기를 가로로, 각
　 계급의 **❶** 를 세로로 하는 직사각형으로 나타낸 그
　 래프
(2) 히스토그램에서
　 ① 계급의 개수 ➡ 직사각형의 개수
　 ② 계급의 크기 ➡ 직사각형의 가로의 길이
　 ③ 도수 ➡ 직사각형의 세로의 길이

답 **❶** 도수

01

오른쪽 그림은 승호네 반 학생
들의 수학 성적을 조사하여 나
타낸 것이다. 다음 중 옳지 않
은 것은?

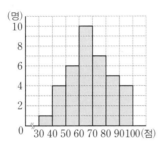

① 이 그래프는 히스토그램
　 이다.
② 계급의 크기는 10점이다.
③ 승호네 반의 전체 학생 수는 37명이다.
④ 수학 성적이 가장 낮은 학생의 점수는 30점이다.
⑤ 직사각형의 넓이의 합은 370이다.

⭐ 02

오른쪽 그림은 어느 해 9월의
강수량이 80 mm 미만인 지
역을 조사하여 나타낸 히스
토그램이다. 다음 중 옳은 것
을 모두 고르면? (정답 2개)

① 계급의 크기는 7 mm이
　 다.
② 전체 조사 대상 지역 수는 30곳이다.
③ 강수량이 20 mm 이상 40 mm 미만인 지역은 16곳이다.
④ 강수량이 50 mm 이상인 지역은 전체의 25 %이다.
⑤ 강수량이 적은 쪽에서 4번째인 지역이 속하는 계급은
　 30 mm 이상 40 mm 미만이다.

⭐ 03

오른쪽 그림은 과학 경진 대
회에 참가한 학생들이 만든
고무 동력기가 날아간 거리를
조사하여 만든 히스토그램이
다. 다음 중 히스토그램을 보
고 알 수 없는 것은?

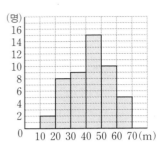

① 고무 동력기가 날아간 거리가 40 m 미만인 학생 수
② 고무 동력기가 가장 멀리 날아간 거리
③ 참가한 전체 학생 수
④ 고무 동력기가 날아간 거리가 52 m인 학생이 속하는
　 계급
⑤ 고무 동력기가 날아간 거리의 분포 상태

04
창의력

오른쪽 그림은 교내 동아리의
회원 수를 조사하여 나타낸 히
스토그램인데 일부가 찢어져
보이지 않는다. 회원 수가 30
명 이상인 동아리 수가 전체의
60 %일 때, 회원 수가 30명
이상 40명 미만인 동아리 수
를 구하여라.

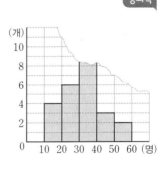

도수분포다각형

(1) 도수분포다각형 : 히스토그램의 각 직사각형의 윗변의
　 중앙에 점을 찍어 차례로 선분으로 연결하고, 양 끝에
　 도수가 0인 계급을 하나씩 추가하여 그 중앙의 점과
　 선분으로 연결하여 만든 그래프
(2) (도수분포다각형과 가로축으로 둘러싸인 부분의 넓이)
　 =(히스토그램의 직사각형의 넓이의 합)
　 =(계급의 크기)×(도수의 **❶**)

답 **❶** 총합

05

다음은 어느 지역의 11월 한 달 동안의 하루 최고 미세 먼지 농도를 조사하여 나타낸 도수분포표이다. 이 도수분포표를 도수분포다각형으로 나타내어라.

농도(μg/m³)	날수(일)
20이상 ~ 40미만	2
40 ~ 60	8
60 ~ 80	9
80 ~ 100	7
100 ~ 120	4
합계	30

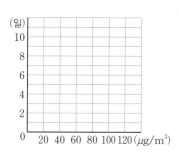

★ 06

오른쪽 그림은 지은이네 반 학생들의 수학 성적을 조사하여 나타낸 도수분포다각형이다. 다음 중 옳지 <u>않은</u> 것을 모두 고르면?
(정답 2개)

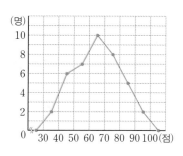

① 계급의 개수는 9개이다.
② 전체 학생 수는 40명이다.
③ 수학 성적이 60점인 학생이 속하는 계급의 도수는 10명이다.
④ 수학 성적이 높은 쪽에서 7번째인 학생이 속하는 계급의 도수는 8명이다.
⑤ 수학 성적이 50점 미만인 학생은 전체의 20 %이다.

07

오른쪽 그림은 희원이네 반 학생들의 국어 성적을 조사하여 나타낸 도수분포다각형이다. 도수분포다각형과 가로축으로 둘러싸인 부분의 넓이를 구하여라.

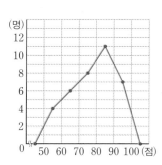

08

다음은 지영이네 학교 영어 회화반 학생 40명의 영어 성적을 조사하여 나타낸 도수분포다각형인데 일부가 찢어져 보이지 않는다. 영어 성적이 60점 이상 70점 미만인 학생이 전체의 25 %일 때, 물음에 답하여라.

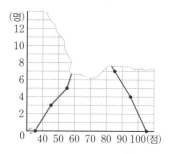

(1) 영어 성적이 70점 이상 80점 미만인 학생 수를 구하여라.

(2) 영어 성적이 70점 미만인 학생은 전체의 몇 %인지 구하여라.

★ 09

오른쪽 그림은 어느 중학교 1학년 남학생과 여학생의 몸무게를 조사하여 나타낸 도수분포다각형이다. 다음 중 옳지 <u>않은</u> 것을 모두 고르면? (정답 2개)

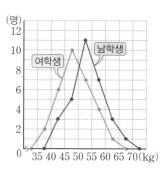

① 남학생 수가 여학생 수보다 많다.
② 남학생이 여학생보다 몸무게가 더 무거운 편이다.
③ 남학생의 그래프에서 도수가 가장 큰 계급의 도수는 11명이다.
④ 여학생 중 몸무게가 50 kg 이상인 학생은 여학생 전체의 30 %이다.
⑤ 각각의 도수분포다각형과 가로축으로 둘러싸인 부분의 넓이는 서로 같다.

개념 ❶ 상대도수

(1) **상대도수** 전체 도수에 대한 각 계급의 도수의 비율

$$(\text{어떤 계급의 상대도수})=\frac{(\text{그 계급의 도수})}{(\text{도수의 총합})}$$

참고 (어떤 계급의 도수)=(도수의 총합)×(그 계급의 상대도수)

(2) **상대도수의 특징**

① 상대도수는 0 이상 1 이하인 수이고, 그 합은 항상 1이다.

② 각 계급의 상대도수는 그 계급의 도수에 정비례한다.

③ 각 계급의 도수가 전체에서 차지하는 비율을 쉽게 알 수 있다.

키(cm)	도수(명)	상대도수
130이상~140미만	4	$\frac{4}{40}=0.1$
140 ~150	8	$\frac{8}{40}=0.2$
150 ~160	16	$\frac{16}{40}=0.4$
160 ~170	12	$\frac{12}{40}=0.3$
합계	40	1

<상대도수의 분포표>

보기 다음 표는 지혁이네 반 학생들의 사회 성적을 조사하여 나타낸 상대도수의 분포표이다. A, B의 값을 구해 보자.

사회 성적(점)	학생 수(명)	상대도수
50이상~ 60미만	4	A
60 ~ 70	2	0.05
70 ~ 80	10	0.25
80 ~ 90	B	0.4
90 ~100	8	0.2
합계	40	1

상대도수는 일반적으로 각 계급에 해당하는 도수의 비율을 쉽게 비교하기 위하여 소수로 나타내.

$$\Rightarrow A=\frac{(\text{그 계급의 도수})}{(\text{도수의 총합})}=\frac{4}{40}=0.1$$

$B=(\text{도수의 총합})\times(\text{그 계급의 상대도수})$

$\quad=40\times0.4=16$

│ 개념 확인 │ 1 다음은 정아네 중학교 학생 50명의 키를 조사하여 나타낸 상대도수의 분포표이다. 다음 ☐ 안에 알맞은 수를 써넣어라.

키(cm)	학생 수(명)	상대도수
155이상~160미만	5	A
160 ~165	15	B
165 ~170	20	
170 ~175	C	0.2
합계	50	D

(1) $A=\dfrac{(\text{그 계급의 도수})}{(\text{도수의 총합})}=\dfrac{\boxed{}}{\boxed{}}=\boxed{}$

(2) $B=\dfrac{\boxed{}}{\boxed{}}=\boxed{}$

(3) $C=50\times\boxed{}=\boxed{}$

(4) $D=\boxed{}$

개념 ② 상대도수의 분포를 나타낸 그래프

(1) **상대도수의 분포를 나타낸 그래프** 상대도수의 분포표를 히스토그램이나 도수분포다각형과 같은 모양으로 나타낸 그래프

(2) **상대도수의 분포를 나타낸 그래프 그리는 방법**

① 가로축에 계급의 양 끝 값을 차례로 써넣는다.

② 세로축에 상대도수를 차례로 써넣는다.

③ 히스토그램이나 도수분포다각형을 그리는 방법과 같은 방법으로 그린다.

참고 상대도수의 분포를 나타낸 그래프와 가로축으로 둘러싸인 부분의 넓이는 계급의 크기와 같다.

➡ (상대도수의 분포를 나타낸 그래프와 가로축으로 둘러싸인 부분의 넓이)

= (계급의 크기)×(상대도수의 총합)=(계급의 크기)×1=(계급의 크기)

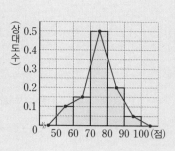

보기 다음 상대도수의 분포표를 도수분포다각형 모양의 그래프로 나타내어 보자.

기록(m)	상대도수
15^{이상}~20^{미만}	0.24
20　~25	0.28
25　~30	0.26
30　~35	0.14
35　~40	0.08
합계	1

⇨

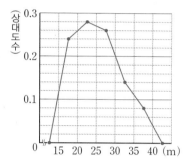

개념 확인 2 다음 그림은 지수네 학교 학생 40명의 1년 동안의 봉사 활동 시간에 대한 상대도수의 분포를 나타낸 그래프이다. 그래프의 ☐ 안에 각 계급의 상대도수를 써넣어라. 또, 각 계급의 도수를 구하여 오른쪽 도수분포표를 완성하여라.

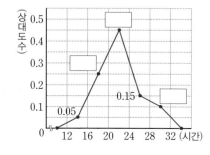

⇨

봉사 활동 시간(시간)	도수(명)
☐^{이상}~☐^{미만}	
☐　~☐	
☐　~☐	
☐　~☐	
☐　~☐	
합계	40

개념 ③ 도수의 총합이 다른 두 집단의 비교

도수의 총합이 다른 두 자료의 분포를 비교할 때에는 각 계급의 도수를 비교하는 것보다 상대도수를 비교하는 것이 더 적절하다.

한편, 도수의 총합이 다른 두 집단의 분포를 비교할 때, 상대도수의 분포표보다 이를 그래프로 나타내면 더 쉽게 비교할 수 있다.

 다음은 A 중학교와 B 중학교 학생들이 엎드려 윗몸 젖히기를 하였을 때, 바닥에서 턱까지의 거리를 측정하여 나타낸 상대도수의 분포표를 도수분포다각형 모양의 그래프로 나타낸 것이다. 두 그래프를 비교해 보자.

기록(cm)	A 중학교		B 중학교	
	학생 수(명)	상대도수	학생 수(명)	상대도수
10이상~20미만	24	0.12	15	0.15
20 ~30	46	0.23	20	0.2
30 ~40	58	0.29	24	0.24
40 ~50	52	0.26	29	0.29
50 ~60	20	0.1	12	0.12
합계	200	1	100	1

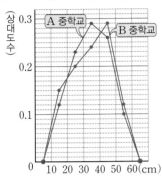

(1) 같은 계급에서 상대도수의 비교

40 cm 이상 50 cm 미만인 계급에서의 학생 수는 A 중학교가 B 중학교보다 더 많지만 전체에서 차지하는 비율은 B 중학교가 A 중학교보다 상대적으로 더 높다.

(2) 두 그래프의 비교

B 중학교의 그래프가 A 중학교의 그래프보다 전체적으로 오른쪽으로 더 치우쳐 있으므로 B 중학교 학생들의 기록이 A 중학교 학생들의 기록보다 더 좋은 편이다.

| 개념 확인 | **3** 다음은 하늘 중학교 1학년과 3학년 학생들의 하루 평균 수면 시간에 대한 상대도수의 분포를 나타낸 그래프이다. 수영이와 다은이가 이 그래프를 보고 말한 내용이 옳게 되도록 □ 안에 알맞은 수를 써넣어라.

수면 시간이 7시간 이상 8시간 미만인 학생의 비율은 □학년이 더 높아.

수영

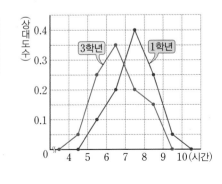

1학년의 그래프가 오른쪽으로 더 치우쳐 있으니 □학년의 수면 시간이 □학년의 수면 시간보다 더 긴 편이야.

다은

개념 기초

1-1

다음은 지난 20일 동안 민경이의 블로그에 방문한 하루 방문자 수를 조사하여 나타낸 상대도수의 분포표이다. 표를 완성하고 상대도수의 분포표를 도수분포다각형 모양의 그래프로 나타내어라.

방문자 수(명)	도수(일)	상대도수
5이상~10미만	2	
10 ~15	4	
15 ~20	5	
20 ~25	7	
25 ~30	2	
합계	20	

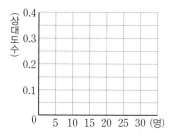

연구 (어떤 계급의 상대도수)=$\dfrac{(\text{그 계급의 도수})}{(\boxed{})}$

2-1

아래 그림은 종국이네 학교 학생 50명의 기상 시각에 대한 상대도수의 분포를 나타낸 그래프이다. 다음을 구하여라.

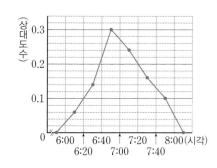

(1) 상대도수가 가장 큰 계급

(2) 7시 20분 이상 7시 40분 미만인 계급의 도수

연구 (2) (어떤 계급의 도수)=(도수의 총합)×(그 계급의 $\boxed{}$)

쌍둥이 문제

1-2

다음은 재석이네 학교 학생 40명의 통학 시간을 조사하여 나타낸 상대도수의 분포표이다. A, B, C, D의 값을 각각 구하고, 상대도수의 분포표를 도수분포다각형 모양의 그래프로 나타내어라.

통학 시간(분)	도수(명)	상대도수
5이상~15미만	2	0.05
15 ~25	10	A
25 ~35	14	0.35
35 ~45	B	0.2
45 ~55	C	0.15
합계	40	D

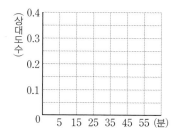

2-2

아래 그림은 어느 반 학생 40명이 수학 체험전에 입장하려고 기다린 시간에 대한 상대도수의 분포를 나타낸 그래프이다. 다음 물음에 답하여라.

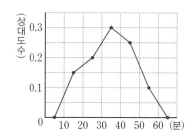

(1) 기다린 시간이 40분 이상인 학생은 전체의 몇 %인지 구하여라.

(2) 기다린 시간이 20분 이상 40분 미만인 학생 수를 구하여라.

대표 유형 ❶ 상대도수의 분포표

유형 해결의 법칙 중 1-2 188쪽

- (어떤 계급의 상대도수)$=\dfrac{(\text{그 계급의 도수})}{(\text{도수의 총합})}$
- (어떤 계급의 도수)$=(\text{도수의 총합})\times(\text{그 계급의 상대도수})$
- (도수의 총합)$=\dfrac{(\text{그 계급의 도수})}{(\text{어떤 계급의 상대도수})}$

참고 상대도수의 합은 항상 1이다.

1-1 다음 표는 어느 반 학생들의 시력을 조사하여 나타낸 상대도수의 분포표이다. 물음에 답하여라.

시력	도수(명)	상대도수
$0.3^{\text{이상}}\sim0.6^{\text{미만}}$	A	0.06
$0.6\ \ \sim0.9$	8	B
$0.9\ \ \sim1.2$	12	0.24
$1.2\ \ \sim1.5$	C	D
$1.5\ \ \sim1.8$	2	E
합계		1

(1) 전체 학생 수를 구하여라.
(2) A, B, C, D, E의 값을 각각 구하여라.
(3) 상대도수가 가장 큰 계급을 구하여라.
(4) 시력이 1.2 이상인 학생은 전체의 몇 %인지 구하여라.

쌍둥이 1-2

다음 표는 어느 농장에서 수확한 귤의 무게를 조사하여 나타낸 것이다. 물음에 답하여라.

무게(g)	도수(개)	상대도수
$80^{\text{이상}}\sim\ \ 90^{\text{미만}}$	9	A
$90\ \ \sim100$	3	0.06
$100\ \ \sim110$	B	0.26
$110\ \ \sim120$	15	0.3
$120\ \ \sim130$	C	D
$130\ \ \sim140$	2	0.04
합계		E

(1) 전체 귤의 개수를 구하여라.
(2) A, B, C, D, E의 값을 각각 구하여라.
(3) 무게가 100 g 미만인 귤은 전체의 몇 %인지 구하여라.

풀이 (1) (전체 학생 수)$=\dfrac{12}{0.24}=50$(명)

(2) $A=50\times0.06=3$

$B=\dfrac{8}{50}=0.16,\ E=\dfrac{2}{50}=0.04$

$D=1-(0.06+0.16+0.24+0.04)=0.5$

$C=50\times0.5=25$

(3) 상대도수가 가장 큰 계급은 1.2 이상 1.5 미만이다.
(4) 시력이 1.2 이상인 계급의 상대도수의 합은
0.5+0.04=0.54이므로 전체의 0.54×100=54 (%)이다.

답 (1) 50명 (2) $A=3$, $B=0.16$, $C=25$, $D=0.5$, $E=0.04$
(3) 1.2 이상 1.5 미만 (4) 54 %

쌍둥이 1-3

오른쪽 표는 서울 시내 50개 지역의 소음도를 조사하여 나타낸 상대도수의 분포표이다. 소음도가 70 dB 이상 75 dB 미만인 지역의 수를 구하여라.

소음도(dB)	상대도수
$50^{\text{이상}}\sim55^{\text{미만}}$	0.04
$55\ \ \sim60$	0.2
$60\ \ \sim65$	0.3
$65\ \ \sim70$	0.26
$70\ \ \sim75$	
$75\ \ \sim80$	0.06
합계	

대표 유형 ② 찢어진 상대도수의 분포표

유형 해결의 법칙 중 1-2 189쪽

$$(도수의 \ 총합) = \frac{(그 \ 계급의 \ 도수)}{(어떤 \ 계급의 \ 상대도수)}$$ 임을 이용하여 도수의 총합을 먼저 구한다.

2-1 다음 표는 어느 중학교 학생들의 국어 성적을 조사하여 나타낸 상대도수의 분포표인데 일부가 찢어진 것이다. 40점 이상 50점 미만인 계급의 상대도수를 구하여라.

국어 성적(점)	도수(명)	상대도수
30^{이상}~40^{미만}	16	0.05
40 ~50	48	

쌍둥이 2-2

다음 표는 어떤 자료의 상대도수의 분포표인데 일부가 훼손되었다. 이 자료의 도수의 총합을 구하여라.

계급	도수(명)	상대도수
40^{이상}~50^{미만}	6	0.15
50 ~60		
60 ~70		

풀이 (전체 학생 수)$=\dfrac{16}{0.05}=320$(명)

따라서 40점 이상 50점 미만인 계급의 상대도수는 $\dfrac{48}{320}=0.15$

답 0.15

대표 유형 ③ 상대도수의 분포를 나타낸 그래프 (1)

유형 해결의 법칙 중 1-2 190쪽

• 상대도수의 분포를 나타낸 그래프에서 가로축은 계급의 양 끝 값, 세로축은 상대도수이다.
• (어떤 계급의 도수)=(도수의 총합)×(그 계급의 상대도수)

3-1 다음 그림은 수경이네 중학교 학생 50명의 하루 평균 수면 시간에 대한 상대도수의 분포를 나타낸 그래프이다. 물음에 답하여라.

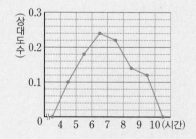

(1) 수면 시간이 8시간 이상인 학생은 전체의 몇 %인지 구하여라.
(2) 도수가 7명인 계급을 구하여라.

쌍둥이 3-2

다음 그림은 동수네 반 학생 25명의 제자리멀리뛰기 기록에 대한 상대도수의 분포를 나타낸 그래프이다. 제자리멀리뛰기 기록이 200 cm 이상 240 cm 미만인 학생은 모두 몇 명인지 구하여라.

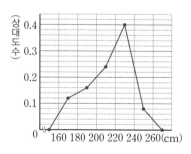

풀이 (1) 수면 시간이 8시간 이상인 계급의 상대도수의 합은
0.14+0.12=0.26이므로 전체의 0.26×100=26 (%)이다.

(2) 도수가 7명인 계급의 상대도수는 $\dfrac{7}{50}=0.14$이므로

상대도수가 0.14인 계급은 8시간 이상 9시간 미만이다.

답 (1) 26 % (2) 8시간 이상 9시간 미만

대표 유형 4 상대도수의 분포를 나타낸 그래프 (2)

유형 해결의 법칙 중 1-2 191쪽

전체 도수가 주어지지 않을 때에는 (도수의 총합)$=\dfrac{\text{(그 계급의 도수)}}{\text{(어떤 계급의 상대도수)}}$임을 이용하여 전체 도수를 먼저 구한다.

4-1 아래 그림은 현우네 반 학생들의 수학 성적에 대한 상대도수의 분포를 나타낸 그래프이다. 수학 성적이 80점 이상 90점 미만인 학생이 6명일 때, 다음을 구하여라.

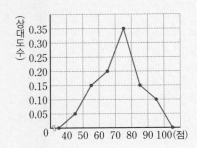

(1) 전체 학생 수

(2) 도수가 가장 작은 계급의 도수

쌍둥이 4-2

다음 그림은 하은이네 학교 1학년 학생들의 여름 방학 중 봉사 활동 시간에 대한 상대도수의 분포를 나타낸 그래프이다. 봉사 활동 시간이 15시간 이상인 학생이 54명일 때, 봉사 활동 시간이 9시간 이상 12시간 미만인 학생 수를 구하여라.

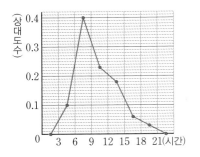

풀이 (1) (전체 학생 수)$=\dfrac{6}{0.15}=40$(명)

(2) 도수가 가장 작은 계급은 40점 이상 50점 미만이고 그 도수는

$40 \times 0.05 = 2$(명)

답 (1) 40명 (2) 2명

대표 유형 5 찢어진 상대도수의 분포를 나타낸 그래프

유형 해결의 법칙 중 1-2 191쪽

상대도수의 합이 항상 1임을 이용하여 찢어진 부분에 해당하는 계급의 상대도수를 구한다.

5-1 오른쪽 그림은 학생 40명이 가지고 있는 필기 도구의 수에 대한 상대도수의 분포를 나타낸 그래프인데 일부가 찢어져 보이지 않는다. 이때 필기 도구가 8자루 이상 10자루 미만인 학생 수를 구하여라.

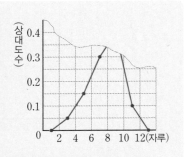

쌍둥이 5-2

오른쪽 그림은 성은이네 반 학생 40명의 국어 성적에 대한 상대도수의 분포를 나타낸 그래프인데 일부가 찢어져 보이지 않는다. 다음 물음에 답하여라.

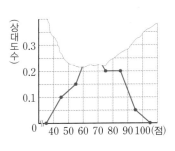

(1) 국어 성적이 60점 이상 70점 미만인 학생 수를 구하여라.

(2) 국어 성적이 80점 이상인 학생은 전체의 몇 %인지 구하여라.

풀이 8자루 이상 10자루 미만인 계급의 상대도수는

$1-(0.05+0.15+0.3+0.1)=0.4$

따라서 필기 도구가 8자루 이상 10자루 미만인 학생 수는

$40 \times 0.4 = 16$(명)

답 16명

대표 유형 ⑥ 도수의 총합이 다른 두 집단의 상대도수

유형 해결의 법칙 중 1-2 189쪽

도수의 총합이 다른 두 자료의 분포를 비교할 때에는 상대도수를 이용한다.

6-1 다음 표는 A 공연의 관객 2000명과 B 공연의 관객 1000명의 나이를 조사하여 나타낸 것이다. 표의 빈칸을 채우고 나이가 40세 이상인 관객의 비율은 어느 공연이 더 높은지 말하여라.

나이(세)	A 공연		B 공연	
	관객 수(명)	상대도수	관객 수(명)	상대도수
10이상 ~ 20미만	560		200	
20 ~ 30	700		240	
30 ~ 40	380		300	
40 ~ 50	200		140	
50 ~ 60	160		120	
합계	2000		1000	

풀이

나이(세)	A 공연		B 공연	
	관객 수(명)	상대도수	관객 수(명)	상대도수
10이상 ~ 20미만	560	0.28	200	0.2
20 ~ 30	700	0.35	240	0.24
30 ~ 40	380	0.19	300	0.3
40 ~ 50	200	0.1	140	0.14
50 ~ 60	160	0.08	120	0.12
합계	2000	1	1000	1

이때 나이가 40세 이상인 관객의 비율은 A 공연은 $0.1+0.08=0.18$이고, B 공연은 $0.14+0.12=0.26$이므로 B 공연이 더 높다.

답 표 참조, B 공연

쌍둥이 6-2

다음 표는 C 중학교와 H 중학교 학생들의 혈액형을 조사하여 나타낸 것이다. H 중학교 학생들보다 C 중학교 학생들의 비율이 더 높은 혈액형을 모두 구하여라.

혈액형	학생 수 (명)	
	C 중학교	H 중학교
A	50	140
B	75	100
O	80	80
AB	45	80
합계	250	400

쌍둥이 6-3

다음 표는 지민이네 학교 1학년 남학생과 여학생의 한 달 동안의 독서량을 나타낸 것이다. 한 달 동안 책을 3권 미만 읽은 학생의 비율은 남학생과 여학생 중 어느 쪽이 더 낮은지 말하여라.

독서량(권)	도수 (명)	
	남학생	여학생
1이상 ~ 3미만	12	14
3 ~ 5	10	17
5 ~ 7	9	9
7 ~ 9	4	5
9 ~ 11	4	3
11 ~ 13	1	2
합계	40	50

9 자료의 정리와 해석

대표 유형 7 도수의 총합이 다른 두 집단의 비교

유형 해결의 법칙 중 1-2 193쪽

상대도수의 분포를 나타낸 그래프는 도수의 총합이 다른 두 집단의 분포 상태를 비교할 때 편리하다.

7-1 아래 그림은 A 중학교 1학년 학생 100명과 B 중학교 1학년 학생 200명의 수학 성적에 대한 상대도수의 분포를 나타낸 그래프이다. 다음 보기 중 옳지 <u>않은</u> 것을 모두 골라라.

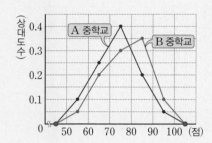

보기
ㄱ 수학 성적이 70점 이상 80점 미만인 학생 수는 A 중학교가 B 중학교보다 더 많다.
ㄴ 수학 성적이 80점 이상 90점 미만인 학생의 비율은 B 중학교가 A 중학교보다 15 % 더 높다.
ㄷ 각 그래프와 가로축으로 둘러싸인 부분의 넓이는 서로 같다.
ㄹ B 중학교 학생들의 수학 성적이 A 중학교 학생들의 수학 성적보다 대체로 낮다.

풀이 ㄱ 수학 성적이 70점 이상 80점 미만인 학생 수는
A 중학교 : $100 \times 0.4 = 40$(명), B 중학교 : $200 \times 0.3 = 60$(명)
이므로 B 중학교가 A 중학교보다 더 많다.
ㄴ 수학 성적이 80점 이상 90점 미만인 학생의 비율은
A 중학교 : $0.2 \times 100 = 20$ (%),
B 중학교 : $0.35 \times 100 = 35$ (%)
이므로 B 중학교가 A 중학교보다 $35 - 20 = 15$ (%) 더 높다.
ㄷ 상대도수의 합은 1이고 A 중학교와 B 중학교의 계급의 크기는 같으므로 각 그래프와 가로축으로 둘러싸인 부분의 넓이는 같다.
ㄹ B 중학교의 그래프가 A 중학교의 그래프보다 오른쪽으로 더 치우쳐 있으므로 B 중학교 학생들의 수학 성적이 A 중학교 학생들의 수학 성적보다 대체로 높다.
따라서 옳지 않은 것은 ㄱ, ㄹ이다. **답** ㄱ, ㄹ

쌍둥이 7-2

아래 그림은 A, B 두 중학교 학생들이 여름 방학 동안 읽은 책의 수에 대한 상대도수의 분포를 나타낸 그래프이다. 다음 설명 중 옳은 것은 ○표, 옳지 않은 것은 ×표를 하여라.

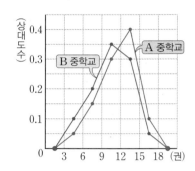

(1) 두 학교의 전체 학생 수는 같다. (   )
(2) A 중학교 학생들의 상대도수가 B 중학교 학생들의 상대도수보다 큰 계급은 모두 3개이다. (   )
(3) 책을 12권 이상 15권 미만 읽은 학생 수는 A 중학교가 B 중학교보다 더 많다. (   )
(4) 각 그래프와 가로축으로 둘러싸인 부분의 넓이는 서로 같다. (   )

쌍둥이 7-3

오른쪽 그림은 가수 A의 팬클럽 회원 400명과 가수 B의 팬클럽 회원 800명의 나이에 대한 상대도수의 분포를 나타낸 그래프이다. 다음 물음에 답하여라.

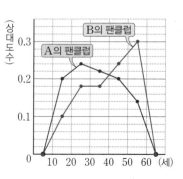

(1) 나이가 40세 이상 50세 미만인 회원의 비율은 어느 팬클럽이 더 높은지 말하여라.
(2) 가수 A의 팬클럽 회원 중에서 10세 이상 20세 미만인 회원은 몇 명인지 구하여라.

상대도수

(1) 상대도수 : 도수의 총합에 대한 각 계급의 도수의 비율

➡ (어떤 계급의 상대도수)= $\dfrac{(\text{그 계급의 도수})}{(\text{도수의 총합})}$

(2) 상대도수의 특징

① 상대도수의 합은 항상 ❶ 이다.

② 각 계급의 상대도수는 그 계급의 도수에 ❷ 비례한다.

③ 도수의 총합이 다른 두 집단의 자료의 분포 상태를 비교할 때, 상대도수를 이용하면 편리하다.

답 ❶ 1 ❷ 정

01

다음 중 상대도수에 대한 설명으로 옳지 <u>않은</u> 것은?

① 상대도수는 도수의 총합에 대한 각 계급의 도수의 비율이다.

② 어떤 계급의 도수는 그 계급의 상대도수와 전체 도수를 곱한 값이다.

③ 각 계급의 상대도수는 그 계급의 도수에 정비례한다.

④ 상대도수는 도수의 총합이 다른 두 자료를 비교할 때 편리하다.

⑤ 상대도수의 합은 도수의 총합에 따라 다르다.

02

서술형

다음 표는 대성이가 같은 반 학생들의 하루 게임 시간을 조사하여 나타낸 것이다. 물음에 답하여라.

게임 시간(분)	도수(명)	상대도수
0이상 ~ 20미만	4	0.1
20 ~ 40	10	0.25
40 ~ 60	16	㉠
60 ~ 80	㉡	0.2
80 ~ 100	2	
합계	㉢	㉣

(1) ㉠ ~ ㉣에 알맞은 수를 구하여라.

(2) 도수가 가장 큰 계급의 상대도수를 구하여라.

(3) 게임 시간이 60분 이상인 학생은 전체의 몇 %인지 구하여라.

03

다음은 어느 중학교 학생들이 가지고 있는 수학 문제집의 수를 조사하여 만든 상대도수의 분포표이다. 수학 문제집을 3권 이상 가지고 있는 학생은 전체의 몇 %인가?

문제집의 수(권)	0	1	2	3	4
상대도수	0.2	0.38	0.27		0.02

① 10 % ② 15 % ③ 20 %
④ 25 % ⑤ 30 %

04

다음 표는 어느 농장에서 하루에 생산된 달걀의 무게를 조사하여 나타낸 상대도수의 분포표인데 일부가 찢어져 보이지 않는다. 45 g 이상 50 g 미만인 계급의 상대도수를 구하여라.

무게(g)	도수(개)	상대도수
40이상 ~ 45미만	6	0.05
45 ~ 50	15	

05

오른쪽 그림은 주영이네 반 학생 25명의 제자리 멀리뛰기 기록에 대한 상대도수의 분포를 나타낸 그래프이다. 기록이 220 cm 이상인 학생 수는?

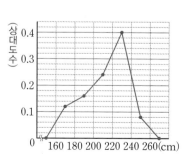

① 10명 ② 12명 ③ 15명
④ 18명 ⑤ 20명

06

창의력

오른쪽 그림은 정환이네 반 학생 40명의 1학기 동안의 독서량에 대한 상대도수의 분포를 나타낸 그래프이다. 다음 중 옳지 않은 것을 모두 고르면?

(정답 2개)

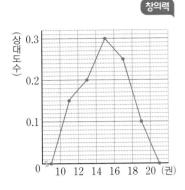

① 계급의 크기는 2권이다.
② 책을 14권 이상 읽은 학생은 전체의 65 %이다.
③ 책을 12권 읽은 학생이 속하는 계급의 도수는 6명이다.
④ 독서량이 가장 많은 학생이 읽은 책의 수는 19권이다.
⑤ 독서량이 적은 쪽에서 15번째인 학생이 속하는 계급은 14권 이상 16권 미만이다.

07

서술형

오른쪽 그림은 어느 중학교 1학년 여학생들의 50 m 달리기 기록에 대한 상대도수의 분포를 나타낸 그래프인데 일부가 찢어져 보이지 않는다. 상대도수가 0.1인 계급의 도수가 20명일 때,

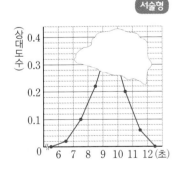

50 m 달리기 기록이 9초 이상 10초 미만인 학생 수를 구하여라.

08

아래 표는 어느 반 남학생 20명과 여학생 16명의 과학 성적을 조사하여 나타낸 상대도수의 분포표이다. 다음 중 옳지 않은 것을 모두 고르면? (정답 2개)

과학 성적(점)	상대도수	
	남학생	여학생
60이상 ~ 70미만	0.25	0.25
70 ~ 80	0.3	0.375
80 ~ 90	0.2	0.125
90 ~ 100	0.25	0.25
합계	1	1

① 60점 이상 70점 미만인 여학생 수는 4명이다.
② 70점 이상 80점 미만인 남학생 수는 6명이다.
③ 80점 이상 90점 미만인 남학생 수와 여학생 수는 같다.
④ 90점 미만인 여학생은 여학생 전체의 75 %이다.
⑤ 80점 이상인 학생의 비율은 남학생이 여학생보다 더 낮다.

09

아래 그림은 작년과 올해에 강원도의 어느 가구에서 수확한 감자의 무게에 대한 상대도수의 분포를 나타낸 그래프이다. 다음 중 옳은 것은?

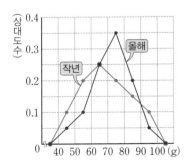

① 작년의 수확량이 올해의 수확량보다 적다.
② 작년보다 올해의 상대도수의 합이 더 크다.
③ 작년과 올해에 60 g 이상 70 g 미만인 계급의 도수는 같다.
④ 40 g 이상 50 g 미만인 감자의 수확량은 작년이 올해보다 더 많다.
⑤ 70 g 이상 80 g 미만인 감자의 비율은 올해가 작년보다 더 높다.

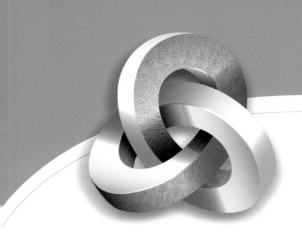

단원
종합 문제

1-2

01

오른쪽 그림과 같은 육각뿔에서 교점의 개수를 a, 교선의 개수를 b, 면의 개수를 c라 할 때, $a+b+c$의 값은?

① 24 　　　　② 25

③ 26 　　　　④ 27

⑤ 28

02

오른쪽 그림과 같이 직선 l 위에 네 점 A, B, C, D가 차례로 있을 때, 다음 중 옳은 것은?

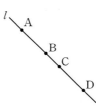

① $\overrightarrow{AB}=\overrightarrow{AC}$ 　　② $\overrightarrow{BC}=\overrightarrow{CD}$

③ $\overrightarrow{AB}=\overrightarrow{BA}$ 　　④ $\overleftrightarrow{AC}=\overrightarrow{AC}$

⑤ $\overrightarrow{DB}=\overrightarrow{DB}$

03

서술형

다음 그림에서 점 M은 $\overline{AB}$의 중점이고, 점 N은 $\overline{AM}$의 중점이다. $\overline{AB}=16$ cm일 때, $\overline{AN}$의 길이를 구하여라.

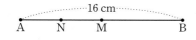

04

다음 각을 예각, 직각, 둔각, 평각으로 분류하였을 때, 옳은 것은?

① 35° : 둔각 　　② 90° : 평각 　　③ 125° : 예각

④ 180° : 직각 　　⑤ 95° : 둔각

05

다음 그림에서 $\angle x + \angle y$의 크기는?

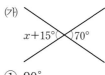
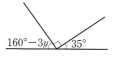

① 90° 　　　　② 95° 　　　　③ 100°

④ 105° 　　　　⑤ 110°

06

오른쪽 그림에서 $\angle AOC=3\angle BOC$, $\angle COD=\dfrac{1}{2}\angle DOE$일 때, $\angle BOD$의 크기를 구하여라.

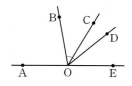

07

오른쪽 그림과 같이 세 직선이 한 점에서 만날 때, $\angle x$의 크기는?

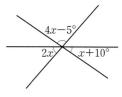

① 25° 　　　　② 28°

③ 30° 　　　　④ 32°

⑤ 35°

08

다음 중 오른쪽 그림에서 점 A와 직선 l 사이의 거리를 나타낸 것은?

① $\overline{AB}$ 　② $\overline{AC}$
③ $\overline{AD}$ 　④ $\overline{AE}$
⑤ $\overline{AF}$

09

오른쪽 그림에서 직선 CD는 선분 AB의 수직이등분선이다. 다음 중 옳지 않은 것은?

① $\overleftrightarrow{AB} \perp \overleftrightarrow{CD}$
② $\overline{AB} = \overline{CD}$
③ 점 H는 $\overline{AB}$의 중점이다.
④ 점 C와 $\overline{AB}$ 사이의 거리는 $\overline{CH}$의 길이이다.
⑤ 점 A에서 $\overleftrightarrow{CD}$에 내린 수선의 발은 점 H이다.

10

서술형

오른쪽 그림과 같이 직선 l 위에 세 점 A, B, C가 차례로 있다. 이 중에서 두 점을 골라 만들 수 있는 서로 다른 반직선의 개수를 x, 서로 다른 선분의 개수를 y라 할 때, $3+x-y$의 값을 구하여라.

11

다음 중 오른쪽 그림의 직육면체에 대한 설명으로 옳지 않은 것은?

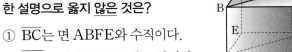

① $\overline{BC}$는 면 ABFE와 수직이다.
② $\overline{FH}$는 평면 BFHD에 포함된다.
③ $\overline{FH}$와 평행한 선분은 $\overline{BD}$뿐이다.
④ 평면 BFHD에 평행한 모서리는 2개이다.
⑤ $\overline{BF}$와 꼬인 위치에 있는 모서리는 5개이다.

12

오른쪽 그림과 같이 밑면이 정육각형인 육각기둥에서 면 AGLF와 평행한 모서리의 개수는?

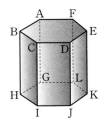

① 3 　② 4
③ 5 　④ 6
⑤ 7

13

오른쪽 그림은 정육면체를 세 꼭짓점 B, F, C를 지나는 평면으로 잘라 만든 입체도형이다. 다음 중 옳지 않은 것은?

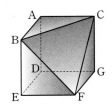

① 면 ABC와 수직인 모서리는 3개이다.
② 모서리 BC와 평행한 모서리는 없다.
③ 모서리 CG를 포함하는 면은 2개이다.
④ 모서리 BF와 한 점에서 만나는 면은 4개이다.
⑤ 모서리 AB와 꼬인 위치에 있는 모서리는 3개이다.

14

공간에 있는 서로 다른 세 직선 l, m, n과 서로 다른 세 평면 P, Q, R에 대하여 다음 중 옳지 <u>않은</u> 것은?

① $P \perp l$, $P \perp m$이면 $l \,/\!/\, m$이다.
② $P \perp l$, $P \,/\!/\, Q$이면 $Q \perp l$이다.
③ $l \,/\!/\, m$, $l \,/\!/\, n$이면 $m \,/\!/\, n$이다.
④ $P \,/\!/\, Q$, $Q \,/\!/\, R$이면 $P \,/\!/\, R$이다.
⑤ $P \,/\!/\, l$, $P \,/\!/\, m$이면 $l \,/\!/\, m$이다.

15

오른쪽 그림에서 $\angle b$의 동위각의 크기와 $\angle d$의 엇각의 크기의 합은?

① $165°$
② $180°$
③ $195°$
④ $245°$
⑤ $270°$

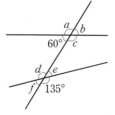

16

오른쪽 그림과 같이 세 직선이 만날 때, 다음 중 옳은 것은?

① $\angle e$의 엇각은 $\angle c$, $\angle i$이다.
② $\angle c$의 엇각은 $\angle e$, $\angle l$이다.
③ $\angle a$의 동위각은 $\angle e$, $\angle i$이다.
④ $\angle b$의 동위각은 $\angle f$, $\angle l$이다.
⑤ $\angle d$의 동위각은 $\angle h$, $\angle i$이다.

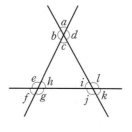

17

다음 중 두 직선 l, m이 서로 평행하지 <u>않은</u> 것은?

①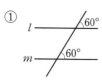
②
③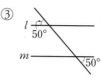
④
⑤

18

다음 중 아래 그림에서 평행한 직선끼리 바르게 짝 지은 것은?

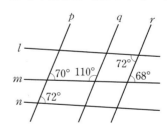

① $p \,/\!/\, q$
② $q \,/\!/\, r$
③ $p \,/\!/\, r$
④ $l \,/\!/\, m$
⑤ $m \,/\!/\, n$

19

오른쪽 그림에서 $l \,/\!/\, m$일 때, $\angle a - \angle b$의 크기는?

① $5°$
② $10°$
③ $15°$
④ $20°$
⑤ $25°$

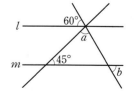

20

오른쪽 그림에서 $l /\!/ m$일 때, $\angle x$의 크기는?

① 25° ② 35°

③ 45° ④ 55°

⑤ 65°

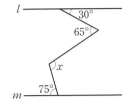

21

오른쪽 그림에서 $l /\!/ m$일 때, $\angle x$의 크기는?

① 105° ② 110°

③ 115° ④ 120°

⑤ 125°

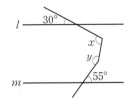

22

오른쪽 그림에서 $l /\!/ m$일 때, $\angle x + \angle y$의 크기는?

① 155° ② 185°

③ 215° ④ 235°

⑤ 265°

23

오른쪽 그림에서 $l /\!/ m$일 때, $\angle x$의 크기는?

① 60° ② 70°

③ 80° ④ 90°

⑤ 100°

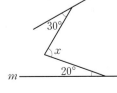

24

서술형

오른쪽 그림과 같이 직사각형 모양의 종이테이프를 접었을 때, $\angle x$의 크기를 구하여라.

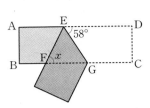

25

다음 중 작도에 대한 설명으로 옳은 것을 모두 고르면?

(정답 2개)

① 원을 그릴 때에는 컴퍼스를 사용한다.

② 두 점을 지나는 선분을 그릴 때에는 컴퍼스를 사용한다.

③ 선분을 연장할 때에는 눈금 없는 자를 사용한다.

④ 선분의 길이를 재어 옮길 때에는 눈금 없는 자를 사용한다.

⑤ 눈금 있는 자와 컴퍼스만을 사용하여 도형을 그리는 것을 작도라 한다.

26

아래 그림은 $\angle \mathrm{XOY}$와 크기가 같은 각을 반직선 PQ를 한 변으로 하여 작도한 것이다. 다음 중 옳지 <u>않은</u> 것은?

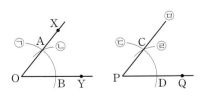

① $\overline{\mathrm{AB}} = \overline{\mathrm{CD}}$ ② $\overline{\mathrm{OA}} = \overline{\mathrm{OB}}$

③ $\overline{\mathrm{PC}} = \overline{\mathrm{CD}}$ ④ $\angle \mathrm{AOB} = \angle \mathrm{CPD}$

⑤ 작도 순서는 ㉠ → ㉢ → ㉡ → ㉣ → ㉤이다.

27

오른쪽 그림은 직선 l 밖의 한 점 P 를 지나면서 직선 l에 평행한 직선 m을 작도한 것이다. 다음 중 옳지 않은 것은?

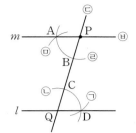

① $\overline{AB}=\overline{CD}$

② $\angle CQD=\angle APB$

③ $\overline{AP}=\overline{BP}=\overline{CQ}=\overline{DQ}$

④ 작도 순서는 ㉢ → ㉡ → ㉠ → ㉣ → ㉤ → ㉥이다.

⑤ 이 작도는 '엇각의 크기가 같으면 두 직선은 서로 평행하다.'는 성질을 이용한 것이다.

28

삼각형의 세 변의 길이가 각각 $5, 9, x$일 때, x의 값이 될 수 있는 자연수의 개수는?

① 6 　　　　② 7 　　　　③ 8

④ 9 　　　　⑤ 10

29

△ABC에서 ∠B의 크기가 주어졌을 때, △ABC가 하나로 정해지기 위해 더 필요한 조건을 다음 보기 중에서 모두 고른 것은?

┌─ 보기 ─────────────┐
㉠ $\overline{AB}, \overline{BC}$ 　　　　㉡ $\overline{AB}, \overline{AC}$
㉢ $\overline{AB}, \angle A$ 　　　　㉣ $\angle A, \angle C$
└────────────────────┘

① ㉠, ㉡ 　　② ㉠, ㉢ 　　③ ㉡, ㉢

④ ㉡, ㉣ 　　⑤ ㉢, ㉣

30

다음 보기의 삼각형 중 합동인 것끼리 바르게 짝 지은 것은?

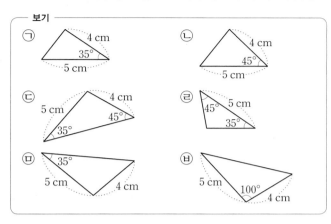

① ㉠과 ㉡ 　　② ㉡과 ㉤ 　　③ ㉢과 ㉥

④ ㉣과 ㉤ 　　⑤ ㉤과 ㉥

31

오른쪽 그림에서 $\overline{AB}=\overline{AD}$, $\angle ABC=\angle ADE$일 때, 다음 보기 중 옳은 것을 모두 고른 것은?

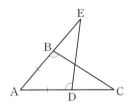

┌─ 보기 ──────────────────────────┐
㉠ $\overline{AB}=\overline{CD}$ 　㉡ $\angle AED=\angle ACB$
㉢ $\overline{AC}=\overline{DE}$ 　㉣ △ABC ≡ △ADE (ASA 합동)
㉤ $\overline{BC}=\overline{DE}$ 　㉥ △ABC ≡ △AED (SAS 합동)
└─────────────────────────────────┘

① ㉠, ㉡, ㉢ 　② ㉠, ㉣, ㉤ 　③ ㉡, ㉢, ㉣

④ ㉡, ㉣, ㉤ 　⑤ ㉣, ㉤, ㉥

01

한 꼭짓점에서 그을 수 있는 대각선의 개수가 7인 다각형의 꼭짓점의 개수는?

① 7   ② 8   ③ 9
④ 10   ⑤ 11

02

원형 탁자에 6명이 앉아 있다. 양옆에 앉은 두 사람을 제외한 모든 사람과 서로 한 번씩 악수를 할 때, 악수는 모두 몇 번 하게 되는가?

① 6번   ② 8번   ③ 9번
④ 15번   ⑤ 18번

03

삼각형의 세 내각의 크기의 비가 $4:5:6$일 때, 가장 큰 내각의 크기를 구하여라.

04

오른쪽 그림에서 $\angle x$의 크기는?

① 20°   ② 30°
③ 40°   ④ 50°
⑤ 60°

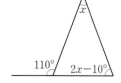

05

오른쪽 그림의 $\triangle ABC$에서 $\angle x$와 $\angle y$의 크기를 각각 구하면?

① $\angle x=30°$, $\angle y=85°$
② $\angle x=30°$, $\angle y=95°$
③ $\angle x=35°$, $\angle y=85°$
④ $\angle x=35°$, $\angle y=95°$
⑤ $\angle x=40°$, $\angle y=95°$

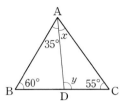

06

서술형

오른쪽 그림에서 $\overline{AB}=\overline{AC}=\overline{CD}$이고 $\angle B=32°$일 때, $\angle x$의 크기를 구하여라.

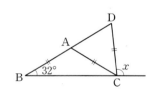

07

오른쪽 그림에서 $\angle x$의 크기는?

① 110°   ② 117°
③ 123°   ④ 128°
⑤ 132°

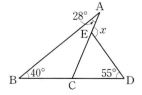

08

오른쪽 그림의 △ABC에서 $\overline{CD}$
는 ∠C의 이등분선이다.
∠A=70°, ∠B=40°일 때, ∠x
의 크기는?

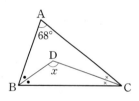

① 70°　　　② 75°

③ 85°　　　④ 95°

⑤ 105°

09

오른쪽 그림의 △ABC에서
∠ABD=∠DBC,
∠ACD=∠DCB일 때, ∠x의
크기는?

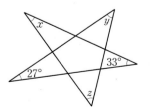

① 114°　　　② 118°　　　③ 120°

④ 124°　　　⑤ 126°

10

오른쪽 그림에서 ∠x+∠y+∠z
의 크기는?

① 80°　　　② 100°

③ 110°　　　④ 120°

⑤ 180°

11

대각선의 개수가 44인 다각형의 내각의 크기의 합은?

① 1260°　　　② 1440°　　　③ 1620°

④ 1800°　　　⑤ 1980°

12

오른쪽 그림에서 ∠x의 크기는?

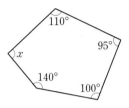

① 70°　　　② 80°

③ 85°　　　④ 95°

⑤ 105°

13

서술형

오른쪽 그림에서 ∠x의 크기를 구하
여라.

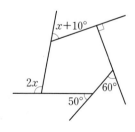

14

다음 중 주어진 정다각형의 한 내각의 크기로 옳은 것은?

① 정오각형 ➡ 90°　　　② 정육각형 ➡ 108°

③ 정팔각형 ➡ 120°　　　④ 정십각형 ➡ 144°

⑤ 정십이각형 ➡ 160°

15

내각의 크기의 합이 $2880°$인 정다각형의 한 외각의 크기는?

① $20°$ ② $30°$ ③ $45°$

④ $50°$ ⑤ $60°$

16

오른쪽 그림과 같이 정오각형 ABCDE의 두 변 AE와 CD 의 연장선의 교점을 F라 할 때, $\angle x$의 크기는?

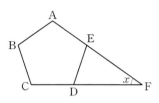

① $32°$ ② $36°$ ③ $38°$

④ $40°$ ⑤ $42°$

17

다음 중 오른쪽 그림의 원 O에 대한 설명으로 옳지 <u>않은</u> 것은?

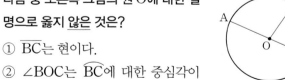

① $\overline{BC}$는 현이다.

② $\angle BOC$는 $\overgroup{BC}$에 대한 중심각이다.

③ $\overgroup{BC}$와 $\overline{BC}$로 둘러싸인 도형은 활꼴이다.

④ $\overline{AC}$는 현이 될 수 없다.

⑤ $\overgroup{BC}$와 두 반지름 OB, OC로 둘러싸인 도형은 부채꼴이다.

18

오른쪽 그림의 원 O에서 $\overgroup{AB} : \overgroup{BC} : \overgroup{CA} = 3 : 5 : 7$일 때, $\angle BOC$의 크기는?

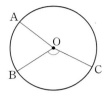

① $90°$ ② $105°$

③ $120°$ ④ $135°$

⑤ $150°$

19

오른쪽 그림의 반원 O에서 $\overline{CO} /\!/ \overline{DB}$이고 $\overline{BD} = 14$ cm, $\angle AOC = 20°$일 때, $\overgroup{AC}$의 길이는?

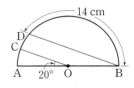

① 2 cm   ② 3 cm   ③ 4 cm

④ 5 cm   ⑤ 6 cm

20

오른쪽 그림의 원 O에서 $\angle AOB = \angle COD = \angle DOE$일 때, 다음 중 옳지 <u>않은</u> 것은?

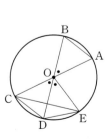

① $\overgroup{AB} = \overgroup{CD} = \overgroup{DE}$

② $\angle AOB = \dfrac{1}{2} \angle COE$

③ $\overgroup{CE} = 8$ cm이면 $\overgroup{AB} = 4$ cm이다.

④ $\overgroup{AB} = 3$ cm이면 $\overgroup{CE} = 6$ cm이다.

⑤ 부채꼴 COE의 넓이는 부채꼴 AOB의 넓이의 2배이다.

21

반지름의 길이가 8 cm이고 호의 길이가 6π cm인 부채꼴의 중심각의 크기는?

① 90°　　　② 105°　　　③ 120°

④ 135°　　　⑤ 150°

22

오른쪽 그림과 같이 반지름의 길이가 9 cm이고 호의 길이가 4π cm인 부채꼴의 넓이는?

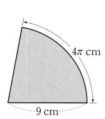

① 18π cm²　　② 20π cm²

③ 24π cm²　　④ 28π cm²

⑤ 32π cm²

23

서술형

오른쪽 그림과 같은 반원에서 어두운 부분의 둘레의 길이와 넓이를 각각 구하여라.

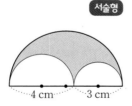

24

오른쪽 그림에서 어두운 부분의 둘레의 길이는?

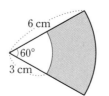

① $(2\pi-6)$ cm　② 3π cm

③ 4π cm　　　④ $(3\pi+6)$ cm

⑤ $(4\pi+6)$ cm

25

오른쪽 그림에서 어두운 부분의 넓이는?

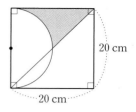

① $(150-25\pi)$ cm²

② $(100-\pi)$ cm²

③ $(250-25\pi)$ cm²

④ $(200-5\pi)$ cm²

⑤ $(300-15\pi)$ cm²

26

오른쪽 그림에서 어두운 부분의 넓이를 구하여라.

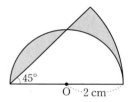

27

오른쪽 그림은 한 변의 길이가 2 cm인 정삼각형 ABC에서 세 점 B, C, A를 중심으로 하고 반지름의 길이가 각각 $\overline{BD}$, $\overline{CE}$, $\overline{AF}$인 부채꼴을 그린 것이다. 이때 어두운 부분의 넓이는?

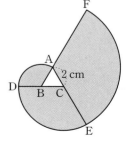

① $\dfrac{16}{3}\pi$ cm²　　② 8π cm²

③ $\dfrac{56}{3}\pi$ cm²　　④ 21π cm²　　⑤ 28π cm²

01

오른쪽 그림의 입체도형에서 면의 개수를 a, 모서리의 개수를 b, 꼭짓점의 개수를 c라 할 때, $a+b+c$의 값은?

① 20
② 22
③ 24
④ 26
⑤ 28

02

다음 중 입체도형의 이름이 옳게 짝 지어진 것은?

①	②	③	④	⑤
사면체	오면체	오면체	육면체	육면체
삼각기둥	삼각뿔대	오각기둥	육각기둥	오각뿔대

03

다음 중 오각뿔대에 대한 설명으로 옳은 것은?

① 육면체이다.
② 모서리의 개수는 10이다.
③ 옆면의 모양은 이등변삼각형이다.
④ 꼭짓점의 개수는 10이다.
⑤ 두 밑면은 서로 합동이다.

04

다음 중 정다면체에 대한 설명으로 옳지 <u>않은</u> 것은?

① 정사면체의 꼭짓점의 개수는 4이다.
② 정육면체의 모서리의 개수는 12이다.
③ 각 면은 모두 합동인 정삼각형이고, 한 꼭짓점에 모인 면의 개수가 3인 정다면체는 정팔면체이다.
④ 정십이면체의 면의 모양은 정오각형이다.
⑤ 정이십면체의 한 꼭짓점에 모인 면의 개수는 5이다.

05

다음 중 평면도형을 직선 l을 축으로 하여 1회전 시킬 때 오른쪽 그림과 같은 회전체가 생기는 것은?

① ②

③ ④ ⑤

06

다음 중 회전체와 그 회전체를 회전축을 포함하는 평면으로 자른 단면의 모양을 잘못 짝 지은 것은?

① 원기둥 − 직사각형
② 구 − 원
③ 원뿔 − 직각삼각형
④ 반구 − 반원
⑤ 원뿔대 − 사다리꼴

07

다음 중 오른쪽 그림과 같은 원뿔대를 평면으로 자를 때 생기는 단면의 모양이 될 수 <u>없는</u> 것은?

①   ②   ③

④   ⑤

08

오른쪽 그림과 같은 평면도형을 직선 l을 축으로 하여 1회전 시킬 때 생기는 회전체를 회전축을 포함하는 평면으로 자른 단면의 넓이는?

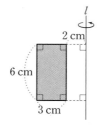

① 18 cm^2 ② 30 cm^2

③ 36 cm^2 ④ $21\pi \text{ cm}^2$

⑤ $25\pi \text{ cm}^2$

09

다음 중 회전체에 대한 설명으로 옳지 <u>않은</u> 것은?

① 구를 평면으로 자른 단면은 원이다.

② 원뿔을 회전축을 포함하는 평면으로 자를 때 생기는 단면은 모두 합동인 삼각형이다.

③ 원뿔을 회전축에 수직인 평면으로 자른 단면은 원이다.

④ 원뿔대의 두 밑면은 서로 합동인 원이다.

⑤ 회전체를 회전축을 포함하는 평면으로 자른 단면은 회전축에 대하여 선대칭도형이다.

10

오른쪽 그림과 같은 삼각기둥의 겉넓이는?

① 24 cm^2 ② 42 cm^2

③ 60 cm^2 ④ 84 cm^2

⑤ 96 cm^2

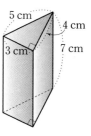

11

다음은 원기둥의 전개도이다. 이 원기둥의 겉넓이는?

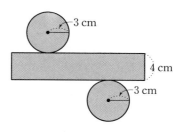

① $39\pi \text{ cm}^2$ ② $40\pi \text{ cm}^2$ ③ $41\pi \text{ cm}^2$

④ $42\pi \text{ cm}^2$ ⑤ $43\pi \text{ cm}^2$

12

서술형

오른쪽 그림과 같은 직사각형을 직선 l을 축으로 하여 1회전 시킬 때 생기는 회전체의 부피를 구하여라.

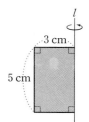

13

오른쪽 그림과 같이 밑면이 부채꼴인 입체
도형의 겉넓이는?

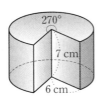

① $(54\pi + 84)$ cm²
② $(90\pi + 42)$ cm²
③ $(90\pi + 84)$ cm²
④ $(117\pi + 42)$ cm²
⑤ $(117\pi + 84)$ cm²

14

오른쪽 그림과 같이 가운데가 뚫린 입
체도형의 부피는?

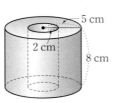

① 48π cm³   ② 72π cm³
③ 120π cm³   ④ 168π cm³
⑤ 200π cm³

15

오른쪽 그림은 원뿔의 전개도이다.
이 전개도로 만들 수 있는 원뿔의 겉
넓이를 구하여라.

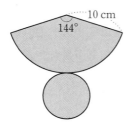

16

서술형

오른쪽 그림과 같은 원뿔의 겉넓이와 부
피를 각각 구하여라.

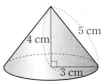

17

오른쪽 그림과 같은 직육면체 모양의
그릇에 들어 있는 물의 양은? (단, 그
릇의 두께는 생각하지 않는다.)

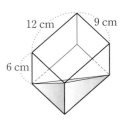

① 54 cm³   ② 72 cm³
③ 108 cm³   ④ 216 cm³
⑤ 324 cm³

18

서술형

다음 그림과 같이 밑면인 원의 반지름의 길이가 6 cm, 높이가
20 cm인 원뿔 모양의 그릇에 물을 가득 채워서 밑면인 원의
반지름의 길이가 10 cm인 원기둥 모양의 그릇에 옮겨 담았다.
원기둥에 채워진 물의 높이를 구하여라. (단, 그릇의 두께는 생
각하지 않는다.)

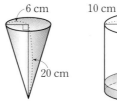
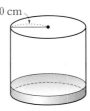

19

오른쪽 그림과 같은 사각뿔대의
부피는?

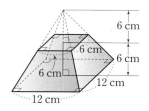

① 288 cm³   ② 488 cm³

③ 504 cm³   ④ 612 cm³

⑤ 1512 cm³

20

오른쪽 그림과 같은 평면도형을 직선 l을
축으로 하여 1회전 시킬 때 생기는 회전
체의 겉넓이를 구하여라.

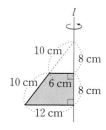

21

오른쪽 그림과 같이 반지름의 길이가
4 cm인 반구의 겉넓이는?

① 32π cm²   ② 36π cm²

③ 40π cm²   ④ 46π cm²

⑤ 48π cm²

22

겉넓이가 36π cm²인 구의 부피는?

① $\dfrac{32}{3}\pi$ cm³   ② $\dfrac{37}{3}\pi$ cm³   ③ $\dfrac{41}{3}\pi$ cm³

④ 36π cm³   ⑤ 42π cm³

23

다음 그림과 같이 반지름의 길이가 6 cm인 구 모양의 쇳덩이
를 녹여서 밑면인 원의 반지름의 길이가 3 cm이고 높이가
4 cm인 원뿔 모양의 쇳덩이를 만들려고 한다. 원뿔 모양의 쇳
덩이를 최대 몇 개까지 만들 수 있는가?

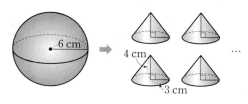

① 12개   ② 24개   ③ 28개

④ 32개   ⑤ 36개

24

오른쪽 그림과 같은 평면도형을 직선 l을
축으로 하여 1회전 시킬 때 생기는 회전체
의 부피는?

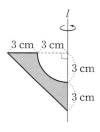

① 32π cm³   ② 36π cm³

③ 42π cm³   ④ 54π cm³

⑤ 60π cm³

25

서술형

오른쪽 그림과 같이 원기둥에 꼭 맞게 들어 있
는 구와 원뿔이 있다. 원기둥의 부피가
6π cm³일 때, 다음 물음에 답하여라.

(1) 원뿔, 구, 원기둥의 부피의 비를 가장 간
단한 자연수의 비로 나타내어라.

(2) 구와 원뿔의 부피를 각각 구하여라.

01

아래는 호성이네 반 학생들의 국어 성적을 조사하여 나타낸 줄기와 잎 그림이다. 다음 중 옳지 <u>않은</u> 것은?

(6 | 2는 62점)

줄기	잎						
6	2	3	8	8			
7	0	1	1	3	4	6	9
8	2	3	3	5	7	9	
9	1	6	7				

① 잎이 가장 많은 줄기는 7이다.

② 호성이네 반 학생은 모두 20명이다.

③ 가장 높은 점수를 받은 학생의 점수는 97점이다.

④ 국어 성적이 70점 미만인 학생은 전체의 15 %이다.

⑤ 호성이의 점수가 85점일 때, 호성이보다 점수가 높은 학생은 5명이다.

02

아래는 상국이네 반과 경환이네 반 학생들의 줄넘기 기록을 조사하여 나타낸 줄기와 잎 그림이다. 다음 중 옳지 <u>않은</u> 것은?

(1 | 0은 10회)

잎(상국이네 반)						줄기	잎(경환이네 반)					
				9	1	1	0	4	5	6		
		7	4	0		2	3	4	4	7	8	9
	9	6	3	3	1	3	1	1	2	3	4	
8	5	5	2	1	1	4	5	5	8			
		6	4	3	0	5	2	7				

① 상국이네 반과 경환이네 반의 학생 수는 같다.

② 줄넘기를 가장 많이 한 학생은 경환이네 반에 있다.

③ 기록이 45회인 학생은 모두 4명이다.

④ 줄넘기 기록이 20회 이하인 학생은 전체의 15 %이다.

⑤ 상국이네 반이 경환이네 반보다 줄넘기 기록이 더 좋은 편이다.

03

오른쪽 표는 어느 반 학생들의 일주일 동안의 독서 시간을 조사하여 나타낸 도수분포표이다. 다음 중 옳지 <u>않은</u> 것은?

독서 시간(시간)	학생 수(명)
0이상~ 3미만	8
3 ~ 6	6
6 ~ 9	9
9 ~12	A
12 ~15	2
합계	30

① A의 값은 5이다.

② 계급의 크기는 3시간이다.

③ 도수가 가장 큰 계급은 12시간 이상 15시간 미만이다.

④ 독서 시간이 6시간 이상 9시간 미만인 학생은 전체의 30 %이다.

⑤ 독서 시간이 긴 쪽에서 5번째인 학생이 속하는 계급은 9시간 이상 12시간 미만이다.

04

오른쪽 그림은 주영이네 반 학생들의 영어 성적을 조사하여 나타낸 히스토그램이다. 다음 중 히스토그램에서 알 수 <u>없는</u> 것은?

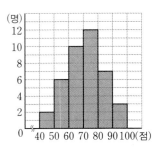

① 도수의 총합

② 각 계급의 도수

③ 계급의 크기

④ 영어 성적의 분포 상태

⑤ 최고 점수

05

오른쪽 그림은 지용이네 반 학생들의 몸무게를 조사하여 나타낸 히스토그램이다. 몸무게가 무거운 쪽에서 30 % 안에 들려면 적어도 몇 kg 이상이어야 하는지 구하여라.

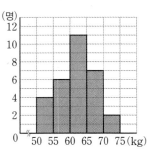

06

오른쪽 그림은 해나네 반 학생 30명의 공 던지기 기록을 조사하여 나타낸 히스토그램인데 일부가 찢어져 보이지 않는다. 기록이 15 m 미만인 학생이 전체의 60 %일 때, 기록이 10 m 이상 15 m 미만인 학생 수는?

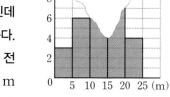

① 5명   ② 6명   ③ 7명
④ 8명   ⑤ 9명

07

오른쪽 그림은 어느 반 학생들의 수면 시간을 조사하여 나타낸 도수분포다각형이다. 도수분포다각형과 가로축으로 둘러싸인 부분의 넓이를 구하여라.

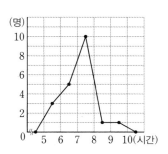

08

서술형

오른쪽 그림은 경일이네 반 학생 40명의 지난 1년간의 저축액을 조사하여 나타낸 도수분포다각형인데 일부가 찢어져 보이지 않는다. 저축액이 8만 원 미만인 학생이 전체의 45 %일 때, 저축액이 8만 원 이상 10만 원 미만인 학생 수를 구하여라.

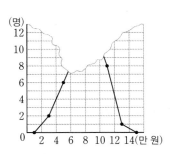

09

오른쪽 그림은 어느 중학교 1학년 1반과 2반 학생들의 과학 성적을 조사하여 나타낸 도수분포다각형이다. 다음 중 옳지 않은 것을 모두 고르면? (정답 2개)

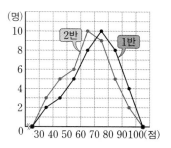

① 1반의 학생 수와 2반의 학생 수는 같다.
② 1반에서 도수가 가장 큰 계급은 70점 이상 80점 미만이다.
③ 성적이 70점 이상인 학생은 1반이 2반보다 더 많다.
④ 성적이 가장 낮은 학생은 2반에 있다.
⑤ 2반 학생들의 성적이 1반 학생들의 성적보다 더 좋은 편이다.

10

아래 표는 어느 온라인 학습 사이트를 이용하는 중학생들이 지난 일주일 동안 이 사이트에서 온라인 학습을 한 시간을 조사하여 나타낸 상대도수의 분포표이다. 다음 물음에 답하여라.

학습 시간(시간)	학생 수(명)	상대도수
0이상 ~ 1미만	A	0.16
1 ~ 2	12	B
2 ~ 3	20	0.4
3 ~ 4	C	0.14
4 ~ 5	3	0.06
합계	D	E

(1) A, B, C, D, E의 값을 각각 구하여라.

(2) 학습 시간이 0시간 이상 2시간 미만인 학생은 전체의 몇 %인지 구하여라.

11

다음 중 상대도수에 대한 설명으로 옳지 <u>않은</u> 것은?

① 0≤(상대도수)≤1

② 각 계급의 상대도수는 그 계급의 도수에 정비례한다.

③ (어떤 계급의 도수)
  =(도수의 총합)×(그 계급의 상대도수)

④ 상대도수는 도수의 총합이 다른 두 집단의 자료의 분포
  상태를 비교할 때 편리하다.

⑤ 두 집단의 자료에서 어떤 계급의 도수가 같으면 그 계급
  의 상대도수도 같다.

12

오른쪽 그림은 롤러코스터를
타려고 기다린 사람들의 대
기 시간에 대한 상대도수의
분포를 나타낸 그래프이다.
대기 시간이 30분 이상 40분
미만인 사람 수가 40명일 때,
전체 사람 수는?

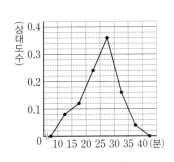

① 50명   ② 100명   ③ 150명

④ 200명   ⑤ 250명

13

오른쪽 그림은 승봉이네
반 학생 25명의 일주일 동
안의 운동 시간에 대한 상
대도수의 분포를 나타낸
그래프인데 일부가 찢어져
보이지 않는다. 운동 시간
이 6시간 이상 7시간 미만
인 학생 수는?

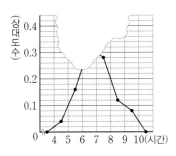

① 6명   ② 7명   ③ 8명

④ 9명   ⑤ 10명

14

서술형

아래는 A 마을 주민 100명과 B 마을 주민 200명의 나이를 조
사하여 상대도수의 분포표로 나타낸 것이다. 다음 물음에 답하
여라.

나이(세)	A 마을		B 마을	
	주민 수(명)	상대도수	주민 수(명)	상대도수
20이상 ~ 30미만	5	0.05	6	0.03
30 ~ 40	7		12	
40 ~ 50	37		64	
50 ~ 60	25		70	
60 ~ 70	26		48	
합계	100		200	

(1) 위의 표의 빈칸을 채워라.

(2) 나이가 40세 이상 50세 미만인 주민의 비율은 어느 마을
  이 더 높은지 구하여라.

15

오른쪽 그림은 A 중학교
와 B 중학교 학생들의 수
학 성적에 대한 상대도수
의 분포를 나타낸 그래프
이다. 다음 중 옳지 <u>않은</u> 것
을 모두 고르면? (정답 2개)

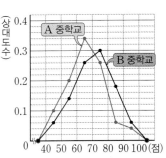

① B 중학교 학생들이 A
  중학교 학생들보다 수학 성적이 더 좋은 편이다.

② B 중학교에서는 수학 성적이 70점 이상 80점 미만인 학
  생의 비율이 가장 높다.

③ 수학 성적이 가장 좋은 학생은 B 중학교에 있다.

④ 수학 성적이 80점 이상인 학생의 비율은 A 중학교가 B
  중학교보다 높다.

⑤ 각 중학교의 상대도수의 분포를 나타낸 그래프와 가로축
  으로 둘러싸인 부분의 넓이는 서로 같다.

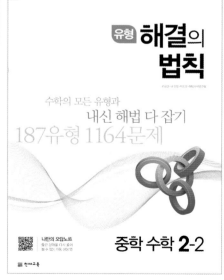

피곤한 눈을 맑고 개운하게! 눈 스트레칭

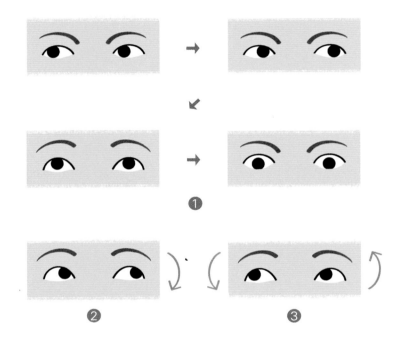

눈이 피곤하면 집중력도 떨어지고, 심한 경우 두통이 생기기도 합니다.
꾸준한 눈 스트레칭으로 눈의 피로를 꼭 풀어 주세요. 눈 스트레칭을 할 때 목은
고정하고 눈동자만 움직여야 효과가 좋아진다는 것! 잊지 마세요.

❶ 눈동자를 다음과 같은 순서로 움직여 보세요. 한 방향당 10초간 머물러야 합니다.

　　왼쪽 ➜ 오른쪽 ➜ 위쪽 ➜ 아래쪽

❷ 눈동자를 시계 방향으로 한 바퀴 돌려 주세요.

❸ 눈동자를 시계 반대 방향으로 한 바퀴 돌려 주세요.

　　※ 스트레칭 후에도 눈에 피곤함이 남아 있다면, 2~3회 반복해 주세요.

천재교육

개념 해결의
법칙

정답과 해설

중학
수학 1-2

1 기본 도형

1 점, 선, 면

1 (1) 교점 : 4개, 교선 : 없다. (2) 교점 : 4개, 교선 : 6개
2 (1) ≠ (2) = (3) ≠ (4) = (5) = (6) ≠
3 (1) 8 cm (2) 7 cm
4 (1) 5 cm (2) 5 cm

1-1 (1) ○ (2) × (3) ○ (4) × **연구** (2) 교점 (4) 곡선
1-2 (1) ○ (2) × (3) × (4) ×
2-1 ㉠, ㉢, ㉣
2-2 (1) ㉡, ㉥ (2) ㉢ (3) ㉣
3-1 (1) 6 cm (2) 3 cm (3) 9 cm **연구** (1) $\dfrac{1}{2}$, 6
3-2 (1) 2 (2) 4 (3) 3

1-2 5 **2-2** ④ **3-2** 8 **4-2** ⑤
5-2 (1) 8 cm (2) 4 cm (3) 12 cm **6-2** 12 cm

01 24 **02** ②, ③ **03** 10 **04** 15 cm
05 16 cm **06** 15 cm

2 각

1 ㉠, ㉢, ㉣, ㉥
2 (1) ∠DOE (2) ∠EOF (3) ∠FOB
3 (1) ⊥, 수선 (2) $\overline{CO}$ (3) 수선의 발

1-1 45° **연구** 180°, 180°, 45°
1-2 (1) 105° (2) 80°
2-1 (1) 60° (2) 55° **연구** (1) 70° (2) 130°
2-2 (1) 15° (2) 35°
3-1 (1) $\overline{AB}$ (2) 점 B (3) 4 cm **연구** (3) $\overline{AB}$
3-2 ㉠, ㉡

1-2 (1) 30° (2) 25° **2-2** 60° **3-2** 12°
4-2 (1) 25° (2) 35° **5-2** 16° **6-2** 70°
7-2 12쌍 **8-2** ③, ④

01 ① **02** 50° **03** 45° **04** 100°
05 42° **06** (1) 70° (2) 52° **07** ①
08 ∠x=17°, ∠y=22° **09** ④ **10** ④
11 ⑤

2 위치 관계

1 위치 관계

개념 확인 ——————————————————— 28쪽~31쪽

1 (1) $\overline{AD}$, $\overline{BC}$ (2) $\overline{AB} /\!/ \overline{DC}$

2 (1) $\overline{AB}$, $\overline{AD}$, $\overline{EF}$, $\overline{EH}$ (2) $\overline{BF}$, $\overline{CG}$, $\overline{DH}$
  (3) $\overline{BC}$, $\overline{CD}$, $\overline{FG}$, $\overline{GH}$

3 (1) 면 BFGC, 면 AEHD (2) 면 ABFE, 면 EFGH
  (3) 면 ABCD, 면 CGHD

4 (1) 면 ABCD, 면 BFGC, 면 EFGH, 면 AEHD
  (2) 면 ABCD, 면 BFGC, 면 EFGH, 면 AEHD
  (3) 면 ABFE

STEP 1 기초 개념 드릴 ————————————————— 32쪽

1-1 (1) × (2) × (3) ○ (4) ○
1-2 (1) $\overleftrightarrow{CD}$, $\overleftrightarrow{EF}$ (2) $\overleftrightarrow{AE}$, $\overleftrightarrow{BF}$ (3) 평행하다. (4) 평행하다.
2-1 (1) $\overline{AC}$, $\overline{AD}$, $\overline{BC}$, $\overline{BE}$ (2) $\overline{DE}$ (3) $\overline{CF}$, $\overline{DF}$, $\overline{EF}$
  연구 (3) 평행
2-2 (1) $\overline{CD}$, $\overline{EF}$, $\overline{GH}$ (2) $\overline{AD}$, $\overline{AE}$, $\overline{BC}$, $\overline{BF}$
  (3) $\overline{CG}$, $\overline{DH}$, $\overline{EH}$, $\overline{FG}$
3-1 (1) 면 ABC (2) 면 ABC, 면 DEF (3) 면 DEF
3-2 (1) 면 BFGC, 면 EFGH (2) 면 BFGC
  (3) 면 ABCD, 면 EFGH

STEP 2 대표 유형으로 개념 잡기 ————————————— 33쪽~36쪽

1-2 ⑤ **2-2** ④ **3-2** 4
4-2 (1) 4 (2) 4 (3) 6
5-2 (1) 면 ABCDEF, 면 CIJD
  (2) 면 ABCDEF, 면 GHIJKL
  (3) $\overline{AG}$, $\overline{GL}$, $\overline{FL}$, $\overline{AF}$, $\overline{BH}$, $\overline{EK}$
  (4) $\overline{AG}$, $\overline{BH}$, $\overline{CI}$, $\overline{DJ}$, $\overline{EK}$, $\overline{FL}$
6-2 4 **7-2** (1) × (2) × (3) ○ (4) × (5) ○
7-3 ④

도형 집중 연습 ——————————————————————— 37쪽

1 (1) $\overline{BC}$, $\overline{AE}$ (2) 면 AEHD (3) 면 CGHD (4) $\overline{BF}$
  (5) $\overline{GH}$, $\overline{EH}$ (6) $\overline{CG}$ (7) $\overline{DH}$, $\overline{GH}$ (8) 면 EFGH
  (9) $\overline{DH}$ (10) 면 ABCD

STEP 3 개념 뛰어넘기 ———————————————————— 38쪽~39쪽

01 ③ **02** ③ **03** ④ **04** 5
05 ④ **06** ④ **07** ⑤ **08** ④
09 (1) 꼬인 위치에 있다. (2) $\overline{AC}$, $\overline{DG}$, $\overline{EF}$ (3) 4
10 ㉠

3 평행선의 성질

1 평행선의 성질

개념 확인 —————————— 42쪽~44쪽

1 (1) $125°$ (2) $125°$ (3) $70°$ (4) $110°$
2 (1) $\angle x=82°$, $\angle y=55°$ (2) $\angle x=125°$, $\angle y=100°$
  (3) $\angle x=105°$, $\angle y=66°$
3 (1) ◯ (2) × (3) × (4) ◯

STEP 1 기초 개념 드릴 —————————— 45쪽

1-1 (1) ◯ (2) × (3) ◯ (4) × 연구 (4) 평행
1-2 (1) $120°$ (2) $60°$ (3) $120°$ (4) $60°$
2-1 (1) 동위각, $\angle a=70°$, $\angle b=110°$
  (2) 엇각, $\angle a=50°$, $\angle b=130°$
  연구 (1) $70°$, $70°$, $110°$
2-2 (1) $\angle a=55°$, $\angle b=125°$ (2) $\angle a=117°$, $\angle b=63°$
3-1 120, 같다, 평행하다
3-2 46, 다르다, 평행하지 않다

STEP 2 대표 유형으로 개념 잡기 —————————— 46쪽~50쪽

1-2 ⑤
2-2 (1) $\angle x=60°$, $\angle y=70°$ (2) $\angle x=50°$, $\angle y=130°$
3-2 ④   **4-2** $\angle x=60°$, $\angle y=50°$
5-2 (1) $55°$ (2) $85°$ **6-2** (1) $80°$ (2) $20°$
7-2 (1) $65°$ (2) $75°$ **8-2** $108°$
9-2 $20°$ **10-2** $38°$

STEP 3 개념 뛰어넘기 —————————— 51쪽~53쪽

01 ⑤   **02** (1) $\angle e$, $\angle l$ (2) $\angle h$ (3) $\angle e$, $\angle l$
03 $175°$ **04** $55°$ **05** $110°$ **06** $106°$
07 ⑤   **08** ③   **09** $40°$ **10** ②
11 ⑤   **12** $119°$ **13** $20°$ **14** $90°$
15 $49°$ **16** $103°$ **17** $46°$

4 작도와 합동

1 간단한 도형의 작도

개념 확인 —————————— 56쪽~58쪽

1
2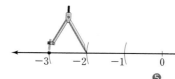
3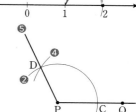
4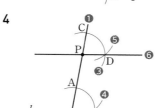

STEP 1 기초 개념 드릴 —————————— 59쪽

1-1 (1) 컴퍼스 (2) 눈금 없는 자 (3) 컴퍼스
1-2 (1) ◯ (2) × (3) ×
2-1 C, $\overline{AB}$, C, $\overline{AB}$, D   **2-2** ㉢, ㉠, ㉣, ㉡
3-1 ㉤, ㉠, ㉥, ㉢, ㉣   **3-2** ㉠, ㉡, ㉥, ㉣

STEP 2 대표 유형으로 개념 잡기 ——————— 60쪽

1-2 (1) ㉠ → ㉢ → ㉡ → ㉣ → ㉤

(2) ∠APB=∠DQC (동위각)이므로 $\overrightarrow{PA} /\!/ \overrightarrow{QD}$

2-2 ④

STEP 3 개념 뛰어넘기 ——————— 61쪽

01 ⑤   **02** ③

03 (1) $\overline{AC}, \overline{PQ}, \overline{PR}$ (2) ∠BAC   **04** ㉢, ㉤

2 삼각형의 작도

개념 확인 ——————— 62쪽~65쪽

1 (1) $\overline{BC}$ (2) $\overline{AC}$ (3) ∠C (4) ∠B

2

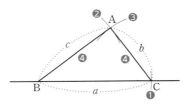

3

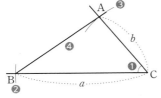

4

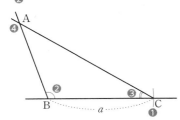

STEP 1 기초 개념 드릴 ——————— 66쪽

1-1 (1)

	세 변의 길이	가장 긴 변의 길이	등호/부등호	나머지 두 변의 길이의 합
예	1, 2, 2	2	<	1+2=3
㉠	3, 4, 5	5	<	3+4=7
㉡	2, 3, 6	6	>	2+3=5
㉢	6, 6, 6	6	<	6+6=12
㉣	5, 5, 10	10	=	5+5=10

(2) ㉡, ㉣ **연구** (2) <

1-2 (1) × (2) × (3) ○   **2-1** ㉠

2-2 ㉡ → ㉠ → ㉢   **2-3** ㉂, ㉡, ㉢, ㉣

STEP 2 대표 유형으로 개념 잡기 ——————— 67쪽~68쪽

1-2 ④   **1-3** ②, ③   **2-2** ⑤   **3-2** ②, ④

4-2 ①, ③

STEP 3 개념 뛰어넘기 ——————— 69쪽

01 ⑤   **02** 7개   **03** ⑤   **04** 3개

05 ③   **06** ①, ④

3 삼각형의 합동

개념 확인 ——————— 70쪽~71쪽

1 (1) 7 cm (2) 53°

2 ㉢

STEP 1 기초 개념 드릴 ——————— 72쪽

1-1 (1) F (2) $\overline{DE}$ (3) ∠D (4) ≡

연구 (2) $\overline{DE}, \overline{AC}$ (3) ∠D, ∠C

1-2 (1) ○ (2) × (3) ○ (4) ○

2-1 (1) △ABC≡△FDE(SSS 합동)

(2) △ABC≡△EDF(ASA 합동)

(3) △ABC≡△DFE(SAS 합동)

2-2 ③

1-2 95°　　**2-2** ④　　**3-2** ②, ④　　**4-2** $\overline{AC}$, SSS

5-2 $\overline{OB}$, $\overline{OD}$, ∠BOD, SAS　**6-2** ④

7-2 △BCE, SAS 합동

7-3 (가) $\overline{DB}$ (나) $\overline{BC}$ (다) 60° (라) SAS

8-2 △DCM, SAS 합동

8-3 (1) △DCG, SAS 합동 (2) 10 cm

01 ④, ⑤　　**02** ①　　**03** ④　　**04** ③

05 ③　　**06** ③　　**07** 8 km　　**08** ④

09 ③　　**10** ⑤

---

5 다각형

1 다각형

1　∠C의 외각은 오른쪽 그림의 표시한
　　부분과 같으므로
　　(∠C의 외각의 크기)
　　=180°-60°=120°

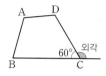

2　(1) 2 (2) 5

1-1 ㉢, ㉤　**연구** 3

1-2 (1) ○ (2) × (3) ○

2-1 (1) 50° (2) 75°　**연구** (1) 180, 50 (2) 180, 75

2-2 (1) 65° (2) 108°

3-1 (1) 9 (2) 20 (3) 54 (4) 90

3-2 (1) 14 (2) 27 (3) 65 (4) 170

1-2 75°

2-2 (1) 네 변의 길이는 모두 같지만 네 내각의 크기가 모두 같
　　　다는 조건이 없으므로 정다각형이 아니다.

　　(2) 네 내각의 크기는 모두 같지만 네 변의 길이가 모두 같
　　　다는 조건이 없으므로 정다각형이 아니다.

3-2 31　　　**3-3** 십각형, 35 **4-2** 칠각형　　**4-3** 13

01 ③, ④　　**02** 215°　　**03** ⑤　　**04** 42

05 정구각형　**06** 28번

2 삼각형의 내각과 외각

개념 확인 ──────────────── 88쪽~89쪽

1 (1) 180, 67 (2) 180, 32
2 (1) 70, 130 (2) 40, 80

STEP 1 기초 개념 드릴 ──────────────── 90쪽

1-1 (1) $55°$ (2) $35°$ **연구** 180 (1) 180 (2) 180
1-2 (1) $58°$ (2) $25°$
2-1 (1) $100°$ (2) $55°$ **연구** 합
2-2 (1) $148°$ (2) $45°$
3-1 ∠ACE, ∠ECD, ∠ACE, ∠ECD, 180
3-2 ∠A, ∠B, ∠A, ∠B

STEP 2 대표 유형으로 개념 잡기 ──────────────── 91쪽~95쪽

1-2 (1) $50°$ (2) $34°$ **2-2** $80°$
3-2 (1) $35°$ (2) $30°$ **4-2** $60°$
5-2 $79°$ **6-2** (1) $140°$ (2) $115°$
7-2 (1) $120°$ (2) $48°$ **8-2** $74°$ **9-2** $50°$
10-2 $60°$

STEP 3 개념 뛰어넘기 ──────────────── 96쪽~97쪽

01 $30°$ **02** $100°$ **03** $20°$ **04** ③
05 $28°$ **06** ①   **07** $130°$ **08** $124°$
09 $75°$ **10** ③   **11** $30°$ **12** $60°$
13 $25°$

3 다각형의 내각과 외각

개념 확인 ──────────────── 98쪽~99쪽

1 (1) $900°$ (2) $1260°$
2 (1) $108°$ (2) $120°$
3 (1) $80°$ (2) $62°$
4 (1) $72°$ (2) $60°$

STEP 1 기초 개념 드릴 ──────────────── 100쪽

1-1 (1) $85°$ (2) $75°$ **연구** (1) 2, 360, 360, 85
1-2 (1) $125°$ (2) $130°$
2-1 (1) $108°$ (2) $60°$ **연구** 360
2-2 (1) $92°$ (2) $44°$
3-1 (1) $360°$ (2) $45°$ (3) $135°$ **연구** (2) n
3-2 (1) $360°$ (2) $36°$ (3) $144°$

STEP 2 대표 유형으로 개념 잡기 ──────────────── 101쪽~104쪽

1-2 오각형   **1-3** 8   **2-2** $100°$
3-2 (1) $75°$ (2) $95°$ **4-2** $105°$ **5-2** $25°$
5-3 $425°$ **6-2** (1) 정십각형 (2) 정십이각형 (3) $60°$
7-2 정구각형   **7-3** 정팔각형
8-2 (1) $120°$ (2) $30°$ (3) $90°$ (4) $120°$

STEP 3 개념 뛰어넘기 ──────────────── 105쪽~107쪽

01 ㉠ 5 ㉡ 6 ㉢ 1080   **02** ②   **03** $110°$
04 ⑤   **05** ㉠ $180° × n$ ㉡ 360   **06** $55°$
07 $100°$ **08** $80°$ **09** $465°$ **10** ②
11 (1) 정십사각형 (2) 77 (3) 2160°
12 (1) 정구각형 (2) 1260°   **13** 24°
14 정십팔각형 **15** 1번, 3번, 6번   **16** ④
17 ②

6 원과 부채꼴

1 원과 부채꼴

1 (1) ㉠ (2) ㉣ (3) ㉤ (4) ㉡ (5) ㉢

2 (1) 4 (2) 90 (3) 5

STEP 1 기초 개념 드릴 ──────── 112쪽

1-1 (1)

1-2 (1)

2-1 (1) 3 (2) 45 (3) 8 (4) 105

연구 (1), (2) 정 (3), (4) 중심각, 정

2-2 (1) 8 (2) 120 (3) 24 (4) 140

STEP 2 대표 유형으로 개념 잡기 ──────── 113쪽~115쪽

1-2 (1) 5 (2) 3   **2-2** $144°$ **3-2** 20 cm

4-2 6 cm   **5-2** 12 cm^2 **5-3** 8 cm^2 **6-2** ③

STEP 3 개념 뛰어넘기 ──────── 116쪽~118쪽

01 ⑤   **02** ④   **03** ④   **04** ⑤

05 ③   **06** ②   **07** 9π cm   **08** ①

09 ④   **10** ④   **11** 6 cm   **12** $40°$

13 ②   **14** ②   **15** 8 cm^2

16 태인 : 24 cm^2, 준호 : 18 cm^2

---

2 부채꼴의 호의 길이와 넓이

1 (1) $l=10\pi$ cm, $S=25\pi$ cm^2

     (2) $l=16\pi$ cm, $S=64\pi$ cm^2

2 (1) 호의 길이 : 2π cm, 넓이 : 6π cm^2

     (2) 63 cm^2

STEP 1 기초 개념 드릴 ──────── 121쪽

1-1 (1) $l=18\pi$ cm, $S=81\pi$ cm^2

     (2) $l=22\pi$ cm, $S=121\pi$ cm^2 연구 $2\pi r$, πr^2

1-2 (1) $l=12\pi$ cm, $S=36\pi$ cm^2

     (2) $l=10\pi$ cm, $S=25\pi$ cm^2

2-1 (1) 6π cm (2) 24π cm^2 연구 x, πr^2

2-2 (1) $l=\pi$ cm, $S=2\pi$ cm^2

     (2) $l=12\pi$ cm, $S=54\pi$ cm^2

3-1 (1) $(3\pi+16)$ cm (2) 12π cm^2 연구 $\frac{1}{2}rl$

3-2 둘레의 길이 : $(6\pi+18)$ cm, 넓이 : 27π cm^2

STEP 2 대표 유형으로 개념 잡기 ──────── 122쪽~126쪽

1-2 (1) 100π cm^2 (2) 16 cm

2-2 (1) $40°$ (2) $90°$ (3) 6 cm

3-2 (1) 120π cm^2 (2) 8π cm

4-2 둘레의 길이 : 20π cm, 넓이 : 12π cm^2

5-2 둘레의 길이 : $(9\pi+8)$ cm, 넓이 : 18π cm^2

6-2 둘레의 길이 : $(8\pi+8)$ cm, 넓이 : 8π cm^2

7-2 (1) $(6\pi+24)$ cm (2) $(72-18\pi)$ cm^2

8-2 (1) $(8\pi+8)$ cm (2) 32 cm^2

9-2 $(18\pi-36)$ cm^2 **10-2** 6 cm^2

01 둘레의 길이 : 30π cm, 넓이 : 225π cm^2

02 10π　　**03** 30π cm^2　**04** 27π cm^2

05 지안　　**06** $135°$　　**07** 9 cm　　**08** ⑤

09 둘레의 길이 : 10π cm, 넓이 : 15π cm^2

10 둘레의 길이 : 20π cm, 넓이 : 24π cm^2

11 둘레의 길이 : $\left(\dfrac{10}{3}\pi+4\right)$ cm, 넓이 : $\dfrac{10}{3}\pi$ cm^2

12 둘레의 길이 : $(10\pi+20)$ cm, 넓이 : $(100-25\pi)$ cm^2

13 ⑤　　　　**14** ③　　　　**15** $(72\pi-144)$ cm^2

16 ①　　　　**17** 18 cm^2

18 (1) $60°$ (2) 4π cm (3) 84π cm^2

7 다면체와 회전체

1 다면체

1 (1) 칠면체, 꼭짓점의 개수 : 10, 모서리의 개수 : 15

　　(2) 오면체, 꼭짓점의 개수 : 5, 모서리의 개수 : 8

2

	삼각기둥	삼각뿔	삼각뿔대
밑면의 모양	삼각형	삼각형	삼각형
옆면의 모양	직사각형	삼각형	사다리꼴
면의 개수	5	4	5
꼭짓점의 개수	6	4	6
모서리의 개수	9	6	9

3 ㉠ 4 ㉡ 4 ㉢ 3 ㉣ 면

4 정사면체

1-1 (1) 팔면체 (2) 칠면체

1-2 ㉡, ㉣, ㉤

2-1 (1) ◯ (2) ◯ (3) × (4) ◯

2-2

	오각기둥	오각뿔	오각뿔대
밑면의 모양	오각형	오각형	오각형
옆면의 모양	직사각형	삼각형	사다리꼴
면의 개수	7	6	7
꼭짓점의 개수	10	6	10
모서리의 개수	15	10	15

3-1 (1) ◯ (2) × (3) × (4) × 연구 정육면체, 정십이면체

3-2

	정사면체	정육면체	정팔면체	정십이면체	정이십면체
면의 모양	정삼각형	정사각형	정삼각형	정오각형	정삼각형
한 꼭짓점에 모인 면의 개수	3	3	4	3	5
꼭짓점의 개수	4	8	6	20	12
모서리의 개수	6	12	12	30	30

1-2 ①   1-3 ⑤   2-2 ④, ⑤   3-2 ⑤
4-2 사각뿔대   5-2 ⑤
6-2 (1) 정육면체 (2) 점 K (3) $\overline{JI}$

01 ⑤   02 ⑤   03 23   04 ②
05 ④   06 ③   07 육각뿔대 08 ③
09 ①   10 ⑤   11 ③, ④   12 ①

2 회전체

개념 확인 ———— 142쪽~143쪽

1 (1)   (2)

2
	구	원뿔대	원뿔	원기둥
회전축에 수직인 평면	원	원	원	원
회전축을 포함하는 평면	원	사다리꼴	이등변 삼각형	직사각형

1-1 ㄷ, ㄹ, ㅂ [연구] 회전체   1-2 ㄱ, ㄴ, ㄹ
2-1 (1)   (2)

2-2 (1)   (2)

3-1

(1) 원 (2) 사다리꼴
3-2

1-2 ④   2-2 원기둥   3-2 48 cm²   4-2 ⑤

01 ㄱ, ㄹ, ㅂ   02 ①   03 9π cm²   04 12 cm²
05 ㄱ, ㄴ, ㄷ   06 ①, ③

8 입체도형의 겉넓이와 부피

1 기둥의 겉넓이와 부피

개념 확인 150쪽~152쪽

1 (1) 10, 10, 6 ① 24 cm² ② 240 cm² ③ 288 cm²
  (2) 20, 5, 4, 6 ① 24 cm² ② 100 cm² ③ 148 cm²
2 5, 10π, 9 ① 25π cm² ② 90π cm² ③ 140π cm²
3 (1) ① 24 cm² ② 6 cm ③ 144 cm³
  (2) ① 16π cm² ② 5 cm ③ 80π cm³

STEP 1 기초 개념 드릴 154쪽

1-1 (1) 166 cm² (2) 84 cm² **연구** 2
1-2 (1) 132 cm² (2) 272 cm²
2-1

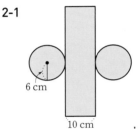

, 192π cm² **연구** $2\pi rh$

2-2

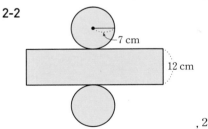

, 266π cm²

3-1 (1) 120 cm³ (2) 54π cm³
3-2 (1) 630 cm³ (2) 960π cm³

STEP 2 대표 유형으로 개념 잡기 155쪽~157쪽

1-2 (1) 겉넓이 : 480 cm², 부피 : 420 cm³
  (2) 겉넓이 : 246 cm², 부피 : 240 cm³
2-2 겉넓이 : 28π cm², 부피 : 20π cm³
3-2 겉넓이 : 268 cm², 부피 : 240 cm³

4-2 (1) 겉넓이 : (7π+24) cm², 부피 : 6π cm³
  (2) 겉넓이 : (100π+100) cm², 부피 : $\frac{500}{3}\pi$ cm³
5-2 겉넓이 : 280π cm², 부피 : 400π cm³
6-2 겉넓이 : 242π cm², 부피 : 264π cm³

STEP 3 개념 뛰어넘기 158쪽~159쪽

01 (1) (2) 94 cm²

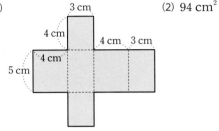

02 8   03 980π cm³   04 252 cm³   05 120π cm²
06 $\frac{175}{2}$ cm³   07 ④   08 ⑤
09 겉넓이 : (252π+216) cm², 부피 : 648π cm³
10 ④   11 (1) 442π cm² (2) 780π cm³
12 135π cm³

2 뿔의 겉넓이와 부피

개념 확인 160쪽~162쪽

1 6, 3, 3 ① 9 cm² ② 36 cm² ③ 45 cm²
2 10, 8π, 4 ① 16π cm² ② 40π cm² ③ 56π cm²
3 (1) ① 16 cm² ② 6 cm ③ 32 cm³
  (2) ① 4π cm² ② 6 cm ③ 8π cm³

STEP 1 기초 개념 드릴 163쪽

1-1 (1) 36 cm² (2) 96 cm² (3) 132 cm²
1-2 (1) 25 cm² (2) 70 cm² (3) 95 cm²
2-1 15, 5, 겉넓이 : 100π cm² **연구** $\pi r l$
2-2 (1) 49π cm² (2) 84π cm² (3) 133π cm²
3-1 (1) 70 cm³ (2) 120π cm³ **연구** $\frac{1}{3}$
3-2 (1) 30 cm³ (2) 48π cm³

1-2 88 cm^2 **1-3** 5 **2-2** 6 cm **3-2** $150°$

4-2 $117\pi \text{ cm}^2$ **4-3** 80 cm^2

5-2 (1) 40 cm^3 (2) $75\pi \text{ cm}^3$ **5-3** 6 cm

6-2 (1) 18 cm^2 (2) 6 cm (3) 36 cm^3

7-2 $\dfrac{560}{3}\pi \text{ cm}^3$ **8-2** $112\pi \text{ cm}^3$

01 125 cm^2 **02** 10 cm **03** ④ **04** ⑤

05 (1) 336 cm^3 (2) 112 cm^3 (3) $3 : 1$

06 겉넓이 : $90\pi \text{ cm}^2$, 부피 : $100\pi \text{ cm}^3$

07 594 cm^3 **08** 15번 **09** 4 **10** 276 cm^3

11 $256\pi \text{ cm}^2$ **12** $84\pi \text{ cm}^3$ **13** $28\pi \text{ m}^3$

▷3 구의 겉넓이와 부피

개념 확인 —————— 170쪽

1 (1) $6, 4, 6, 144\pi, 6, 288\pi$
  (2) 겉넓이 : $36\pi \text{ cm}^2$, 부피 : $36\pi \text{ cm}^3$

1-1 (1) 겉넓이 : $100\pi \text{ cm}^2$, 부피 : $\dfrac{500}{3}\pi \text{ cm}^3$
  (2) 겉넓이 : $256\pi \text{ cm}^2$, 부피 : $\dfrac{2048}{3}\pi \text{ cm}^3$

1-2 (1) 겉넓이 : $16\pi \text{ cm}^2$, 부피 : $\dfrac{32}{3}\pi \text{ cm}^3$
  (2) 겉넓이 : $324\pi \text{ cm}^2$, 부피 : $972\pi \text{ cm}^3$

2-1 (1) 3 cm (2) 3 cm 연구 (1) $36\pi, 9, 3$ (2) $36\pi, 27, 3$

2-2 (1) 6 cm (2) 6 cm

3-1 (1) $3, \dfrac{1}{2}, 3, 9\pi, 18\pi, 27\pi$ (2) $\dfrac{1}{2}, 3, 18\pi$

3-2 (1) $192\pi \text{ cm}^2$ (2) $\dfrac{1024}{3}\pi \text{ cm}^3$

1-2 겉넓이 : $45\pi \text{ cm}^2$, 부피 : $45\pi \text{ cm}^3$

2-2 겉넓이 : $153\pi \text{ cm}^2$, 부피 : $252\pi \text{ cm}^3$

3-2 겉넓이 : $112\pi \text{ cm}^2$, 부피 : $\dfrac{512}{3}\pi \text{ cm}^3$

4-2 (1) 원뿔 : $18\pi \text{ cm}^3$, 구 : $36\pi \text{ cm}^3$, 원기둥 : $54\pi \text{ cm}^3$
  (2) $1 : 2 : 3$

01 ㉠, ㉡, ㉣ **02** $144\pi \text{ cm}^3$

03 겉넓이 : $72\pi \text{ cm}^2$, 부피 : $72\pi \text{ cm}^3$ **04** 12

05 $30\pi \text{ cm}^3$ **06** (1) $\dfrac{32000}{3}\pi \text{ cm}^3$ (2) $8892\pi \text{ cm}^3$

⑨ 자료의 정리와 해석

▷1 줄기와 잎 그림, 도수분포표

개념 확인 —————— 178쪽~180쪽

1 동호회 회원들의 나이
(1|0은 10세)

줄기	잎
1	0 2 5 7 7
2	2 2 2 4 6 9
3	0 4 4

(1) 2 (2) 5개

2 (1) 20명 (2) 2개 (3) 5개 (4) 2개 이상 4개 미만

3

나이(세)		회원 수(명)
10이상~15미만	₩₩ /	6
15 ~20	₩₩ ₩₩	10
20 ~25	////	4
25 ~30	///	3
30 ~35	₩₩	5
합계		28

STEP ① 기초 개념 드릴 ────────────── 181쪽

1-1

등교하는 데 걸리는 시간

(0|3은 3분)

줄기	잎
0	3 6 8
1	0 2 5 8 8 8
2	3 4 5 7 8
3	0 3 5 9
4	4 6

1-2 (1)

수학 성적

(6|3은 63점)

줄기	잎
6	3
7	0 5 5 8
8	1 3 5 5 5 7
9	2 4 6

(2) 80점대

2-1 (1)

건수(건)	학생 수(명)
0^{이상}~ 5^{미만}	2
5 ~10	4
10 ~15	6
15 ~20	5
20 ~25	3
25 ~30	4
합계	24

(2) 10건 이상 15건 미만

2-2 (1) 30분 (2) 7명 (3) 120분 이상 150분 미만

STEP ② 대표 유형으로 개념 잡기 ────────────── 182쪽~184쪽

1-2 (1) 3 (2) 50세 (3) 33세 **1-3** ④

2-2 (1) 남학생 : 14명, 여학생 : 16명 (2) 5 (3) 53회 (4) 30 %

2-3 여학생

3-2 (1) 11 (2) 20 cm 이상 21 cm 미만 (3) 4명

3-3 ⑤

STEP ③ 개념 뛰어넘기 ────────────── 185쪽~186쪽

01 ⑤ **02** 40 % **03** ②, ④ **04** ④

05 (1) ㉠ 75~80 ㉡ 85~90 ㉢ 1 ㉣ 4 ㉤ 16

05 (2) 5회 (3) 5개 (4) 70회 이상 75회 미만

06 ③ **07** 4회 이상 6회 미만

08 $A=10, B=6, C=30$

---

2 히스토그램과 도수분포다각형

개념 확인 ────────────── 188쪽, 190쪽

1

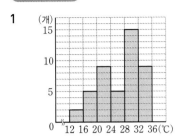

2 (1) 6개 (2) 1초 (3) 8초 이상 9초 미만 (4) 3명 (5) 42명

3

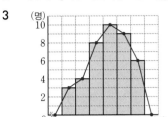

4

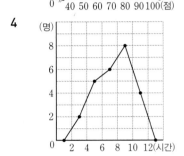

5 (1) 10분 (2) 6개 (3) 50명 (4) 30분 이상 40분 미만

STEP ① 기초 개념 드릴 ────────────── 191쪽

1-1 $A=28, B=8, C=70$ 연구 ① 크기 ② 도수

1-2 (1) 5개 (2) 10점 (3) 25명 (4) 15명 (5) 250

2-1 (1) ○ (2) × (3) ○ (4) ○ (5) ×

2-2 (1) 10분 (2) 40명 (3) 40분 이상 50분 미만 (4) 18명

(5) 400

STEP 2 대표 유형으로 개념 잡기 ───── 192쪽~195쪽

1-2 (1) 40명 (2) 12명 (3) 15 % (4) 4만 원 이상 5만 원 미만

1-3 200

2-2 (1) 계급의 크기 : 5 kg, 계급의 개수 : 6개

   (2) 50 kg 이상 55 kg 미만 (3) 20 % (4) 5명

2-3 300　　　**3-2** 13송이　　**4-2** 10명　　**5-2** 남학생

5-3 20 %

STEP 3 개념 뛰어넘기 ───── 196쪽~197쪽

01 ④　　　**02** ③, ④　　**03** ②　　　**04** 10개

05
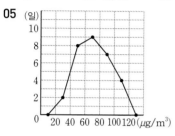

06 ①, ④

07 360　　　**08** (1) 11명 (2) 45 %　　　**09** ①, ④

③ 상대도수

개념 확인 ───── 198쪽~200쪽

1 (1) 5, 50, 0.1 (2) 15, 50, 0.3 (3) 0.2, 10 (4) 1

2 0.25, 0.45, 0.1

봉사 활동 시간 (시간)	도수(명)
12 이상 ~ 16 미만	2
16 ~ 20	10
20 ~ 24	18
24 ~ 28	6
28 ~ 32	4
합계	40

3 수영: 1, 다은: 1, 3

STEP 1 기초 개념 드릴 ───── 201쪽

1-1 상대도수는 차례로 0.1, 0.2, 0.25, 0.35, 0.1, 1

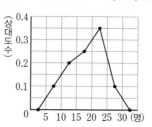

연구 도수의 총합

1-2 $A=0.25, B=8, C=6, D=1$

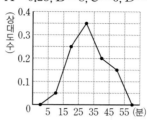

2-1 (1) 6시 40분 이상 7시 미만 (2) 8명　연구 (2) 상대도수

2-2 (1) 35 % (2) 20명

STEP 2 대표 유형으로 개념 잡기 ───── 202쪽~206쪽

1-2 (1) 50개 (2) $A=0.18, B=13, C=8, D=0.16, E=1$

1-2 (3) 24 %

1-3 7개　　　**2-2** 40명　　　**3-2** 16명　　　**4-2** 138명

5-2 (1) 12명 (2) 25 %　　　**6-2** B형, O형　**6-3** 여학생

7-2 (1) × (2) × (3) × (4) ○

7-3 (1) B의 팬클럽 (2) 80명

STEP 3 개념 뛰어넘기 ───── 207쪽~208쪽

01 ⑤

02 (1) ㉠ 0.4 ㉡ 8 ㉢ 40 ㉣ 1 (2) 0.4 (3) 25 %

03 ②　　　**04** 0.125　　**05** ②　　　**06** ③, ④

07 80명　　**08** ③, ⑤　　**09** ⑤

단원 종합 문제

1쪽~5쪽

❶ 기본 도형 ~ ❹ 작도와 합동

01 ③	02 ②	03 4 cm	04 ⑤
05 ①	06 60°	07 ①	08 ③
09 ②	10 4	11 ⑤	12 ④
13 ⑤	14 ⑤	15 ①	16 ②
17 ⑤	18 ①	19 ③	20 ④
21 ②	22 ⑤	23 ③	24 64°
25 ①, ③	26 ③	27 ④	28 ④
29 ②	30 ③	31 ④	

6쪽~9쪽

❺ 다각형 ~ ❻ 원과 부채꼴

01 ④	02 ③	03 72°	04 ③
05 ②	06 96°	07 ③	08 ⑤
09 ④	10 ④	11 ③	12 ④
13 50°	14 ④	15 ①	16 ②
17 ④	18 ③	19 ①	20 ④
21 ④	22 ①		

23 둘레의 길이: 7π cm, 넓이: 3π cm^2 24 ④

25 ①   26 $(2\pi-4)$ cm^2 27 ③

10쪽~13쪽

❼ 다면체와 회전체 ~ ❽ 입체도형의 겉넓이와 부피

01 ④	02 ②	03 ④	04 ③
05 ③	06 ③	07 ①	08 ③
09 ④	10 ⑤	11 ④	12 45π cm^3
13 ⑤	14 ④	15 56π cm^2	

16 겉넓이: 24π cm^2, 부피: 12π cm^3 17 ③

18 $\dfrac{12}{5}$ cm   19 ③   20 360π cm^2

21 ⑤	22 ④	23 ②	24 ④

25 (1) $1:2:3$ (2) 구: 4π cm^3, 원뿔: 2π cm^3

14쪽~16쪽

❾ 자료의 정리와 해석

01 ④	02 ④	03 ③	04 ⑤
05 65 kg	06 ⑤	07 20	08 13명

09 ④, ⑤

10 (1) $A=8, B=0.24, C=7, D=50, E=1$ (2) 40%

11 ⑤	12 ④	13 ③

14 (1)

나이(세)	A 마을		B 마을	
	주민 수 (명)	상대도수	주민 수 (명)	상대도수
20이상 ~ 30미만	5	0.05	6	0.03
30 ~ 40	7	0.07	12	0.06
40 ~ 50	37	0.37	64	0.32
50 ~ 60	25	0.25	70	0.35
60 ~ 70	26	0.26	48	0.24
합계	100	1	200	1

(2) A 마을

15 ③, ④

개념 해결의 법칙 **중학수학 1-2**

정답과 해설

1 점, 선, 면

개념 확인

1. (1) 교점 : 4개, 교선 : 없다. (2) 교점 : 4개, 교선 : 6개

2. (1) $\neq$ (2) $=$ (3) $\neq$ (4) $=$ (5) $=$ (6) $\neq$

3. (1) 8 cm (2) 7 cm

4. (1) 5 cm (2) 5 cm

3 (1) 두 점 A와 C 사이의 거리는 $\overline{AC}$의 길이이므로 8 cm 이다.

(2) 두 점 B와 C 사이의 거리는 $\overline{BC}$의 길이이므로 7 cm 이다.

4 (1) $\overline{AM}=\dfrac{1}{2}\overline{AB}=\dfrac{1}{2}\times10=5\,(cm)$

(2) $\overline{BM}=\dfrac{1}{2}\overline{AB}=\dfrac{1}{2}\times10=5\,(cm)$

STEP 1

1-1. (1) ◯ (2) × (3) ◯ (4) × 연구 (2) 교점 (4) 곡선

1-2. (1) ◯ (2) × (3) × (4) ×

2-1. ㉠, ㉢, ㉣

2-2. (1) ㉡, ㉇ (2) ㉢ (3) ㉣

3-1. (1) 6 cm (2) 3 cm (3) 9 cm 연구 (1) $\dfrac{1}{2}$, 6

3-2. (1) 2 (2) 4 (3) 3

1-2 (2) $\overline{AB}$와 $\overline{BA}$는 서로 같은 선분이다.

(3) 반직선과 직선은 그 길이를 측정할 수 없다.

(4) 두 반직선은 시작점과 방향이 모두 같아야 같은 반직선 이다.

2-2 (2) $\overrightarrow{AB}$와 같이 시작점이 점 A이고 점 B의 방향으로 뻗은 반직선을 찾으면 $\overrightarrow{AC}$이다.

3-1 (2) $\overline{NM}=\dfrac{1}{2}\overline{AM}=\dfrac{1}{2}\times6=3\,(cm)$

---

(3) $\overline{NB}=\overline{NM}+\overline{MB}=3+6=9\,(cm)$

3-2 (1) 점 N은 $\overline{MB}$의 중점이므로
$$\overline{MB}=2\overline{MN}$$

(2) 점 M은 $\overline{AB}$의 중점이므로
$$\overline{AB}=2\overline{MB}=2\times2\overline{MN}=4\overline{MN}$$

(3) $\overline{AN}=\overline{AM}+\overline{MN}=2\overline{MN}+\overline{MN}=3\overline{MN}$
이때 $\overline{MN}=\overline{NB}$이므로
$$\overline{AN}=3\overline{MN}=3\overline{NB}$$

STEP 2

1-2. 5   **2-2.** ④

3-2. 8   **4-2.** ⑤

5-2. (1) 8 cm (2) 4 cm (3) 12 cm

6-2. 12 cm

1-2 오각기둥에서 교점의 개수는 꼭짓점의 개수와 같으므로 10 이다.
∴ $a=10$
교선의 개수는 모서리의 개수와 같으므로 15이다.
∴ $b=15$
∴ $b-a=15-10=5$

2-2 $\overrightarrow{BC}$와 같이 시작점이 점 B이고 점 C의 방향으로 뻗은 반직선을 찾으면 $\overrightarrow{BD}$이다.

3-2 직선은 $\overleftrightarrow{AB}$의 1개이므로 $x=1$
반직선은 $\overrightarrow{AB}$, $\overrightarrow{BA}$, $\overrightarrow{BC}$, $\overrightarrow{CB}$의 4개이므로 $y=4$
선분은 $\overline{AB}$, $\overline{AC}$, $\overline{BC}$의 3개이므로 $z=3$
∴ $x+y+z=1+4+3=8$

4-2 점 M, N은 $\overline{AB}$의 삼등분점이므로
$$\overline{AM}=\overline{MN}=\overline{NB}=\dfrac{1}{3}\overline{AB}$$
점 P는 $\overline{MN}$의 중점이므로
$$\overline{MP}=\overline{PN}=\dfrac{1}{2}\overline{MN}$$
② $\overline{AP}=\overline{AM}+\overline{MP}=\dfrac{1}{3}\overline{AB}+\dfrac{1}{2}\overline{MN}$
$$=\dfrac{1}{3}\overline{AB}+\dfrac{1}{2}\times\dfrac{1}{3}\overline{AB}$$
$$=\dfrac{1}{2}\overline{AB}$$

④ $\overline{AN}=2\overline{MN}=2\times2\overline{MP}=4\overline{MP}$

⑤ $\overline{AP}=3\overline{MP}$이고 $\overline{MB}=4\overline{MP}$, 즉 $\overline{MP}=\dfrac{1}{4}\overline{MB}$이므로

$\overline{AP}=3\overline{MP}=3\times\dfrac{1}{4}\overline{MB}=\dfrac{3}{4}\overline{MB}$

따라서 옳지 않은 것은 ⑤이다.

5-2 (1) $\overline{AM}=\overline{MB}=\dfrac{1}{2}\overline{AB}=\dfrac{1}{2}\times16=8\,(cm)$

(2) $\overline{MN}=\dfrac{1}{2}\overline{MB}=\dfrac{1}{2}\times8=4\,(cm)$

(3) $\overline{AN}=\overline{AM}+\overline{MN}=8+4=12\,(cm)$

6-2 점 M은 $\overline{AB}$의 중점이므로 $\overline{AB}=2\overline{MB}$

점 N은 $\overline{BC}$의 중점이므로 $\overline{BC}=2\overline{BN}$

$\therefore\ \overline{AC}=\overline{AB}+\overline{BC}$

$\qquad=2\overline{MB}+2\overline{BN}$

$\qquad=2(\overline{MB}+\overline{BN})$

$\qquad=2\overline{MN}$

$\qquad=2\times8=16\,(cm)$

이때 $\overline{BC}=3\overline{AB}$이므로

$\overline{BC}=\dfrac{3}{4}\overline{AC}=\dfrac{3}{4}\times16=12\,(cm)$

STEP ❸   15쪽

01. 24   **02.** ②, ③   **03.** 10   **04.** 15 cm   **05.** 16 cm

06. 15 cm

---

01 교점의 개수는 꼭짓점의 개수와 같으므로 6이다.

$\therefore\ a=6$

교선의 개수는 모서리의 개수와 같으므로 9이다.

$\therefore\ b=9$

$\therefore\ a+2b=6+2\times9=6+18=24$

02 ② $\overline{AB}\neq\overline{BC}$

③ $\overrightarrow{BA}$와 $\overrightarrow{BC}$는 시작점은 같으나 방향이 서로 반대이므로 같은 반직선이 아니다.

03 구하는 방법의 수는 어느 세 점도 한 직선 위에 있지 않은 다섯 점 A, B, C, D, E 중 두 점을 지나는 서로 다른 직선의 개수와 같다.

서로 다른 직선은 $\overleftrightarrow{AB}$, $\overleftrightarrow{AC}$, $\overleftrightarrow{AD}$, $\overleftrightarrow{AE}$, $\overleftrightarrow{BC}$, $\overleftrightarrow{BD}$, $\overleftrightarrow{BE}$, $\overleftrightarrow{CD}$, $\overleftrightarrow{CE}$, $\overleftrightarrow{DE}$의 10개이므로 구하는 방법의 수는 10이다.

04 점 M은 $\overline{AB}$의 중점이므로

$\overline{MB}=\dfrac{1}{2}\overline{AB}$

점 N은 $\overline{BC}$의 중점이므로

$\overline{BN}=\dfrac{1}{2}\overline{BC}$

$\therefore\ \overline{MN}=\overline{MB}+\overline{BN}=\dfrac{1}{2}\overline{AB}+\dfrac{1}{2}\overline{BC}$

$\qquad=\dfrac{1}{2}\overline{AC}=\dfrac{1}{2}\times30=15\,(cm)$

05 점 M은 $\overline{AB}$의 중점이므로 $\overline{AB}=2\overline{MB}$

점 N은 $\overline{BC}$의 중점이므로 $\overline{BC}=2\overline{BN}$

$\therefore\ \overline{AC}=\overline{AB}+\overline{BC}=2\overline{MB}+2\overline{BN}$

$\qquad=2\overline{MN}=2\times12=24\,(cm)$ …… [50 %]

이때 $\overline{AB}=2\overline{BC}$이므로

$\overline{AB}=\dfrac{2}{3}\overline{AC}=\dfrac{2}{3}\times24=16\,(cm)$ …… [50 %]

06 점 P는 $\overline{AB}$의 중점이므로

$\overline{AP}=\overline{BP}=\dfrac{1}{2}\overline{AB}=\dfrac{1}{2}\times36=18\,(cm)$

점 Q는 $\overline{AP}$의 중점이므로

$\overline{QP}=\dfrac{1}{2}\overline{AP}=\dfrac{1}{2}\times18=9\,(cm)$

두 점 M, N은 $\overline{PB}$의 삼등분점이므로

$\overline{PM}=\dfrac{1}{3}\overline{PB}=\dfrac{1}{3}\times18=6\,(cm)$

$\therefore\ \overline{QM}=\overline{QP}+\overline{PM}=9+6=15\,(cm)$

---

2 각

개념 확인   16쪽~18쪽

1. ㉠, ㉢, ㉣, ㉤

2. (1) ∠DOE (2) ∠EOF (3) ∠FOB

3. (1) ⊥, 수선 (2) CO (3) 수선의 발

STEP ❶   19쪽

1-1. 45°   연구 180°, 180°, 45°

1-2. (1) 105° (2) 80°

2-1. (1) 60° (2) 55°   연구 (1) 70° (2) 130°

2-2. (1) 15° (2) 35°

3-1. (1) $\overline{AB}$ (2) 점 B (3) 4 cm   연구 (3) $\overline{AB}$

3-2. ㉠, ㉡

1-2 (1) 평각의 크기는 180°이므로

$\angle x + 75° = 180°$ ∴ $\angle x = 105°$

(2) 평각의 크기는 180°이므로

$40° + \angle x + 60° = 180°$ ∴ $\angle x = 80°$

2-2 (1) $3\angle x + 20° = 65°$

$3\angle x = 45°$ ∴ $\angle x = 15°$

(2) 오른쪽 그림에서

$90° + \angle x + 55° = 180°$

$145° + \angle x = 180°$

∴ $\angle x = 35°$

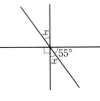

3-2 ⓒ 점 A와 $\overleftrightarrow{CD}$ 사이의 거리는 $\overline{AH}$의 길이와 같다.

STEP **2**

1-2. (1) 30° (2) 25° **2-2.** 60°

3-2. 12° **4-2.** (1) 25° (2) 35°

5-2. 16° **6-2.** 70°

7-2. 12쌍 **8-2.** ③, ④

1-2 (1) 평각의 크기는 180°이므로

$40° + \angle x + (3\angle x + 20°) = 180°$

$4\angle x + 60° = 180°$, $4\angle x = 120°$

∴ $\angle x = 30°$

(2) 평각의 크기는 180°이므로

$(2\angle x - 10°) + 90° + (\angle x + 25°) = 180°$

$3\angle x + 105° = 180°$, $3\angle x = 75°$

∴ $\angle x = 25°$

2-2 $\angle x + \angle y + \angle z = 180°$이고 $\angle x : \angle y : \angle z = 4 : 3 : 2$이므로

$\angle y = 180° \times \dfrac{3}{4+3+2}$

$= 180° \times \dfrac{1}{3} = 60°$

3-2 $\angle BOC = \angle a$라 하면

$\angle AOC = 4\angle BOC$에서 $90° + \angle a = 4\angle a$

$3\angle a = 90°$ ∴ $\angle a = 30°$

이때 $\angle COE = \angle BOE - \angle BOC = 90° - 30° = 60°$이므로

$\angle COD = \dfrac{1}{5}\angle COE = \dfrac{1}{5} \times 60° = 12°$

4-2 (1) 맞꼭지각의 크기는 서로 같으므로

$2\angle x + 30° = 4\angle x - 20°$

$2\angle x = 50°$ ∴ $\angle x = 25°$

(2) 맞꼭지각의 크기는 서로 같으므로

$\angle x + 20° = 3\angle x - 50°$

$2\angle x = 70°$ ∴ $\angle x = 35°$

5-2 오른쪽 그림에서

$(3\angle x + 5°) + (2\angle x + 30°)$

$+ (5\angle x - 15°) = 180°$

$10\angle x + 20° = 180°$

$10\angle x = 160°$

∴ $\angle x = 16°$

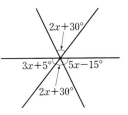

6-2 $40° + 90° = \angle x + 30°$ (맞꼭지각)이므로

$\angle x + 30° = 130°$ ∴ $\angle x = 100°$

$40° + 90° + (2\angle y - 10°) = 180°$이므로

$2\angle y + 120° = 180°$

$2\angle y = 60°$ ∴ $\angle y = 30°$

∴ $\angle x - \angle y = 100° - 30° = 70°$

7-2 $\overleftrightarrow{AE}$와 $\overleftrightarrow{HD}$가 만날 때 : $\angle AOH$와 $\angle EOD$,

$\angle AOD$와 $\angle EOH$

$\overleftrightarrow{AE}$와 $\overleftrightarrow{GC}$가 만날 때 : $\angle AOG$와 $\angle EOC$,

$\angle AOC$와 $\angle EOG$

$\overleftrightarrow{AE}$와 $\overleftrightarrow{BF}$가 만날 때 : $\angle AOB$와 $\angle EOF$,

$\angle BOE$와 $\angle FOA$

$\overleftrightarrow{BF}$와 $\overleftrightarrow{GC}$가 만날 때 : $\angle BOC$와 $\angle FOG$,

$\angle COF$와 $\angle GOB$

$\overleftrightarrow{BF}$와 $\overleftrightarrow{HD}$가 만날 때 : $\angle BOD$와 $\angle FOH$,

$\angle DOF$와 $\angle HOB$

$\overleftrightarrow{CG}$와 $\overleftrightarrow{HD}$가 만날 때 : $\angle COD$와 $\angle GOH$,

$\angle DOG$와 $\angle HOC$

따라서 맞꼭지각은 모두 12쌍이 생긴다.

다른 풀이

4개의 직선이 한 점에서 만날 때 생기는 맞꼭지각의 쌍의 개수는 $4 \times (4-1) = 12$(쌍)

8-2 ① $\overline{AD}$와 $\overline{BC}$는 평행하다.

② $\overline{AB}$의 수선은 없다.

⑤ 점 C에서 $\overline{AE}$에 내린 수선의 발은 점 E이다.

STEP 3

01. ①	02. 50°	03. 45°	04. 100°	05. 42°
06. (1) 70° (2) 52°		07. ①	08. $\angle x=17°$, $\angle y=22°$	
09. ④	10. ④	11. ⑤		

01 $0°<$(예각)$<90°$이므로 예각에 해당하는 것은 ㉠, ㉡의 2개이다.

02 평각의 크기는 $180°$이므로

$32°+(4\angle x-52°)=180°$

$4\angle x-20°=180°$, $4\angle x=200°$

$\therefore \angle x=50°$

03 $\angle x+\angle y+\angle z=180°$이고 $\angle x:\angle y:\angle z=3:4:5$이므로

$\angle x=180°\times\dfrac{3}{3+4+5}$

$=180°\times\dfrac{1}{4}=45°$

04 $\angle AOC=40°$이므로

$\angle COB=180°-\angle AOC=180°-40°=140°$

$\therefore \angle DOB=\angle COB-\angle COD$

$=\angle COB-\dfrac{2}{7}\angle COB$

$=\dfrac{5}{7}\angle COB$

$=\dfrac{5}{7}\times140°=100°$

05 $\angle BOC=\angle a$라 하면

$\angle AOB=5\angle BOC=5\angle a$이고 $\angle AOB=90°$이므로

$5\angle a=90°$ $\therefore \angle a=18°$ …… [40 %]

$\angle COE=\angle BOE-\angle BOC=90°-18°=72°$이므로

$\angle COD=\dfrac{1}{3}\angle COE=\dfrac{1}{3}\times72°=24°$ …… [40 %]

$\therefore \angle BOD=\angle BOC+\angle COD$

$=18°+24°=42°$ …… [20 %]

06 (1) 오른쪽 그림에서

$(\angle x-10°)+30°+90°$

$=180°$

$110°+\angle x=180°$

$\therefore \angle x=70°$

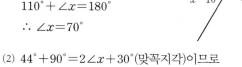

(2) $44°+90°=2\angle x+30°$(맞꼭지각)이므로

$2\angle x=104°$ $\therefore \angle x=52°$

07 오른쪽 그림에서

$2\angle x+(4\angle x-5°)$

$+(\angle x+10°)=180°$

$7\angle x+5°=180°$

$7\angle x=175°$ $\therefore \angle x=25°$

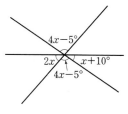

08 $(65°-\angle x)+90°=7\angle x+19°$(맞꼭지각)이므로

$8\angle x=136°$ $\therefore \angle x=17°$ …… [50 %]

이때 $(7\angle x+19°)+(\angle y+20°)=180°$이므로

$(7\times17°+19°)+(\angle y+20°)=180°$

$\angle y+158°=180°$ $\therefore \angle y=22°$ …… [50 %]

09 $(3\angle x-15°)+90°+(\angle x+25°)=180°$이므로

$4\angle x+100°=180°$, $4\angle x=80°$ $\therefore \angle x=20°$

$\therefore \angle a=180°-(\angle x+25°)$

$=180°-(20°+25°)$

$=180°-45°=135°$

10 ③ $\angle AOC=\angle AOD=90°$

④ 점 A와 $\overline{CD}$ 사이의 거리는 $\overline{AO}$의 길이와 같다.

따라서 옳지 않은 것은 ④이다.

11 ① $\overline{CD}$와 $\overline{AB}$는 수직이 아니다.

② $\overline{AB}$는 $\overline{BC}$의 수선이다.

③ 점 A에서 $\overline{CD}$에 내린 수선의 발이 점 D가 아니므로 점 A와 $\overline{CD}$ 사이의 거리는 3 cm가 아니다.

④ 오른쪽 그림에서 점 D에서 $\overline{BC}$에 내린 수선의 발은 점 H이다.

⑤ 점 A와 $\overline{BC}$ 사이의 거리는 4 cm이고 점 D와 $\overline{BC}$ 사이의 거리도 4 cm이므로 두 거리는 같다.

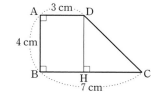

따라서 옳은 것은 ⑤이다.

2. 위치 관계

1 위치 관계

개념 확인

1. (1) $\overline{AD}, \overline{BC}$ (2) $\overline{AB} /\!/ \overline{DC}$
2. (1) $\overline{AB}, \overline{AD}, \overline{EF}, \overline{EH}$ (2) $\overline{BF}, \overline{CG}, \overline{DH}$
   (3) $\overline{BC}, \overline{CD}, \overline{FG}, \overline{GH}$
3. (1) 면 BFGC, 면 AEHD (2) 면 ABFE, 면 EFGH
   (3) 면 ABCD, 면 CGHD
4. (1) 면 ABCD, 면 BFGC, 면 EFGH, 면 AEHD
   (2) 면 ABCD, 면 BFGC, 면 EFGH, 면 AEHD
   (3) 면 ABFE

1-1. (1) × (2) × (3) ○ (4) ○
1-2. (1) $\overleftrightarrow{CD}, \overleftrightarrow{EF}$ (2) $\overleftrightarrow{AE}, \overleftrightarrow{BF}$ (3) 평행하다. (4) 평행하다.
2-1. (1) $\overline{AC}, \overline{AD}, \overline{BC}, \overline{BE}$ (2) $\overline{DE}$ (3) $\overline{CF}, \overline{DF}, \overline{EF}$
　　연구 (3) 평행
2-2. (1) $\overline{CD}, \overline{EF}, \overline{GH}$ (2) $\overline{AD}, \overline{AE}, \overline{BC}, \overline{BF}$
　　(3) $\overline{CG}, \overline{DH}, \overline{EH}, \overline{FG}$
3-1. (1) 면 ABC (2) 면 ABC, 면 DEF (3) 면 DEF
3-2. (1) 면 BFGC, 면 EFGH (2) 면 BFGC
　　(3) 면 ABCD, 면 EFGH

1-1 (1) 직선 l은 점 A를 지나지 않는다.
　(2) 점 A는 직선 l 위에 있지 않다.

1-2. ⑤   **2-2.** ④
3-2. 4   **4-2.** (1) 4 (2) 4 (3) 6
5-2. (1) 면 ABCDEF, 면 CIJD
　　(2) 면 ABCDEF, 면 GHIJKL
　　(3) $\overline{AG}, \overline{GL}, \overline{FL}, \overline{AF}, \overline{BH}, \overline{EK}$
　　(4) $\overline{AG}, \overline{BH}, \overline{CI}, \overline{DJ}, \overline{EK}, \overline{FL}$
6-2. 4
7-2. (1) × (2) × (3) ○ (4) × (5) ○
7-3. ④

1-2 ⑤ 두 점 B, C는 직선 l 위에 있다.

2-2 ① $\overleftrightarrow{AB}$와 $\overleftrightarrow{DC}$는 한 점에서 만난다.
② $\overleftrightarrow{AD}$와 $\overleftrightarrow{BC}$는 평행하다.
③ $\overleftrightarrow{AD}$와 $\overleftrightarrow{CD}$는 수직이다.
⑤ 점 B와 $\overleftrightarrow{AD}$ 사이의 거리는 $\overline{DC}$의 길이와 같다.
따라서 옳은 것은 ④이다.

3-2 세 점 B, C, D로 정해지는 평면은 평면 P의 1개, 점 A와 세 점 B, C, D 중 두 점으로 정해지는 평면은 평면 ABC, 평면 ABD, 평면 ACD의 3개이다.
따라서 구하는 평면의 개수는 $1+3=4$

4-2 (1) 모서리 BG와 평행한 모서리는 $\overline{CH}, \overline{DI}, \overline{EJ}, \overline{AF}$의 4개
(2) 모서리 BG와 만나는 모서리는 $\overline{AB}, \overline{BC}, \overline{FG}, \overline{GH}$의 4개
(3) 모서리 BG와 꼬인 위치에 있는 모서리는 $\overline{CD}, \overline{DE}, \overline{AE}, \overline{HI}, \overline{IJ}, \overline{FJ}$의 6개

6-2 모서리 FG와 평행한 면은 면 ABCD, 면 AEHD의 2개이므로 $a=2$
모서리 FG와 수직인 면은 면 BFEA, 면 CGHD의 2개이므로 $b=2$
$\therefore a+b=2+2=4$

7-2 (1) $l \perp m, l \perp n$일 때

➡ 두 직선 m과 n은 한 점에서 만나거나 평행하거나 꼬인 위치에 있다.

(2) $l /\!/ m$, $l \perp n$일 때

➡ 두 직선 m과 n은 한 점에서 만나거나 꼬인 위치에 있다.

(3) $l /\!/ m$, $l /\!/ n$일 때

➡ 두 직선 m과 n은 평행하다.

(4) $P /\!/ Q$, $P \perp R$일 때

➡ 두 평면 P와 Q는 수직이다.

(5) $P /\!/ Q$, $Q /\!/ R$일 때

➡ 두 평면 P와 R는 평행하다.

7-3 ① 한 직선에 평행한 서로 다른 두 평면은 한 직선에서 만나거나 평행하다.

② 한 평면에 수직인 서로 다른 두 평면은 한 직선에서 만나거나 평행하다.

③ 한 직선에 수직인 서로 다른 두 직선은 한 점에서 만나거나 평행하거나 꼬인 위치에 있다.

④ 한 직선에 수직인 서로 다른 두 평면은 항상 평행하다.

⑤ 꼬인 위치에 있는 두 직선을 각각 포함하는 두 평면은 한 직선에서 만나거나 평행하다.

도형 집중 연습 37쪽

1. (1) $\overline{BC}$, $\overline{AE}$ (2) 면 AEHD (3) 면 CGHD (4) $\overline{BF}$
(5) $\overline{GH}$, $\overline{EH}$ (6) $\overline{CG}$ (7) $\overline{DH}$, $\overline{GH}$ (8) 면 EFGH
(9) $\overline{DH}$ (10) 면 ABCD

---

01. ③ **02.** ③ **03.** ④ **04.** 5 **05.** ④
06. ④ **07.** ⑤ **08.** ④
09. (1) 꼬인 위치에 있다. (2) $\overline{AC}$, $\overline{DG}$, $\overline{EF}$ (3) 4
10. ㉠

01 ① 점 A는 직선 l 위에 있지 않다.
② 점 B는 직선 m 위에 있다.
④ 두 직선 l과 m은 한 점에서 만난다.
⑤ 두 직선 l과 m의 교점은 점 E이다.
따라서 옳은 것은 ③이다.

02 한 평면 위에서 $m \perp l$, $m \perp n$이면 두 직선 l과 n은 평행하다.

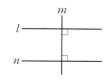

03 ④ 모서리 BC와 모서리 AE는 꼬인 위치에 있다.
따라서 옳지 않은 것은 ④이다.

04 모서리 BC와 만나는 모서리는 $\overline{AB}$, $\overline{AC}$, $\overline{BE}$, $\overline{CD}$의 4개
이므로 $a=4$ …… [30 %]
모서리 BC와 평행한 모서리는 $\overline{ED}$의 1개이므로 $b=1$
…… [30 %]
모서리 BC와 꼬인 위치에 있는 모서리는 $\overline{AE}$, $\overline{AD}$의 2개
이므로 $c=2$ …… [30 %]
∴ $a-b+c=4-1+2=5$ …… [10 %]

05 모서리 AE와 꼬인 위치에 있는 모서리는 $\overline{BC}$, $\overline{CD}$, $\overline{CG}$, $\overline{FG}$, $\overline{GH}$이다.
따라서 모서리 AE와 꼬인 위치에 있는 모서리가 아닌 것은 ④이다.

참고
모서리 AE와 모서리 DH는 모서리를 연장하였을 때 한 점에서 만나므로 꼬인 위치에 있지 않다.

06 ① 면 ABC와 만나는 면은 면 ADEB, 면 BEFC, 면 ADFC의 3개이다.
② 모서리 AD와 수직인 면은 면 ABC, 면 DEF의 2개이다.
③ 모서리 AB와 평행한 면은 면 DEF의 1개이다.
④ 모서리 EF와 꼬인 위치에 있는 모서리는 $\overline{AB}$, $\overline{AC}$, $\overline{AD}$이다.
⑤ 면 ADEB와 평행한 모서리는 $\overline{CF}$의 1개이다.
따라서 옳지 않은 것은 ④이다.

07 ① 직선 AB와 직선 DE는 한 점에서 만난다.

② 모서리 DE는 면 ABCDE에 포함된다.

③ 면 AFGB와 수직인 모서리는 없다.

④ 면 BGHC와 면 CHID의 교선은 $\overline{CH}$이다.

따라서 옳은 것은 ⑤이다.

08 ① 선분 BD와 면 EFGH는 평행하다.

② 모서리 BF와 면 EFGH는 수직이다.

③ 모서리 BC와 모서리 DH는 꼬인 위치에 있다.

⑤ 면 ABCD와 면 EFGH는 평행하다.

따라서 옳은 것은 ④이다.

09 (1) 모서리 AB와 모서리 CG는 만나지도 않고 평행하지도 않으므로 꼬인 위치에 있다.　　　……[30 %]

(2) 면 CFG와 수직인 모서리는 $\overline{AC}$, $\overline{DG}$, $\overline{EF}$이다.　　　　　　　　　　　　　　　……[30 %]

(3) 면 BEF와 수직인 면은 면 ABC, 면 ABED, 면 DEFG, 면 CFG의 4개이다.　　……[40 %]

10 ㉡ $l \perp P$, $P /\!/ Q$이면 $l \perp Q$이다.

㉢ $P /\!/ l$, $P /\!/ m$이면 두 직선 l과 m은 한 점에서 만나거나 평행하거나 꼬인 위치에 있다.

따라서 옳은 것은 ㉠이다.

---

3. 평행선의 성질

1 평행선의 성질

42쪽~44쪽

개념 확인

1. (1) $125°$ (2) $125°$ (3) $70°$ (4) $110°$

2. (1) $\angle x = 82°$, $\angle y = 55°$ (2) $\angle x = 125°$, $\angle y = 100°$

　(3) $\angle x = 105°$, $\angle y = 66°$

3. (1) ○ (2) × (3) × (4) ○

1 (1) $\angle a$의 동위각은 $\angle d$이고 $\angle d = 180° - 55° = 125°$

(2) $\angle c$의 엇각은 $\angle d$이고 $\angle d = 125°$

(3) $\angle f$의 엇각은 $\angle b$이고 $\angle b = 70°$ (맞꼭지각)

(4) $\angle e$의 동위각은 $\angle c$이고 $\angle c = 180° - 70° = 110°$

2 (1) $l /\!/ m$이므로

　　$\angle x = 82°$ (엇각)

　　$\angle y = 55°$ (동위각)

(2) 오른쪽 그림에서 $l /\!/ m$이므로

　　$\angle x = 125°$ (맞꼭지각)

　　$\angle y = 180° - 80° = 100°$

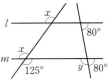

(3) 오른쪽 그림에서 $l /\!/ m$이므로

　　$75° + \angle x = 180°$

　　$\therefore \angle x = 105°$

　　$\angle y = 180° - 114° = 66°$

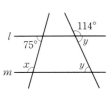

3 (1) 엇각의 크기가 $50°$로 같으므로 두 직선 l, m은 평행하다.

(2) 동위각의 크기가 다르므로 두 직선 l, m은 평행하지 않다.

(3) 동측내각의 크기의 합이 $180°$가 아니므로 두 직선 l, m은 평행하지 않다.

(4) 오른쪽 그림에서 동위각의 크기가 $70°$로 같으므로 두 직선 l, m은 평행하다.

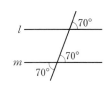

STEP ❶

45쪽

1-1. (1) ◯ (2) × (3) ◯ (4) × **연구** (4) 평행

1-2. (1) 120° (2) 60° (3) 120° (4) 60°

2-1. (1) 동위각, $\angle a = 70°$, $\angle b = 110°$

(2) 엇각, $\angle a = 50°$, $\angle b = 130°$

연구 (1) 70°, 70°, 110°

2-2. (1) $\angle a = 55°$, $\angle b = 125°$ (2) $\angle a = 117°$, $\angle b = 63°$

3-1. 120, 같다, 평행하다

3-2. 46, 다르다, 평행하지 않다

1-1 (2) $\angle c$의 엇각은 $\angle e$이다.

$\angle f$의 엇각은 없다.

(4) $\angle b$와 $\angle f$는 동위각이고 두 직선 l, m이 평행할 때만

$\angle b = \angle f$이다.

1-2 (2) 오른쪽 그림에서 $\angle b$

의 동위각은 $\angle c$이고

$\angle c = 180° - 120°$

$= 60°$

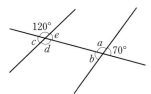

(3) $\angle a$의 엇각은 $\angle d$이고

$\angle d = 120°$ (맞꼭지각)

(4) $\angle b$의 엇각은 $\angle e$이고 $\angle e = 180° - 120° = 60°$

2-1 (2) $l \parallel m$이므로 $\angle a = 50°$ (엇각)

$\angle b = 180° - 50° = 130°$

2-2 (1) 오른쪽 그림에서

$l \parallel m$이므로

$\angle a = 55°$ (맞꼭지각)

$\angle b = 180° - 55° = 125°$

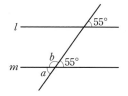

(2) $\angle a = 117°$ (엇각)

$\angle b = 180° - 117° = 63°$

STEP ❷

46쪽~50쪽

1-2. ⑤

2-2. (1) $\angle x = 60°$, $\angle y = 70°$ (2) $\angle x = 50°$, $\angle y = 130°$

3-2. ④ **4-2.** $\angle x = 60°$, $\angle y = 50°$

5-2. (1) 55° (2) 85° **6-2.** (1) 80° (2) 20°

7-2. (1) 65° (2) 75° **8-2.** 108°

9-2. 20° **10-2.** 38°

1-2 ① $\angle a$의 동위각은 $\angle d$이고 $\angle d = 180° - 65° = 115°$

③ $\angle c$의 동위각은 $\angle f$이고 $\angle f = 65°$ (맞꼭지각)

⑤ $\angle f$의 엇각은 $\angle b$이고 $\angle b = 180° - 100° = 80°$

따라서 옳지 않은 것은 ⑤이다.

2-2 (1) 오른쪽 그림에서 $l \parallel m$이

므로

$50° + \angle x = 110°$ (엇각)

∴ $\angle x = 60°$

$50° + \angle x + \angle y = 180°$에서

$50° + 60° + \angle y = 180°$ ∴ $\angle y = 70°$

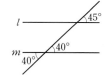

(2) $l \parallel m$이므로 $70° + \angle x = 120°$ (동위각)

∴ $\angle x = 50°$

$\angle y + 50° = 180°$이므로 $\angle y = 130°$

3-2 ① 엇각의 크기가 다르므로 두 직선 l, m은 평행하지 않다.

②, ③ 동위각의 크기가 다르므로 두 직선 l, m은 평행하지

않다.

④ 동측내각의 크기의 합이 180°이므로 두 직선 l, m은

평행하다.

⑤ 동위각의 크기가 다르므로 두 직

선 l, m은 평행하지 않다.

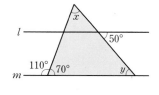

4-2 오른쪽 그림에서 $l \parallel m$이

므로

$\angle y = 50°$ (엇각)

삼각형의 세 각의 크기의

합은 180°이므로

$\angle x + 70° + 50° = 180°$ ∴ $\angle x = 60°$

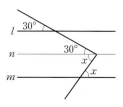

5-2 (1) 오른쪽 그림과 같이 꺾인 점

을 지나면서 두 직선 l, m에

평행한 직선 n을 그으면

$30° + \angle x = 85°$

∴ $\angle x = 55°$

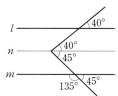

(2) 오른쪽 그림과 같이 꺾인 점

을 지나면서 두 직선 l, m에

평행한 직선 n을 그으면

$\angle x = 40° + 45° = 85°$

6-2 (1) 오른쪽 그림과 같이 꺾인 점을 지나면서 두 직선 l, m에 평행한 직선 n을 그으면 색칠한 삼각형에서 세 각의 크기의 합은 $180°$이므로

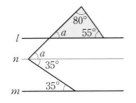

$80° + \angle a + 55° = 180°$ ∴ $\angle a = 45°$

∴ $\angle x = \angle a + 35°$
   $= 45° + 35° = 80°$

(2) 오른쪽 그림과 같이 꺾인 점을 지나면서 두 직선 l, m에 평행한 직선 n을 그으면 색칠한 삼각형에서 세 각의 크기의 합은 $180°$이므로

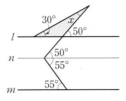

$\angle x + 30° + (180° - 50°) = 180°$ ∴ $\angle x = 20°$

7-2 (1) 오른쪽 그림과 같이 꺾인 점을 각각 지나면서 두 직선 l, m에 평행한 직선 p, q를 그으면

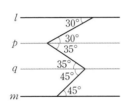

$\angle x = 30° + 35° = 65°$

(2) 오른쪽 그림과 같이 꺾인 점을 각각 지나면서 두 직선 l, m에 평행한 직선 p, q를 그으면

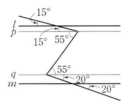

$\angle x = 55° + 20° = 75°$

8-2 오른쪽 그림과 같이 꺾인 점을 각각 지나면서 두 직선 l, m에 평행한 직선 p, q를 그으면 동측내각의 크기의 합은 $180°$이므로

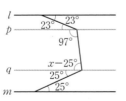

$97° + (\angle x - 25°) = 180°$
∴ $\angle x = 108°$

9-2 오른쪽 그림과 같이 두 직선 l, m에 평행한 직선 p, q를 그으면

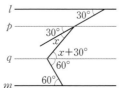

$(\angle x + 30°) + 60° = 110°$
∴ $\angle x = 20°$

10-2 오른쪽 그림에서

$\angle EAC = \angle ACB$
  $= \angle x$ (엇각)

$\angle BAC = \angle EAC$
  $= \angle x$ (접은 각)

이때 $\angle EAB = \angle ABD = 76°$ (엇각)이므로

$2\angle x = 76°$ ∴ $\angle x = 38°$

STEP **3**   51쪽~53쪽

01. ⑤   **02.** (1) $\angle e$, $\angle l$ (2) $\angle h$ (3) $\angle e$, $\angle l$

03. $175°$ **04.** $55°$ **05.** $110°$ **06.** $106°$ **07.** ⑤

08. ③   **09.** $40°$ **10.** ②   **11.** ⑤   **12.** $119°$

13. $20°$ **14.** $90°$ **15.** $49°$ **16.** $103°$ **17.** $46°$

01 ⑤ 동위각의 크기는 두 직선이 평행할 때만 같다.

03 $\angle c$의 동위각은 $\angle e$이고
$\angle e = 55°$ (맞꼭지각)   ······ [40 %]
$\angle e$의 엇각은 $\angle a$이고
$\angle a = 180° - 60° = 120°$ ······ [40 %]
따라서 구하는 합은
$55° + 120° = 175°$ ······ [20 %]

04 오른쪽 그림에서 $l /\!/ m$이므로
$\angle x + 70° = 125°$ (엇각)

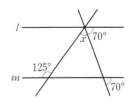

∴ $\angle x = 55°$

05 $l /\!/ m$이므로 $\angle y = 4\angle x - 15°$ (동위각)
$(2\angle x + 45°) + (4\angle x - 15°) = 180°$
$6\angle x = 150°$ ∴ $\angle x = 25°$
$\angle y = 4\angle x - 15° = 4 \times 25° - 15° = 85°$
∴ $\angle x + \angle y = 25° + 85° = 110°$

06 두 평면거울이 서로 평행하므로
$\angle a = 37°$ (엇각)
이때 입사각과 반사각의 크기는 같으므로

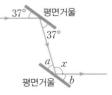

$\angle b = \angle a = 37°$

따라서 $\angle a + \angle x + \angle b = 180°$이므로

$37° + \angle x + 37° = 180°$

$\angle x + 74° = 180°$ $\therefore \angle x = 106°$

07 ① 엇각의 크기가 다르므로 두 직선 l, m은 평행하지 않다.

② 동위각의 크기가 다르므로 두 직선 l, m은 평행하지 않다.

③ 엇각의 크기가 다르므로 두 직선 l, m은 평행하지 않다.

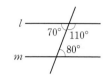

④ 동위각의 크기가 다르므로 두 직선 l, m은 평행하지 않다.

⑤ 동위각의 크기가 같으므로 두 직선 l, m은 평행하다.

08 ㉡ $\angle a = 90°$인 경우만 $\angle a = \angle d$이다.

㉢ $\angle c + \angle d = 180°$이면 $l /\!/ m$이다.

따라서 옳은 것은 ㉠, ㉣이다.

09 오른쪽 그림에서 $l /\!/ m$이고 삼각형의 세 각의 크기의 합은 $180°$이므로

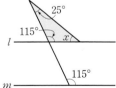

$25° + 115° + \angle x = 180°$

$\therefore \angle x = 40°$

10 오른쪽 그림에서 $l /\!/ m$이고 삼각형의 세 각의 크기의 합은 $180°$이므로

$45° + (\angle x + 30°)$

$\qquad + (3\angle x - 15°) = 180°$

$4\angle x = 120°$

$\therefore \angle x = 30°$

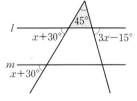

11 오른쪽 그림에서 $k /\!/ n$이므로

$\angle x = 180° - 70° = 110°$

삼각형 ABC에서

$\angle \text{BAC} = 180° - (55° + 70°)$

$\qquad = 55°$

삼각형 ADE에서

$\angle \text{AED} = 180° - (55° + 80°)$

$\qquad = 45°$

이때 $l /\!/ m$이므로 $\angle y = \angle \text{AED} = 45°$ (동위각)

$\therefore \angle x + \angle y = 110° + 45° = 155°$

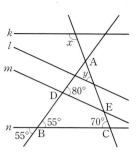

12 오른쪽 그림과 같이 두 직선 l, m에 평행한 직선 n을 그으면

$\angle x = 66° + 53° = 119°$

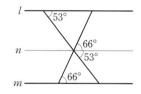

13 오른쪽 그림과 같이 꺾인 점을 지나면서 두 직선 l, m에 평행한 직선 n을 그으면

$2\angle x + (\angle x + 10°) = 70°$

$3\angle x = 60°$

$\therefore \angle x = 20°$

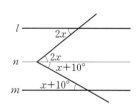

14 오른쪽 그림과 같이 꺾인 점을 각각 지나면서 두 직선 l, m에 평행한 직선 p, q를 그으면

$\angle x = 50° + 40° = 90°$

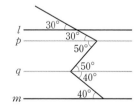

15 오른쪽 그림과 같이 꺾인 점을 각각 지나면서 두 직선 l, m에 평행한 직선 p, q를 그으면 동측내각의 크기의 합은 $180°$이므로

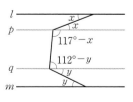

$(117° - \angle x) + (112° - \angle y) = 180°$

$229° - (\angle x + \angle y) = 180°$

$\therefore \angle x + \angle y = 49°$

16 오른쪽 그림과 같이 꺾인 점을 각각 지나면서 두 직선 l, m 에 평행한 직선 p, q를 그으면

$$\angle x = 39° + 64° = 103°$$

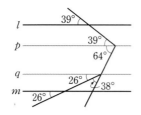

17 오른쪽 그림에서

$$\angle EGF = 180° - 113°$$
$$= 67°$$

...... [30 %]

$$\angle DEG = \angle EGF$$
$$= 67° \text{ (엇각)}$$

$$\angle FEG = \angle DEG = 67° \text{ (접은 각)}$$ ...... [40 %]

따라서 삼각형 EFG에서

$$\angle x = 180° - (67° + 67°) = 46°$$ ...... [30 %]

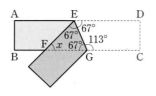

4. 작도와 합동

1 간단한 도형의 작도

개념 확인

56쪽~58쪽

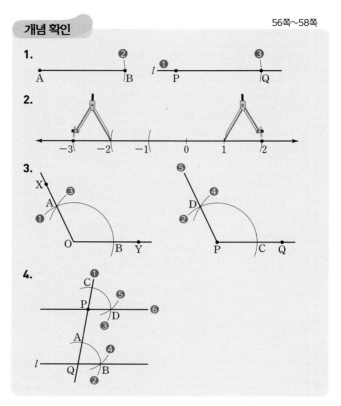

1 ❶ 눈금 없는 자를 사용하여 직선 l을 그리고, 그 위에 한 점 P를 잡는다.

❷ 컴퍼스를 사용하여 선분 AB의 길이를 잰다.

❸ 점 P를 중심으로 하고 반지름의 길이가 $\overline{AB}$인 원을 그려 직선 l과의 교점을 Q라 하면 $\overline{PQ}$가 구하는 선분이다.

➡ $\overline{AB} = \overline{PQ}$

3 ❶ 점 O를 중심으로 하는 원을 그려 $\overrightarrow{OX}$, $\overrightarrow{OY}$와의 교점을 각각 A, B라 한다.

❷ 점 P를 중심으로 하고 반지름의 길이가 $\overline{OA}$인 원을 그려 $\overrightarrow{PQ}$와의 교점을 C라 한다.

❸ 컴퍼스를 사용하여 $\overline{AB}$의 길이를 잰다.

❹ 점 C를 중심으로 하고 반지름의 길이가 $\overline{AB}$인 원을 그려 ❷에서 그린 원과의 교점을 D라 한다.

❺ 두 점 P, D를 잇는 $\overrightarrow{PD}$를 그으면 $\angle DPC$가 작도된다.

4 ❶ 점 P를 지나는 직선을 그어 직선 l과의 교점을 Q라 한다.

❷ 점 Q를 중심으로 하는 원을 그려 $\overrightarrow{PQ}$, 직선 l과의 교점을 각각 A, B라 한다.

❸ 점 P를 중심으로 하고 반지름의 길이가 $\overline{QA}$인 원을 그려 $\overrightarrow{PQ}$와의 교점을 C라 한다.

❹ 컴퍼스를 사용하여 $\overline{AB}$의 길이를 잰다.

❺ 점 C를 중심으로 하고 반지름의 길이가 $\overline{AB}$인 원을 그려 ❸에서 그린 원과의 교점을 D라 한다.

❻ 두 점 P, D를 잇는 직선을 그으면 $\overrightarrow{PD}$가 구하는 직선이다. ➡ $l /\!/ \overrightarrow{PD}$

STEP ①   59쪽

1-1. (1) 컴퍼스 (2) 눈금 없는 자 (3) 컴퍼스

1-2. (1) ○ (2) × (3) ×

2-1. C, $\overline{AB}$, C, $\overline{AB}$, D

2-2. ㉢, ㉡, ㉤, ㉣

3-1. ㉤, ㉠, ㉥, ㉢, ㉣

3-2. ㉠, ㉡, ㉥, ㉣

1-2 (2) 두 선분의 길이를 비교할 때에는 컴퍼스를 사용한다.

      (3) 주어진 각과 크기가 같은 각을 작도할 때에는 눈금 없는 자와 컴퍼스를 사용한다.

STEP ②   60쪽

1-2. (1) ㉠ → ㉢ → ㉡ → ㉣ → ㉤

      (2) ∠APB=∠DQC (동위각)이므로 $\overrightarrow{PA} /\!/ \overrightarrow{QD}$

2-2. ④

2-2 ④ 작도 순서는 ㉢ → ㉡ → ㉣ → ㉠ → ㉤ → ㉥이다.

STEP ③   61쪽

01. ⑤   **02.** ③   **03.** (1) $\overline{AC}$, $\overline{PQ}$, $\overline{PR}$ (2) ∠BAC

04. ㉢, ㉤

---

01 ⑤ 선분의 길이를 재어 다른 직선 위로 옮길 때에는 컴퍼스를 사용한다.

02 ③ $\overline{OY}$의 길이와 $\overline{PQ}$의 길이는 같다고 할 수 없다.

      따라서 옳지 않은 것은 ③이다.

---

03 (1) 두 점 B, C는 점 A를 중심으로 하는 원 위에 있고, 두 점 Q, R는 점 P를 중심으로 하고 반지름의 길이가 $\overline{AB}$인 원 위에 있으므로 $\overline{AB}=\overline{AC}=\overline{PQ}=\overline{PR}$이다.

      따라서 $\overline{AB}$와 길이가 같은 선분은 $\overline{AC}$, $\overline{PQ}$, $\overline{PR}$이다.

               …… [80 %]

    (2) 크기가 같은 각을 작도한 것이므로 ∠QPR와 크기가 같은 각은 ∠BAC이다.   …… [20 %]

04 ㉠ '엇각의 크기가 같으면 두 직선은 서로 평행하다.'는 성질을 이용한 것이다.

      ㉡ ∠DPC=∠AQB

      ㉣ $\overline{PC}$의 길이와 $\overline{AB}$의 길이는 같다고 할 수 없다.

      따라서 옳은 것은 ㉢, ㉤이다.

---

2   삼각형의 작도

개념 확인   62쪽~65쪽

1. (1) $\overline{BC}$ (2) $\overline{AC}$ (3) ∠C (4) ∠B

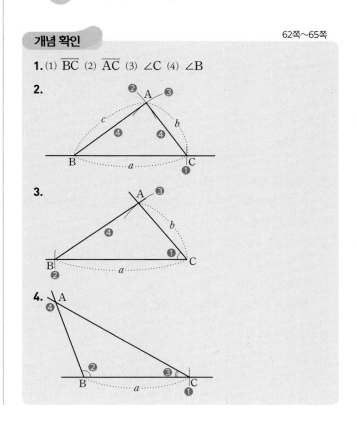

2.

3.

4.

1-1. (1)

	세 변의 길이	가장 긴 변의 길이	등호/부등호	나머지 두 변의 길이의 합
예	1, 2, 2	2	<	1+2=3
㉠	3, 4, 5	5	<	3+4=7
㉡	2, 3, 6	6	>	2+3=5
㉢	6, 6, 6	6	<	6+6=12
㉣	5, 5, 10	10	=	5+5=10

(2) ㉡, ㉣   연구 (2) <

1-2. (1) × (2) × (3) ○

2-1. ㉠

2-2. ㉡ → ㉠ → ㉢

2-3. ㉇, ㉡, ㉤, ㉣

1-2 세 변의 길이가 주어질 때,
(가장 긴 변의 길이)<(나머지 두 변의 길이의 합)이어야 삼각형을 만들 수 있다.
(1) 10>3+5 (×)
(2) 8=4+4 (×)
(3) 7<3+7 (○)

2-1 작도 순서는 ㉢ → ㉤ → ㉣ → ㉠ → ㉡ 또는 ㉢ → ㉣ → ㉤ → ㉠ → ㉡이므로 네 번째 단계는 ㉠이다.

1-2. ④   **1-3.** ②, ③
2-2. ⑤   **3-2.** ②, ④
4-2. ①, ③

1-2 세 변의 길이가 주어질 때,
(가장 긴 변의 길이)<(나머지 두 변의 길이의 합)이어야 삼각형을 만들 수 있다.
① 3=1+2   ② 8>4+3
③ 9>4+4   ④ 10<7+6
⑤ 12>4+5
따라서 삼각형의 세 변의 길이가 될 수 있는 것은 ④이다.

1-3 ① 9=4+5   ② 9<5+9
③ 12<5+9   ④ 15>5+9
⑤ 16>5+9
따라서 나머지 한 변의 길이가 될 수 있는 것은 ②, ③이다.

2-2 (i) x cm가 가장 긴 변의 길이인 경우
   $x<6+8$이므로 $x<14$
(ii) 8 cm가 가장 긴 변의 길이인 경우
   $8<6+x$이므로 $x+6>8$
(i), (ii)에서 x의 값이 될 수 있는 자연수는 3, 4, 5, 6, 7, 8, 9, 10, 11, 12, 13이다.
따라서 x의 값이 될 수 없는 것은 ⑤이다.

3-2 ① 7>2+4이므로 삼각형이 만들어지지 않는다.
② 두 변의 길이와 그 끼인각의 크기가 주어졌으므로 △ABC가 하나로 정해진다.
③ ∠A는 $\overline{BC}$, $\overline{CA}$의 끼인각이 아니므로 △ABC가 하나로 정해지지 않는다.
④ ∠B=180°−(30°+75°)=75°, 즉 한 변의 길이와 그 양 끝 각의 크기가 주어졌으므로 △ABC가 하나로 정해진다.
⑤ 세 각의 크기가 주어졌으므로 △ABC가 무수히 많이 만들어진다.
따라서 △ABC가 하나로 정해지는 것은 ②, ④이다.

4-2 ① ∠C는 $\overline{AB}$, $\overline{AC}$의 끼인각이 아니므로 △ABC가 하나로 정해지지 않는다.
② 한 변의 길이와 그 양 끝 각의 크기가 주어졌으므로 △ABC가 하나로 정해진다.
③ 8=6+2, 즉 가장 긴 변의 길이가 나머지 두 변의 길이의 합과 같으므로 삼각형이 만들어지지 않는다.
④ ∠C=180°−(70°+45°)=65°, 즉 한 변의 길이와 그 양 끝 각의 크기가 주어졌으므로 △ABC가 하나로 정해진다.
⑤ 두 변의 길이와 그 끼인각의 크기가 주어졌으므로 △ABC가 하나로 정해진다.
따라서 △ABC가 하나로 정해지지 않는 것은 ①, ③이다.

01. ⑤   **02.** 7개   **03.** ⑤   **04.** 3개   **05.** ③
06. ①, ④

01 ① 11=6+5   ② 10=6+4
③ 12>7+4   ④ 4=3+1
⑤ 7<5+6
따라서 삼각형의 세 변의 길이가 될 수 있는 것은 ⑤이다.

02 (i) x가 가장 긴 변의 길이인 경우
  $x<4+6$이므로 $x<10$ ····· [30 %]
  (ii) 6이 가장 긴 변의 길이인 경우
  $6<4+x$이므로 $x+4>6$ ····· [30 %]
  (i), (ii)에서 x의 값이 될 수 있는 자연수는 3, 4, 5, 6, 7, 8, 9
  의 7개이다. ····· [40 %]

03 한 변의 길이와 그 양 끝 각의 크기가 주어졌을 때 삼각형을
  작도하는 순서는 다음과 같다.
  (i) 한 변의 길이 옮기기 → 한 각의 크기 옮기기 → 다른 한
    각의 크기 옮기기(②, ③)
  (ii) 한 각의 크기 옮기기 → 한 변의 길이 옮기기 → 다른 한
    각의 크기 옮기기(①, ④)
  따라서 △ABC를 작도하는 순서로 옳지 않은 것은 ⑤이
  다.

04 (2 cm, 3 cm, 4 cm)인 경우 ➡ $4<2+3$ (○)
  (2 cm, 3 cm, 5 cm)인 경우 ➡ $5=2+3$ (×)
  (2 cm, 4 cm, 5 cm)인 경우 ➡ $5<2+4$ (○)
  (3 cm, 4 cm, 5 cm)인 경우 ➡ $5<3+4$ (○)
  따라서 만들 수 있는 삼각형은 3개이다.

05 ㉠ ∠A+∠B=180°이므로 삼각형이 만들어지지 않는다.
  ㉡ 한 변의 길이와 그 양 끝 각의 크기가 주어졌으므로
    △ABC가 하나로 정해진다.
  ㉢ 두 변의 길이와 그 끼인각의 크기가 주어졌으므로
    △ABC가 하나로 정해진다.
  ㉣ ∠B는 $\overline{AB}$, $\overline{AC}$의 끼인각이 아니므로 △ABC가 하나
    로 정해지지 않는다.
  따라서 필요한 나머지 한 조건은 ㉡, ㉢이다.

06 ① $6<2+5$이므로 △ABC가 하나로 정해진다.
  ② ∠A는 $\overline{AB}$, $\overline{BC}$의 끼인각이 아니므로 △ABC가 하나
    로 정해지지 않는다.
  ③ ∠B는 $\overline{BC}$, $\overline{CA}$의 끼인각이 아니므로 △ABC가 하나
    로 정해지지 않는다.
  ④ ∠C=180°-(30°+50°)=100°
    즉 한 변의 길이와 그 양 끝 각의 크기가 주어졌으므로
    △ABC가 하나로 정해진다.
  ⑤ 세 각의 크기가 주어졌으므로 △ABC가 무수히 많이
    만들어진다.
  따라서 △ABC가 하나로 정해지는 것은 ①, ④이다.

3 삼각형의 합동

개념 확인

1. (1) 7 cm (2) 53°

2. ㉢

1 (1) $\overline{BC}=\overline{EF}=7$ cm
  (2) △DEF에서 ∠F=∠C=35°이므로
    ∠E=180°-(92°+35°)=53°

2 ㉢ 나머지 한 각의 크기는 180°-(80°+40°)=60°
  즉 대응하는 한 변의 길이가 같고, 그 양 끝 각의 크기가
  각각 같으므로 ASA 합동이다.

STEP 1

1-1. (1) F (2) $\overline{DE}$ (3) ∠D (4) ≡
  연구 (2) $\overline{DE}$, $\overline{AC}$ (3) ∠D, ∠C

1-2. (1) ○ (2) × (3) ○ (4) ○

2-1. (1) △ABC≡△FDE(SSS 합동)
  (2) △ABC≡△EDF(ASA 합동)
  (3) △ABC≡△DFE(SAS 합동)

2-2. ③

1-2 (2) 다음 그림의 두 직사각형의 넓이는 12로 같지만 합동은
  아니다.

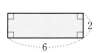

2-1 (1) △ABC와 △FDE에서
    $\overline{AB}=\overline{FD}$, $\overline{BC}=\overline{DE}$, $\overline{AC}=\overline{FE}$
    ∴ △ABC≡△FDE (SSS 합동)
  (2) △ABC와 △EDF에서
    $\overline{BC}=\overline{DF}$, ∠B=∠D, ∠C=∠F
    ∴ △ABC≡△EDF (ASA 합동)
  (3) △ABC와 △DFE에서
    $\overline{AB}=\overline{DF}$, $\overline{BC}=\overline{FE}$, ∠B=∠F
    ∴ △ABC≡△DFE (SAS 합동)

2-2 ③ 나머지 한 각의 크기는 $180° - (45° + 80°) = 55°$
즉 보기의 삼각형과 대응하는 한 변의 길이가 같고, 그
양 끝 각의 크기가 각각 같으므로 ASA 합동이다.

73쪽~77쪽
STEP 2

1-2. $95°$ **2-2.** ④

3-2. ②, ④ **4-2.** $\overline{AC}$, SSS

5-2. $\overline{OB}$, $\overline{OD}$, ∠BOD, SAS **6-2.** ④

7-2. △BCE, SAS 합동

7-3. (가) $\overline{DB}$ (나) $\overline{BC}$ (다) $60°$ (라) SAS

8-2. △DCM, SAS 합동

8-3. (1) △DCG, SAS 합동 (2) 10 cm

1-2 △ABC≡△DEF이므로
∠B = ∠E = 40°
∴ ∠A = $180° - (40° + 45°) = 95°$

2-2 ㉢과 ㉤: 대응하는 한 변의 길이가 같고, 그 양 끝 각의 크기
가 각각 같으므로 ASA 합동이다.

3-2 △ABC≡△DEF이려면 $\overline{AC} = \overline{DF}$ (SSS 합동) 또는
∠B = ∠E (SAS 합동)이어야 한다.

6-2 △ABD와 △CDB에서
$\overline{BD}$는 공통, ∠ABD = ∠CDB (엇각),
∠ADB = ∠CBD (엇각)
∴ △ABD ≡ △CDB (ASA 합동)

7-2 △ABD와 △BCE에서
△ABC는 정삼각형이므로
$\overline{AB} = \overline{BC}$, $\overline{BD} = \overline{CE}$, ∠ABD = ∠BCE = 60°
∴ △ABD ≡ △BCE (SAS 합동)

8-2 △ABM과 △DCM에서
$\overline{AB} = \overline{DC}$, $\overline{BM} = \overline{CM}$, ∠ABM = ∠DCM = 90°
∴ △ABM ≡ △DCM (SAS 합동)

8-3 (1) △BCE와 △DCG에서
$\overline{BC} = \overline{DC}$, $\overline{CE} = \overline{CG}$, ∠BCE = ∠DCG = 90°
∴ △BCE ≡ △DCG (SAS 합동)

(2) △BCE ≡ △DCG이므로
$\overline{DG} = \overline{BE} = 10$ cm

78쪽~79쪽
STEP 3

01. ④, ⑤ **02.** ① **03.** ④ **04.** ③ **05.** ③

06. ③ **07.** 8 km **08.** ④ **09.** ③ **10.** ⑤

---

01 ① $\overline{AB} = \overline{EF} = 6$ cm
② $\overline{AD} = \overline{EH}$이고, 그 길이는 알 수 없다.
③ ∠A = ∠E = 85°
④ ∠G = ∠C = 60°
⑤ ∠H = $360° - (60° + 85° + 90°) = 125°$이므로
∠D = ∠H = 125°
따라서 옳은 것은 ④, ⑤이다.

02 ① 한 변의 길이가 같은 두 정삼각형은 합동이다.

03 ㉢ 나머지 한 각의 크기는
$180° - (80° + 65°) = 35°$
㉤ 나머지 한 각의 크기는
$180° - (35° + 65°) = 80°$
㉢과 ㉤: 대응하는 한 변의 길이가 같고, 그 양 끝 각의 크기
가 각각 같으므로 ASA 합동이다.

04 ① ASA 합동
② SAS 합동
④ SAS 합동
⑤ SSS 합동

05 ③ ∠PMB

06 △ABC와 △DCB에서
$\overline{AB} = \overline{DC}$, ∠ABC = ∠DCB, $\overline{BC}$는 공통
∴ △ABC ≡ △DCB (SAS 합동) (④)
△ABD와 △DCA에서
$\overline{AB} = \overline{DC}$, $\overline{AD}$는 공통
△ABC ≡ △DCB이므로 $\overline{BD} = \overline{CA}$
∴ △ABD ≡ △DCA (SSS 합동) (⑤)
∴ ∠BAD = ∠CDA (①), ∠ADB = ∠DAC (②)
따라서 옳지 않은 것은 ③이다.

---

07 △RAB와 △RPQ에서

$\overline{AR}=\overline{PR}$, ∠BAR=∠QPR,

∠ARB=∠PRQ (맞꼭지각)이므로

△RAB≡△RPQ (ASA 합동) ······ [80 %]

∴ $\overline{AB}=\overline{PQ}$=8 km

따라서 A 지점과 B 지점 사이의 거리는 8 km이다.

······ [20 %]

08 △ABC와 △DBE에서

∠A=∠D, $\overline{BA}=\overline{BD}$, ∠B는 공통이므로

△ABC≡△DBE (ASA 합동) ①

∴ $\overline{BC}=\overline{BE}$ (②), ∠ACB=∠DEB (③),

∠OEA=∠OCD (⑤)

따라서 옳지 않은 것은 ④이다.

09 △ABF와 △DAE에서

$\overline{AB}=\overline{DA}$, $\overline{BF}=\overline{AE}$, ∠ABF=∠DAE=90°이므로

△ABF≡△DAE (SAS 합동)

∴ $\overline{AF}=\overline{DE}$ (①), ∠ADE=∠BAF (②)

이때 ∠BAF=∠ADE=∠a,

∠BFA=∠AED=∠b라 하면

△ABF에서

∠a+∠b=180°-90°=90°

∴ ∠GAE+∠GEA

= ∠a+∠b=90° (④)

∴ ∠GDC+∠GFC

= (90°-∠a)+(180°-∠b)

= 270°-(∠a+∠b)=180° (⑤)

따라서 옳지 않은 것은 ③이다.

10 △ADF, △BED, △CFE에서

$\overline{AD}=\overline{BE}=\overline{CF}$, $\overline{AB}=\overline{BC}=\overline{CA}$이므로

$\overline{AF}=\overline{BD}=\overline{CE}$ (③)

∠A=∠B=∠C=60°이므로

△ADF≡△BED≡△CFE (SAS 합동) (④)

∴ ∠AFD=∠BDE=∠CEF (②), $\overline{FD}=\overline{DE}=\overline{EF}$

즉 △DEF는 정삼각형이므로 ∠EDF=60° (①)

따라서 옳지 않은 것은 ⑤이다.

---

5. 다각형

1 다각형

개념 확인

82쪽~83쪽

1. 풀이 참조

2. (1) 2 (2) 5

1 ∠C의 외각은 오른쪽 그림의 표시한 부분과 같으므로

(∠C의 외각의 크기)

= 180°-60°=120°

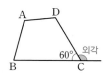

2 (1) 사각형의 대각선의 개수는

$\dfrac{4\times(4-3)}{2}=2$

(2) 오각형의 대각선의 개수는

$\dfrac{5\times(5-3)}{2}=5$

STEP 1

84쪽

1-1. ㉢, ㉤ 연구 3

1-2. (1) ○ (2) × (3) ○

2-1. (1) 50° (2) 75° 연구 (1) 180, 50 (2) 180, 75

2-2. (1) 65° (2) 108°

3-1. (1) 9 (2) 20 (3) 54 (4) 90

3-2. (1) 14 (2) 27 (3) 65 (4) 170

1-2 (2) 다각형에서 변의 개수와 꼭짓점의 개수는 같다.

2-2 (1) (∠B의 크기)=180°-115°=65°

(2) (∠B의 크기)=180°-72°=108°

3-1 (1) $\dfrac{6\times(6-3)}{2}=9$

(2) $\dfrac{8\times(8-3)}{2}=20$

(3) $\dfrac{12\times(12-3)}{2}=54$

(4) $\dfrac{15\times(15-3)}{2}=90$

3-2 (1) $\dfrac{7 \times (7-3)}{2} = 14$

(2) $\dfrac{9 \times (9-3)}{2} = 27$

(3) $\dfrac{13 \times (13-3)}{2} = 65$

(4) $\dfrac{20 \times (20-3)}{2} = 170$

STEP 2

1-2. $75°$

2-2. (1) 네 변의 길이는 모두 같지만 네 내각의 크기가 모두 같다는 조건이 없으므로 정다각형이 아니다.

(2) 네 내각의 크기는 모두 같지만 네 변의 길이가 모두 같다는 조건이 없으므로 정다각형이 아니다.

3-2. 31   **3-3.** 십각형, 35

4-2. 칠각형   **4-3.** 13

1-2 $\angle x = 180° - 130° = 50°$

$\angle y = 180° - 55° = 125°$

$\therefore \angle y - \angle x = 125° - 50° = 75°$

3-2 $a = 8 - 3 = 5$

$b = 8 - 2 = 6$

$c = \dfrac{8 \times (8-3)}{2} = 20$

$\therefore a + b + c = 5 + 6 + 20 = 31$

3-3 구하는 다각형을 n각형이라 하면

$n - 3 = 7$ $\therefore n = 10$

따라서 구하는 다각형은 십각형이고, 십각형의 대각선의 개수는

$\dfrac{10 \times (10-3)}{2} = 35$

4-2 구하는 다각형을 n각형이라 하면

$\dfrac{n(n-3)}{2} = 14$에서

$n(n-3) = 28 = 7 \times 4$ $\therefore n = 7$

따라서 구하는 다각형은 칠각형이다.

4-3 구하는 다각형을 n각형이라 하면

$\dfrac{n(n-3)}{2} = 65$에서

$n(n-3) = 130 = 13 \times 10$ $\therefore n = 13$, 즉 십삼각형

따라서 십삼각형의 변의 개수는 13이다.

STEP 3

01. ③, ④   **02.** $215°$ **03.** ⑤   **04.** 42

05. 정구각형   **06.** 28번

02 $\angle x = 180° - 80° = 100°$

$\angle y = 180° - 65° = 115°$

$\therefore \angle x + \angle y = 100° + 115° = 215°$

03 ③ 다각형의 외각은 한 내각에 대하여 2개 있다.

④ 다각형은 3개 이상의 선분으로 둘러싸인 평면도형이다.

따라서 옳은 것은 ⑤이다.

04 구하는 다각형을 n각형이라 하면

$n - 3 = 9$ $\therefore n = 12$, 즉 십이각형

십이각형의 변의 개수는 12이므로 $x = 12$

십이각형의 대각선의 개수는 $\dfrac{12 \times (12-3)}{2} = 54$이므로

$y = 54$

$\therefore y - x = 54 - 12 = 42$

05 조건 ㈎를 만족시키는 다각형은 정다각형이다.

           ⋯⋯ [30 %]

조건 ㈏를 만족시키는 다각형을 n각형이라 하면

$\dfrac{n(n-3)}{2} = 27$에서 $n(n-3) = 54 = 9 \times 6$

$\therefore n = 9$ ⋯⋯ [50 %]

따라서 구하는 다각형은 정구각형이다.   ⋯⋯ [20 %]

06 악수의 횟수는 팔각형의 변의 개수와 대각선의 개수의 합과 같다.

팔각형의 변의 개수는 8이고 대각선의 개수는

$\dfrac{8 \times (8-3)}{2} = 20$이므로 구하는 악수의 횟수는

$8 + 20 = 28$(번)

---

2 삼각형의 내각과 외각

개념 확인

1. (1) 180, 67   (2) 180, 32

2. (1) 70, 130   (2) 40, 80

STEP ❶

1-1. (1) $55°$ (2) $35°$ [연구] 180 (1) 180 (2) 180

1-2. (1) $58°$ (2) $25°$

2-1. (1) $100°$ (2) $55°$ [연구] 합

2-2. (1) $148°$ (2) $45°$

3-1. $\angle ACE$, $\angle ECD$, $\angle ACE$, $\angle ECD$, 180

3-2. $\angle A$, $\angle B$, $\angle A$, $\angle B$

1-1 (1) $85°+\angle x+40°=180°$ $\therefore \angle x=55°$

     (2) $55°+90°+\angle x=180°$ $\therefore \angle x=35°$

1-2 (1) $52°+70°+\angle x=180°$ $\therefore \angle x=58°$

     (2) $\angle x+65°+90°=180°$ $\therefore \angle x=25°$

2-1 (1) $\angle x=45°+55°=100°$

     (2) $125°=70°+\angle x$ $\therefore \angle x=55°$

2-2 (1) $\angle x=28°+120°=148°$

     (2) $42°+\angle x=87°$ $\therefore \angle x=45°$

STEP ❷

1-2. (1) $50°$ (2) $34°$ **2-2.** $80°$

3-2. (1) $35°$ (2) $30°$ **4-2.** $60°$

5-2. $79°$ **6-2.** (1) $140°$ (2) $115°$

7-2. (1) $120°$ (2) $48°$ **8-2.** $74°$

9-2. $50°$ **10-2.** $60°$

1-2 (1) $(2\angle x-30°)+60°+\angle x=180°$이므로

       $3\angle x+30°=180°$, $3\angle x=150°$

       $\therefore \angle x=50°$

     (2) $(3\angle x-20°)+(\angle x+20°)+44°=180°$이므로

       $4\angle x+44°=180°$, $4\angle x=136°$

       $\therefore \angle x=34°$

2-2 삼각형의 세 내각의 크기의 합은 $180°$이므로

     (가장 큰 각의 크기)$=180°\times\dfrac{4}{2+3+4}=80°$

3-2 (1) $\angle x+(\angle x+10°)=80°$이므로

       $2\angle x=70°$ $\therefore \angle x=35°$

     (2) $2\angle x+(\angle x+40°)=\angle x+100°$이므로

       $2\angle x=60°$ $\therefore \angle x=30°$

4-2 $\angle x+45°=65°+40°$이므로

     $\angle x=60°$

5-2 $\triangle ABC$에서 $\angle BAC=180°-(42°+64°)=74°$

     $\angle BAD=\dfrac{1}{2}\angle BAC=\dfrac{1}{2}\times74°=37°$

     따라서 $\triangle ABD$에서

     $\angle x=37°+42°=79°$

6-2 (1) 오른쪽 그림과 같이 $\overline{AD}$의 연장선

     이 $\overline{BC}$와 만나는 점을 E라 하면

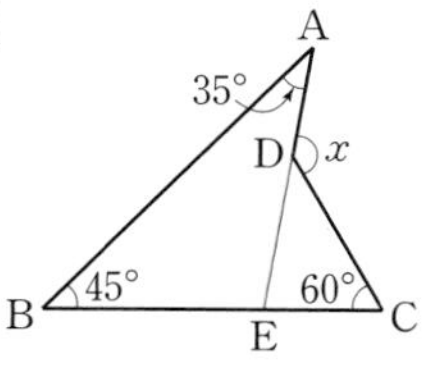

     $\triangle ABE$에서

     $\angle AEC=35°+45°=80°$

     $\triangle DEC$에서

     $\angle x=80°+60°=140°$

     (2) 오른쪽 그림과 같이 $\overline{BC}$를 그으면

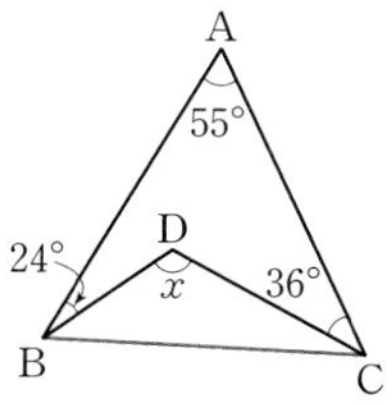

     $\triangle ABC$에서

     $55°+24°+\angle DBC$

          $+\angle DCB+36°=180°$

     $\therefore \angle DBC+\angle DCB=65°$

     따라서 $\triangle DBC$에서

     $\angle x=180°-65°=115°$

7-2 (1) $\triangle ABC$에서 $\angle ABC+\angle ACB=180°-60°=120°$

     따라서 $\triangle IBC$에서

     $\angle x=180°-(\angle IBC+\angle ICB)$

        $=180°-\dfrac{1}{2}(\angle ABC+\angle ACB)$

        $=180°-\dfrac{1}{2}\times120°$

        $=180°-60°=120°$

     (2) $\triangle IBC$에서 $\angle IBC+\angle ICB=180°-114°=66°$

     따라서 $\triangle ABC$에서

     $\angle x=180°-(\angle ABC+\angle ACB)$

        $=180°-2(\angle IBC+\angle ICB)$

        $=180°-2\times66°$

        $=180°-132°=48°$

8-2 $\angle ABC=\angle x$라 하면 $\triangle ABC$에서 $\overline{AB}=\overline{AC}$이므로

     $\angle ACB=\angle ABC=\angle x$

     $\therefore \angle CAD=\angle x+\angle x=2\angle x$

     $\triangle CDA$에서 $\overline{CA}=\overline{CD}$이므로 $\angle CDA=\angle CAD=2\angle x$

     $\triangle DBC$에서 $\angle DCE=2\angle x+\angle x=3\angle x$이므로

     $3\angle x=111°$ $\therefore \angle x=37°$

     $\therefore \angle BDC=2\angle x=2\times37°=74°$

9-2 △ABC에서 ∠ACE=∠x+∠ABC이므로

$\angle DCE = \frac{1}{2}\angle ACE = \frac{1}{2}(\angle x + 2\angle DBC)$

$\qquad = \frac{1}{2}\angle x + \angle DBC$ ······㉠

△DBC에서 ∠DCE=25°+∠DBC ······㉡

㉠, ㉡에서 $\frac{1}{2}\angle x = 25°$ ∴ ∠x=50°

10-2 △APD에서 ∠CPQ=∠x+25°

△PCQ에서 ∠CPQ+∠C+∠CQP=180°이므로

$(\angle x + 25°) + 30° + 65° = 180°$ ∴ ∠x=60°

STEP 3 96쪽~97쪽

01. 30°	**02.** 100°	**03.** 20°	**04.** ③	**05.** 28°
06. ①	**07.** 130°	**08.** 124°	**09.** 75°	**10.** ③
11. 30°	**12.** 60°	**13.** 25°		

01 $65° + (\angle x + 15°) + (2\angle x + 10°) = 180°$이므로

$3\angle x + 90° = 180°, 3\angle x = 90°$

∴ ∠x=30°

02 (가장 큰 각의 크기)$=180° \times \frac{5}{1+3+5} = 100°$

03 $(\angle x + 10°) + 50° = 3\angle x + 20°$이므로

$2\angle x = 40°$ ∴ ∠x=20°

04 △ABC에서 ∠ACE=35°+75°=110°

△DCE에서 ∠x+110°+45°=180° ∴ ∠x=25°

05 $43° + 25° = 40° + \angle x$이므로

∠x=28°

06 △ABC에서 ∠BAC=180°−(40°+68°)=72°

$\angle BAD = \frac{1}{2}\angle BAC = \frac{1}{2} \times 72° = 36°$

따라서 △ABD에서

∠x=36°+40°=76°

07 오른쪽 그림과 같이 $\overline{AD}$의 연장선

이 $\overline{BC}$와 만나는 점을 E라 하면

△ABE에서

∠AEC=35°+40°=75°

△DEC에서

∠x=75°+55°=130°

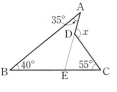

08 △ABC에서

∠ABC+∠ACB=180°−68°=112° ······ [40 %]

△IBC에서

$\angle IBC + \angle ICB = \frac{1}{2}(\angle ABC + \angle ACB)$

$\qquad = \frac{1}{2} \times 112° = 56°$ ······ [30 %]

∴ ∠x=180°−56°=124° ······ [30 %]

09 △ABC에서 $\overline{AB}=\overline{AC}$이므로 ∠ACB=∠ABC=25°

∴ ∠CAD=25°+25°=50°

△CDA에서 $\overline{CA}=\overline{CD}$이므로 ∠CDA=∠CAD=50°

△DBC에서 ∠x=50°+25°=75°

10 △ABC에서 ∠ACE=∠x+∠ABC이므로

$\angle DCE = \frac{1}{2}\angle ACE = \frac{1}{2}(\angle x + 2\angle DBC)$

$\qquad = \frac{1}{2}\angle x + \angle DBC$ ······㉠

△DBC에서 ∠DCE=32°+∠DBC ······㉡

㉠, ㉡에서 $\frac{1}{2}\angle x = 32°$ ∴ ∠x=64°

11 △ABC에서 ∠ACD=60°+∠ABC이므로

$\angle ECD = \frac{1}{2}\angle ACD = \frac{1}{2}(60° + 2\angle EBC)$

$\qquad = 30° + \angle EBC$ ······㉠

△EBC에서 ∠ECD=∠BEC+∠EBC ······㉡

㉠, ㉡에서 ∠BEC=30°

12 △ABC에서 ∠ACD=30°+40°=70°

△ECD에서 $15° + (\angle x + 70°) + 35° = 180°$

∴ ∠x=60°

13 △ACQ에서 ∠PQD=60°+∠x

△PDQ에서 ∠QPD+∠D+∠PQD=180°이므로

$60° + 35° + (60° + \angle x) = 180°$ ∴ ∠x=25°

---

3 다각형의 내각과 외각

개념 확인 98쪽~99쪽

1. (1) 900° (2) 1260° **2.** (1) 108° (2) 120°

3. (1) 80° (2) 62° **4.** (1) 72° (2) 60°

1 (1) $180° \times (7-2) = 900°$

(2) $180° \times (9-2) = 1260°$

2 (1) $\dfrac{180° \times (5-2)}{5} = 108°$

(2) $\dfrac{180° \times (6-2)}{6} = 120°$

3 (1) 사각형의 외각의 크기의 합은 $360°$이므로

$60° + 90° + 130° + \angle x = 360°$

$\therefore \angle x = 80°$

(2) 오각형의 외각의 크기의 합은 $360°$이므로

$92° + 75° + \angle x + 63° + 68° = 360°$

$\therefore \angle x = 62°$

4 (1) $\dfrac{360°}{5} = 72°$

(2) $\dfrac{360°}{6} = 60°$

2-1 (1) 사각형의 외각의 크기의 합은 $360°$이므로

$75° + 85° + 92° + \angle x = 360°$

$\therefore \angle x = 108°$

(2) 오각형의 외각의 크기의 합은 $360°$이므로

$70° + \angle x + 90° + 80° + 60° = 360°$

$\therefore \angle x = 60°$

2-2 (1) 오각형의 외각의 크기의 합은 $360°$이므로

$80° + 75° + 70° + (180° - \angle x) + 47° = 360°$

$452° - \angle x = 360°$ $\therefore \angle x = 92°$

(2) 육각형의 외각의 크기의 합은 $360°$이므로

$43° + 85° + 70° + 60° + \angle x + 58° = 360°$

$\therefore \angle x = 44°$

3-1 (2) $\dfrac{360°}{8} = 45°$

(3) (한 내각의 크기) + (한 외각의 크기) = $180°$이므로

(한 내각의 크기) = $180° - 45° = 135°$

3-2 (2) $\dfrac{360°}{10} = 36°$

(3) (한 내각의 크기) + (한 외각의 크기) = $180°$이므로

(한 내각의 크기) = $180° - 36° = 144°$

STEP ① 100쪽

1-1. (1) $85°$ (2) $75°$ 연구 (1) $2, 360, 360, 85$

1-2. (1) $125°$ (2) $130°$

2-1. (1) $108°$ (2) $60°$ 연구 360

2-2. (1) $92°$ (2) $44°$

3-1. (1) $360°$ (2) $45°$ (3) $135°$ 연구 (2) n

3-2. (1) $360°$ (2) $36°$ (3) $144°$

1-1 (2) $140° + \angle x + (180° - 110°) + 75° = 360°$이므로

$\angle x = 75°$

1-2 (1) 오각형의 내각의 크기의 합은

$180° \times (5-2) = 540°$이므로

$125° + 85° + \angle x + 110° + 95° = 540°$

$\therefore \angle x = 125°$

(2) 오각형의 내각의 크기의 합은

$180° \times (5-2) = 540°$이므로

$80° + 100° + \angle x + (180° - 70°) + 120° = 540°$

$\therefore \angle x = 130°$

STEP ② 101쪽~104쪽

1-2. 오각형 **1-3.** 8

2-2. $100°$

3-2. (1) $75°$ (2) $95°$ **4-2.** $105°$

5-2. $25°$ **5-3.** $425°$

6-2. (1) 정십각형 (2) 정십이각형 (3) $60°$

7-2. 정구각형 **7-3.** 정팔각형

8-2. (1) $120°$ (2) $30°$ (3) $90°$ (4) $120°$

1-2 구하는 다각형을 n각형이라 하면

$180° \times (n-2) = 540°$

$n-2 = 3$ $\therefore n = 5$

따라서 구하는 다각형은 오각형이다.

1-3 구하는 다각형을 n각형이라 하면

$180° \times (n-2) = 1080°$

$n-2 = 6$ $\therefore n = 8$, 즉 팔각형

따라서 팔각형의 꼭짓점의 개수는 8이다.

2-2 육각형의 내각의 크기의 합은

$180° \times (6-2) = 720°$ 이므로

$(\angle x + 40°) + 130° + 110° + 120° + (\angle x + 20°) + \angle x$

$= 720°$

$3\angle x + 420° = 720°, \ 3\angle x = 300°$

$\therefore \angle x = 100°$

3-2 (1) 오각형의 외각의 크기의 합은 $360°$ 이므로

$(180° - 90°) + 40° + (180° - 95°) + \angle x + 70° = 360°$

$\therefore \angle x = 75°$

(2) 육각형의 외각의 크기의 합은 $360°$ 이므로

$70° + 40° + 30° + 80° + (180° - \angle x)$

$+ (180° - 125°) = 360°$

$455° - \angle x = 360° \qquad \therefore \angle x = 95°$

4-2 오른쪽 그림과 같이 보조선을 그으면
오각형의 내각의 크기의 합은
$180° \times (5-2) = 540°$ 이므로
$95° + 75° + \bullet + \times + 60° + 140° + 95°$
$= 540°$

$\therefore \bullet + \times = 75°$

$\therefore \angle x = 180° - (\bullet + \times)$

$= 180° - 75° = 105°$

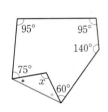

5-2 오른쪽 그림과 같이 보조선을 그으
면
$\bullet + \times = 25° + 20° = 45°$
이때 삼각형의 내각의 크기의 합
은 $180°$ 이므로
$75° + \angle x + \bullet + \times + 35° = 180°$
$75° + \angle x + 45° + 35° = 180° \qquad \therefore \angle x = 25°$

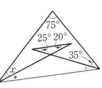

5-3 오른쪽 그림과 같이 보조선을 그
으면
$\bullet + \times = 50° + 65° = 115°$
이때 오각형의 내각의 크기의 합
은 $180° \times (5-2) = 540°$ 이므로
$\angle a + \angle b + \angle c + \bullet + \times$
$+ \angle d + \angle e = 540°$
$\angle a + \angle b + \angle c + 115° + \angle d + \angle e = 540°$
$\therefore \angle a + \angle b + \angle c + \angle d + \angle e = 425°$

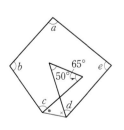

6-2 (1) 구하는 정다각형을 정n각형이라 하면

$\dfrac{360°}{n} = 36° \qquad \therefore n = 10$

따라서 구하는 정다각형은 정십각형이다.

(2) (한 외각의 크기) $= 180° - 150° = 30°$ 이므로

구하는 정다각형을 정n각형이라 하면

$\dfrac{360°}{n} = 30° \qquad \therefore n = 12$

따라서 구하는 정다각형은 정십이각형이다.

(3) 구하는 정다각형을 정n각형이라 하면

$180° \times (n-2) = 720°$

$n - 2 = 4 \qquad \therefore n = 6$

따라서 정육각형의 한 외각의 크기는 $\dfrac{360°}{6} = 60°$

7-2 (한 외각의 크기) $= 180° \times \dfrac{2}{7+2} = 40°$ 이므로

구하는 정다각형을 정n각형이라 하면

$\dfrac{360°}{n} = 40° \qquad \therefore n = 9$

따라서 구하는 정다각형은 정구각형이다.

7-3 한 내각의 크기와 한 외각의 크기의 비가 $3:1$ 이므로

(한 외각의 크기) $= 180° \times \dfrac{1}{3+1} = 45°$

이때 구하는 정다각형을 정n각형이라 하면

$\dfrac{360°}{n} = 45° \qquad \therefore n = 8$

따라서 구하는 정다각형은 정팔각형이다.

8-2 (1) $\dfrac{180° \times (6-2)}{6} = 120°$

(2) $\triangle FAE$는 $\overline{FA} = \overline{FE}$인 이등변삼각형이므로

$\angle FAE = \dfrac{1}{2} \times (180° - 120°) = 30°$

(3) $\triangle EFD$는 $\overline{EF} = \overline{ED}$인 이등변삼각형이므로

$\angle EFD = \dfrac{1}{2} \times (180° - 120°) = 30°$

$\therefore \angle AFG = 120° - 30° = 90°$

(4) $\triangle AGF$에서

$\angle AGD = \angle FAG + \angle AFG = 30° + 90° = 120°$

STEP 3

01. ㉠ 5 ㉡ 6 ㉢ 1080   **02.** ②   **03.** 110°   **04.** ⑤

05. ㉠ 180°×n ㉡ 360° **06.** 55°   **07.** 100°   **08.** 80°

09. 465°   **10.** ②   **11.** (1) 정십사각형 (2) 77 (3) 2160°

12. (1) 정구각형 (2) 1260°   **13.** 24°

14. 정십팔각형   **15.** 1번, 3번, 6번   **16.** ④

17. ②

---

02 구하는 다각형을 n각형이라 하면

$180° \times (n-2) = 1260°$

$n-2 = 7$ ∴ $n = 9$, 즉 구각형

따라서 구각형의 대각선의 개수는

$\dfrac{9 \times (9-3)}{2} = 27$

03 사각형의 내각의 크기의 합은

$180° \times (4-2) = 360°$이므로

$140° + 60° + (180° - \angle x) + 90° = 360°$

$470° - \angle x = 360°$ ∴ $\angle x = 110°$

04 오각형의 내각의 크기의 합은

$180° \times (5-2) = 540°$이므로

$120° + 104° + 105° + \angle x + 105° = 540°$

∴ $\angle x = 106°$

06 오각형의 외각의 크기의 합은 360°이므로

$(\angle x + 25°) + \angle x + 67° + 78° + 80° = 360°$ ······ [60 %]

$2\angle x + 250° = 360°,\ 2\angle x = 110°$

∴ $\angle x = 55°$ ······ [40 %]

07 육각형의 외각의 크기의 합은 360°이므로

$45° + (180° - 140°) + 60° + 75° + (180° - \angle x) + 60°$

$= 360°$

$460° - \angle x = 360°$ ∴ $\angle x = 100°$

08 오른쪽 그림과 같이 $\overline{CD}$를 그으면

$\bullet + \times = 180° - 90° = 90°$

이때 사각형의 내각의 크기의 합은

$180° \times (4-2) = 360°$

이므로

$93° + 97° + \angle b + \bullet + \times + \angle a = 360°$

$93° + 97° + \angle b + 90° + \angle a = 360°$

∴ $\angle a + \angle b = 80°$

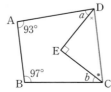

09 오른쪽 그림과 같이 보조선을 그으면

$\bullet + \times = 30° + 45° = 75°$

이때 오각형의 내각의 크기의 합은

$180° \times (5-2) = 540°$이므로

$\angle a + \angle b + \angle c + \bullet + \times + \angle d + \angle e = 540°$

$\angle a + \angle b + \angle c + 75° + \angle d + \angle e = 540°$

∴ $\angle a + \angle b + \angle c + \angle d + \angle e = 465°$

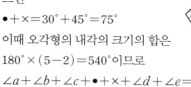

10 오른쪽 그림과 같이 보조선을 그으면

$\bullet + \times = 45° + 60° = 105°$

이때 사각형의 내각의 크기의 합은 $180° \times (4-2) = 360°$이므로

$50° + 70° + \bullet + \times + \angle x + \angle y = 360°$

$50° + 70° + 105° + \angle x + \angle y = 360°$

∴ $\angle x + \angle y = 135°$

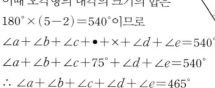

11 (1) 조건 (가)를 만족시키는 다각형은 십사각형이고, 조건 (나)를 만족시키는 다각형은 정다각형이다.

따라서 구하는 다각형은 정십사각형이다. ······ [20 %]

(2) $\dfrac{14 \times (14-3)}{2} = 77$ ······ [40 %]

(3) $180° \times (14-2) = 2160°$ ······ [40 %]

12 (1) (한 외각의 크기) $= 180° - 140° = 40°$이므로

구하는 정다각형을 정n각형이라 하면

$\dfrac{360°}{n} = 40°$ ∴ $n = 9$

따라서 구하는 정다각형은 정구각형이다.

(2) $180° \times (9-2) = 1260°$

13 구하는 정다각형을 정n각형이라 하면

$n-3 = 12$ ∴ $n = 15$, 즉 정십오각형

따라서 정십오각형의 한 외각의 크기는 $\dfrac{360°}{15} = 24°$

14 조건 (가)를 만족시키는 다각형은 정다각형이다.

조건 (나)를 만족시키는 정다각형의 한 외각의 크기는

$180° \times \dfrac{1}{8+1} = 20°$

이때 구하는 정다각형을 정n각형이라 하면

$\dfrac{360°}{n} = 20°$ ∴ $n = 18$

따라서 구하는 정다각형은 정십팔각형이다.

15 정육각형의 한 외각의 크기는 $\dfrac{360°}{6}=60°$

따라서 정육각형 모양의 운동장을 따라 한 바퀴 돌리려면 3번, 1번, 6번 버튼을 반복해서 사용하면 된다.

16 정삼각형, 정사각형의 한 내각의 크기는 각각 $60°$, $90°$이다.
$\triangle ABC$는 $\overline{AB}=\overline{BC}$인 이등변삼각형이므로

$\angle BAC = \angle BCA = \dfrac{1}{2} \times (180° - 90°) = 45°$

$\therefore \angle y = \angle ECB - \angle BCA$
$\qquad = 60° - 45° = 15°$

한편 $\angle ABE = \angle ABC - \angle EBC = 90° - 60° = 30°$이고
$\triangle BEA$는 $\overline{BA}=\overline{BE}$인 이등변삼각형이므로

$\angle BAE = \dfrac{1}{2} \times (180° - 30°) = 75°$

$\therefore \angle x = \angle BAE - \angle BAC$
$\qquad = 75° - 45° = 30°$

$\therefore \angle x - \angle y = 30° - 15° = 15°$

17

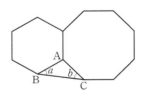

정육각형의 한 외각의 크기는 $\dfrac{360°}{6}=60°$

정팔각형의 한 외각의 크기는 $\dfrac{360°}{8}=45°$

$\therefore \angle BAC = 60° + 45° = 105°$

따라서 $\triangle ABC$에서

$\angle a + \angle b = 180° - \angle BAC$
$\qquad\qquad = 180° - 105° = 75°$

---

6. 원과 부채꼴

1 원과 부채꼴

개념 확인 110쪽~111쪽

1. (1) ㉠ (2) ㉣ (3) ㉤ (4) ㉡ (5) ㉢

2. (1) 4 (2) 90 (3) 5

2 (1) 호의 길이는 중심각의 크기에 정비례하므로
$30 : 60 = x : 8$, 즉 $1 : 2 = x : 8$에서
$8 = 2x$ $\therefore x = 4$

(2) 부채꼴의 넓이는 중심각의 크기에 정비례하므로
$45 : x = 3 : 6$, 즉 $45 : x = 1 : 2$에서
$x = 90$

(3) 같은 크기의 중심각에 대한 현의 길이는 같으므로
$x = 5$

STEP 1 112쪽

1-1. (1) (2) (3) (4) (5) (6)

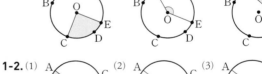

1-2. (1) (2) (3) (4) (5) (6)

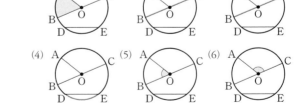

2-1. (1) 3 (2) 45 (3) 8 (4) 105

연구 (1), (2) 정 (3), (4) 중심각, 정

2-2. (1) 8 (2) 120 (3) 24 (4) 140

2-1 (1) $20 : 140 = x : 21$, 즉 $1 : 7 = x : 21$에서
$21 = 7x$ $\therefore x = 3$

(2) $135 : x = 15 : 5$, 즉 $135 : x = 3 : 1$에서
$135 = 3x$ $\therefore x = 45$

(3) $75:25=24:x$, 즉 $3:1=24:x$에서

$3x=24$ ∴ $x=8$

(4) $45:x=6:14$, 즉 $45:x=3:7$에서

$315=3x$ ∴ $x=105$

2-2 (1) $150:60=20:x$, 즉 $5:2=20:x$에서

$5x=40$ ∴ $x=8$

(2) $x:40=15:5$, 즉 $x:40=3:1$에서

$x=120$

(3) $120:50=x:10$, 즉 $12:5=x:10$에서

$120=5x$ ∴ $x=24$

(4) $35:x=6:24$, 즉 $35:x=1:4$에서

$x=140$

STEP **2**
113쪽~115쪽

1-2. (1) 5 (2) 3 　　　**2-2.** 144°

3-2. 20 cm 　　　**4-2.** 6 cm

5-2. 12 cm² 　　　**5-3.** 8 cm²

6-2. ③

1-2 (1) $54:90=3:x$, 즉 $3:5=3:x$에서

$x=5$

(2) $80:30=(x+5):x$, 즉 $8:3=(x+5):x$에서

$8x=3(x+5)$, $8x=3x+15$

$5x=15$ ∴ $x=3$

2-2 $\overline{AB}$는 원 O의 지름이고

$\angle AOC:\angle COB=\overset{\frown}{AC}:\overset{\frown}{CB}=4:1$이므로

$\angle AOC=180°\times\dfrac{4}{4+1}=180°\times\dfrac{4}{5}=144°$

3-2 $\overline{AB}/\!/\overline{CD}$이므로

$\angle ODC=\angle DOB=30°$(엇각)

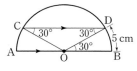

$\triangle COD$에서 $\overline{OC}=\overline{OD}$이므로

$\angle OCD=\angle ODC=30°$

∴ $\angle COD=180°-(30°+30°)=120°$

이때 $120:30=\overset{\frown}{CD}:5$, 즉 $4:1=\overset{\frown}{CD}:5$에서

$\overset{\frown}{CD}=20$ (cm)

4-2 $\overline{AD}/\!/\overline{OC}$이므로

$\angle DAO=\angle COB=45°$(동위각)

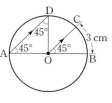

오른쪽 그림과 같이 $\overline{OD}$를 그으면

$\triangle AOD$에서 $\overline{OA}=\overline{OD}$이므로

$\angle ADO=\angle DAO=45°$

∴ $\angle AOD=180°-(45°+45°)=90°$

이때 $90:45=\overset{\frown}{AD}:3$, 즉 $2:1=\overset{\frown}{AD}:3$에서

$\overset{\frown}{AD}=6$ (cm)

5-2 부채꼴 AOB의 넓이를 x cm²라 하면

$30:120=x:48$, 즉 $1:4=x:48$에서

$48=4x$ ∴ $x=12$

따라서 부채꼴 AOB의 넓이는 12 cm²이다.

5-3 $\overline{AB}$는 원 O의 지름이고

$\angle AOC:\angle COB=\overset{\frown}{AC}:\overset{\frown}{CB}=2:7$이므로 두 부채꼴

AOC, COB의 넓이의 비도 $2:7$이다.

∴ (부채꼴 AOC의 넓이)=(반원의 넓이)$\times\dfrac{2}{2+7}$

$\qquad\qquad=\left(72\times\dfrac{1}{2}\right)\times\dfrac{2}{9}=8$ (cm²)

6-2 ① 한 원에서 같은 크기의 중심각에 대한 현의 길이는 같고

$\angle COD=\angle AOB$이므로 $\overline{CD}=\overline{AB}$

② 한 원에서 중심각의 크기가 같은 두 부채꼴의 호의 길이는 같고 $\angle COD=\angle AOB$이므로

$\overset{\frown}{CD}=\overset{\frown}{AB}$

③ $\overline{AB}=\overline{CD}=\overline{DE}$이고 $\overline{CE}<\overline{CD}+\overline{DE}=2\overline{CD}$이므로

$\overline{CE}\neq2\overline{AB}$

④ 한 원에서 부채꼴의 호의 길이는 중심각의 크기에 정비례하고 $\angle COE=2\angle AOB$이므로

$\overset{\frown}{CE}=2\overset{\frown}{AB}$

⑤ 한 원에서 부채꼴의 넓이는 중심각의 크기에 정비례하고 $\angle COE=2\angle AOB$이므로

(부채꼴 COE의 넓이)$=2\times$(부채꼴 AOB의 넓이)

따라서 옳지 않은 것은 ③이다.

STEP **3**
116쪽~118쪽

01. ⑤ 　**02.** ④ 　**03.** ④ 　**04.** ⑤ 　**05.** ③

06. ② 　**07.** 9π cm 　**08.** ① 　**09.** ④ 　**10.** ④

11. 6 cm 　**12.** 40° 　**13.** ② 　**14.** ② 　**15.** 8 cm²

16. 태인 : 24 cm², 준호 : 18 cm²

01 ⑤ ⓜ − 호 AB

02 ④ 원 위의 두 점 A, C를 양 끝점으로 하는 호는 2개이다.

03 부채꼴과 활꼴이 같아지는 경우는 반원일 때이므로 부채꼴의 중심각의 크기는 180°이다.

04 ⑤ 현의 길이는 중심각의 크기에 정비례하지 않으므로 중심각의 크기가 2배가 된다고 해서 현의 길이가 2배가 되지는 않는다.

05 ① $\angle AOB \neq \angle COD$이므로 $\overline{AB} \neq \overline{CD}$

②, ④ $\overline{AB} < 2\overline{CD}$

③ $\angle AOB = 2\angle COD$이므로 $\overparen{AB} = 2\overparen{CD}$

⑤ 삼각형의 넓이는 중심각의 크기에 정비례하지 않으므로
$\triangle OAB \neq 2\triangle OCD$

따라서 옳은 것은 ③이다.

06 $55 : 110 = 10 : (x+15)$, 즉 $1 : 2 = 10 : (x+15)$에서
$x+15 = 20$ $\therefore x = 5$

07 $\overline{AC} = \overline{OA} = \overline{OC}$이므로 $\triangle AOC$는 정삼각형이다.
$\angle AOC = 60°$이므로   ····· [30 %]
$\angle COD = 180° - (60° + 30°) = 90°$ ····· [30 %]
이때 $60 : 90 = 6\pi : \overparen{CD}$, 즉 $2 : 3 = 6\pi : \overparen{CD}$에서
$2\overparen{CD} = 18\pi$ $\therefore \overparen{CD} = 9\pi$ (cm)   ····· [40 %]

08 $\triangle AOB$에서 $\overline{OA} = \overline{OB}$이므로
$\angle OAB = \dfrac{1}{2} \times (180° - 140°) = 20°$
$\overline{AB} \parallel \overline{CD}$이므로 $\angle AOC = \angle OAB = 20°$(엇각)
이때 $20 : 140 = \overparen{AC} : 7\pi$, 즉 $1 : 7 = \overparen{AC} : 7\pi$에서
$7\pi = 7\overparen{AC}$ $\therefore \overparen{AC} = \pi$ (cm)

09 ① $\angle CAO = \angle DOB = 30°$(동위각)
② $\angle OCA = \angle OAC = 30°$이므로
$\angle AOC = 180° - (30° + 30°) = 120°$
③ $\angle COD = \angle OCA = 30°$(엇각)
④ $\overline{OA} = \overline{OC} = \overline{OD}$이고 $\overline{AC} < \overline{OA} + \overline{OC} = 2\overline{OC}$이므로
$\overline{AC} < 2\overline{OD}$
⑤ $120 : 30 = \overparen{AC} : 4$, 즉 $4 : 1 = \overparen{AC} : 4$에서
$\overparen{AC} = 16$ (cm)
따라서 옳지 않은 것은 ④이다.

10 $\angle AOC = \angle x$라 하면
$\overline{AD} \parallel \overline{CO}$이므로
$\angle OAD = \angle AOC = \angle x$(엇각)
$\triangle AOD$에서 $\overline{OA} = \overline{OD}$이므로
$\angle ODA = \angle OAD = \angle x$

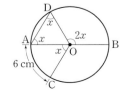

따라서 $\angle DOB = \angle x + \angle x = 2\angle x$이므로
$\angle x : 2\angle x = 6 : \overparen{BD}$, 즉 $1 : 2 = 6 : \overparen{BD}$에서
$\overparen{BD} = 12$ (cm)

11 $\triangle OPC$에서 $\overline{CO} = \overline{CP}$이므로
$\angle COP = \angle P = 20°$
$\therefore \angle OCD = 20° + 20° = 40°$
$\triangle OCD$에서 $\overline{OC} = \overline{OD}$이므로
$\angle ODC = \angle OCD = 40°$
$\triangle OPD$에서 $\angle BOD = 20° + 40° = 60°$
이때 $20 : 60 = \overparen{AC} : 18$, 즉 $1 : 3 = \overparen{AC} : 18$에서
$18 = 3\overparen{AC}$ $\therefore \overparen{AC} = 6$ (cm)

12 $\angle x : 160° = 5 : 20$, 즉 $\angle x : 160° = 1 : 4$에서
$4\angle x = 160°$ $\therefore \angle x = 40°$

13 $x : 100 = 3\pi : 12\pi$, 즉 $x : 100 = 1 : 4$에서
$4x = 100$ $\therefore x = 25$
$50 : 100 = y : 12\pi$, 즉 $1 : 2 = y : 12\pi$에서
$12\pi = 2y$ $\therefore y = 6\pi$

14 $\angle BOC = 180° - 45° = 135°$
이때 부채꼴 COB의 넓이를 x cm^{2}라 하면
$45 : 135 = 4 : x$, 즉 $1 : 3 = 4 : x$에서
$x = 12$
따라서 부채꼴 COB의 넓이는 12 cm^{2}이다.

15 $\angle AOB : \angle BOC : \angle COA = \overparen{AB} : \overparen{BC} : \overparen{CDA}$
$= 3 : 1 : 5$
이므로 세 부채꼴 AOB, BOC, COA의 넓이의 비도
$3 : 1 : 5$이다.   ····· [50 %]
따라서 부채꼴 BOC의 넓이는
$72 \times \dfrac{1}{3+1+5} = 8$ (cm^2)   ····· [50 %]

16 $\angle AOB : \angle BOC : \angle COA = \overparen{AB} : \overparen{BC} : \overparen{CA}$
$= 5 : 4 : 3$
이므로 세 부채꼴 AOB, BOC, COA의 넓이의 비도
$5 : 4 : 3$이다.
이때 태인이와 준호가 먹은 피자의 넓이를 각각 x cm^2,
y cm^{2}라 하면
$5 : 4 = 30 : x$에서 $5x = 120$ $\therefore x = 24$
$5 : 3 = 30 : y$에서 $5y = 90$ $\therefore y = 18$
따라서 태인이가 먹은 피자의 넓이는 24 cm^{2}이고, 준호가
먹은 피자의 넓이는 18 cm^{2}이다.

2 부채꼴의 호의 길이와 넓이

개념 확인

119쪽~120쪽

1. (1) $l=10\pi$ cm, $S=25\pi$ cm^2

(2) $l=16\pi$ cm, $S=64\pi$ cm^2

2. (1) 호의 길이 : 2π cm, 넓이 : 6π cm^2

(2) 63 cm^2

1 (1) $l=2\pi\times5=10\pi$ (cm)

$S=\pi\times5^2=25\pi$ (cm^2)

(2) $l=2\pi\times8=16\pi$ (cm)

$S=\pi\times8^2=64\pi$ (cm^2)

2 (1) (호의 길이)$=2\pi\times6\times\dfrac{60}{360}=2\pi$ (cm)

(넓이)$=\pi\times6^2\times\dfrac{60}{360}=6\pi$ (cm^2)

(2) (넓이)$=\dfrac{1}{2}\times9\times14=63$ (cm^2)

2-1 (1) (호의 길이)$=2\pi\times8\times\dfrac{135}{360}=6\pi$ (cm)

(2) (넓이)$=\pi\times8^2\times\dfrac{135}{360}=24\pi$ (cm^2)

2-2 (1) $l=2\pi\times4\times\dfrac{45}{360}=\pi$ (cm)

$S=\pi\times4^2\times\dfrac{45}{360}=2\pi$ (cm^2)

(2) $l=2\pi\times9\times\dfrac{240}{360}=12\pi$ (cm)

$S=\pi\times9^2\times\dfrac{240}{360}=54\pi$ (cm^2)

3-1 (1) (둘레의 길이)$=$(호의 길이)$+$(반지름의 길이)$\times2$

$=3\pi+8\times2$

$=3\pi+16$ (cm)

(2) (넓이)$=\dfrac{1}{2}\times8\times3\pi=12\pi$ (cm^2)

3-2 (둘레의 길이)$=$(호의 길이)$+$(반지름의 길이)$\times2$

$=6\pi+9\times2$

$=6\pi+18$ (cm)

(넓이)$=\dfrac{1}{2}\times9\times6\pi=27\pi$ (cm^2)

STEP 1

121쪽

1-1. (1) $l=18\pi$ cm, $S=81\pi$ cm^2

(2) $l=22\pi$ cm, $S=121\pi$ cm^2 연구 $2\pi r$, πr^2

1-2. (1) $l=12\pi$ cm, $S=36\pi$ cm^2

(2) $l=10\pi$ cm, $S=25\pi$ cm^2

2-1. (1) 6π cm (2) 24π cm^2 연구 x, πr^2

2-2. (1) $l=\pi$ cm, $S=2\pi$ cm^2

(2) $l=12\pi$ cm, $S=54\pi$ cm^2

3-1. (1) $(3\pi+16)$ cm (2) 12π cm^2 연구 $\dfrac{1}{2}rl$

3-2. 둘레의 길이 : $(6\pi+18)$ cm, 넓이 : 27π cm^2

1-1 (1) $l=2\pi\times9=18\pi$ (cm)

$S=\pi\times9^2=81\pi$ (cm^2)

(2) $l=2\pi\times11=22\pi$ (cm)

$S=\pi\times11^2=121\pi$ (cm^2)

1-2 (1) $l=2\pi\times6=12\pi$ (cm)

$S=\pi\times6^2=36\pi$ (cm^2)

(2) $l=2\pi\times5=10\pi$ (cm)

$S=\pi\times5^2=25\pi$ (cm^2)

STEP 2

122쪽~126쪽

1-2. (1) 100π cm^2 (2) 16 cm

2-2. (1) $40°$ (2) $90°$ (3) 6 cm

3-2. (1) 120π cm^2 (2) 8π cm

4-2. 둘레의 길이 : 20π cm, 넓이 : 12π cm^2

5-2. 둘레의 길이 : $(9\pi+8)$ cm, 넓이 : 18π cm^2

6-2. 둘레의 길이 : $(8\pi+8)$ cm, 넓이 : 8π cm^2

7-2. (1) $(6\pi+24)$ cm (2) $(72-18\pi)$ cm^2

8-2. (1) $(8\pi+8)$ cm (2) 32 cm^2

9-2. $(18\pi-36)$ cm^2

10-2. 6 cm^2

1-2 (1) (넓이)$=\pi\times10^2=100\pi$ (cm^2)

(2) 원의 반지름의 길이를 r cm라 하면

$\pi r^2=64\pi$, $r^2=64$ ∴ $r=8$

따라서 구하는 지름의 길이는 16 cm이다.

2-2 (1) 부채꼴의 중심각의 크기를 $x°$라 하면

$\pi\times6^2\times\dfrac{x}{360}=4\pi$에서 $x=40$

따라서 구하는 중심각의 크기는 $40°$이다.

(2) 부채꼴의 중심각의 크기를 $x°$라 하면

$2\pi \times 10 \times \dfrac{x}{360} = 5\pi$에서 $x = 90$

따라서 구하는 중심각의 크기는 $90°$이다.

(3) 부채꼴의 반지름의 길이를 r cm라 하면

$2\pi r \times \dfrac{150}{360} = 5\pi$에서 $r = 6$

따라서 구하는 반지름의 길이는 6 cm이다.

3-2 (1) (넓이)$= \dfrac{1}{2} \times 12 \times 20\pi = 120\pi$ (cm^2)

(2) 부채꼴의 호의 길이를 l cm라 하면

$\dfrac{1}{2} \times 7 \times l = 28\pi$ $\therefore l = 8\pi$

따라서 구하는 호의 길이는 8π cm이다.

4-2 (둘레의 길이)$= 2\pi \times 5 + 2\pi \times 3 + 2\pi \times 2$

$= 10\pi + 6\pi + 4\pi$

$= 20\pi$ (cm)

(넓이)$= \pi \times 5^2 - (\pi \times 3^2 + \pi \times 2^2)$

$= 25\pi - (9\pi + 4\pi)$

$= 25\pi - 13\pi = 12\pi$ (cm^2)

5-2 (둘레의 길이)$= 2\pi \times 8 \times \dfrac{135}{360} + 2\pi \times 4 \times \dfrac{135}{360} + 4 \times 2$

$= 6\pi + 3\pi + 8$

$= 9\pi + 8$ (cm)

(넓이)$= \pi \times 8^2 \times \dfrac{135}{360} - \pi \times 4^2 \times \dfrac{135}{360}$

$= 24\pi - 6\pi$

$= 18\pi$ (cm^2)

6-2 (둘레의 길이)

$= ① + ② + ③$

$= 2\pi \times 4 \times \dfrac{1}{2} + 2\pi \times 8 \times \dfrac{90}{360} + 8$

$= 4\pi + 4\pi + 8$

$= 8\pi + 8$ (cm)

(넓이)$= \pi \times 8^2 \times \dfrac{90}{360} - \pi \times 4^2 \times \dfrac{1}{2}$

$= 16\pi - 8\pi$

$= 8\pi$ (cm^2)

7-2 (1) (둘레의 길이)$= \left(2\pi \times 6 \times \dfrac{90}{360} \right) \times 2 + 6 \times 4$

$= 6\pi + 24$ (cm)

(2) (①+②의 넓이)

$= \left(\pi \times 6^2 \times \dfrac{90}{360} - \dfrac{1}{2} \times 6 \times 6 \right) \times 2$

$= (9\pi - 18) \times 2$

$= 18\pi - 36$ (cm^2)

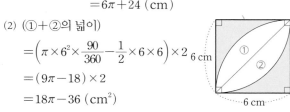

$\therefore$ (색칠한 부분의 넓이)

$=$ (정사각형의 넓이)$-$(①+②의 넓이)

$= 6 \times 6 - (18\pi - 36)$

$= 72 - 18\pi$ (cm^2)

8-2 (1) (둘레의 길이)

$= \left(2\pi \times 4 \times \dfrac{1}{2} \right) \times 2 + 4 \times 2$

$= 8\pi + 8$ (cm)

(2) 오른쪽 그림과 같이 도형을 이동
하면

(넓이)$= 8 \times 4 = 32$ (cm^2)

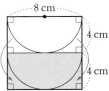

9-2 오른쪽 그림과 같이 도형을 이동하면

(넓이)

$= \pi \times 12^2 \times \dfrac{45}{360} - \dfrac{1}{2} \times 12 \times 6$

$= 18\pi - 36$ (cm^2)

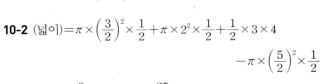

10-2 (넓이)$= \pi \times \left(\dfrac{3}{2} \right)^2 \times \dfrac{1}{2} + \pi \times 2^2 \times \dfrac{1}{2} + \dfrac{1}{2} \times 3 \times 4$

$- \pi \times \left(\dfrac{5}{2} \right)^2 \times \dfrac{1}{2}$

$= \dfrac{9}{8}\pi + 2\pi + 6 - \dfrac{25}{8}\pi = 6$ (cm^2)

참고

색칠한 부분의 넓이는 직각삼각형 ABC의 넓이와 같다.

127쪽~129쪽

STEP 3

01. 둘레의 길이 : 30π cm, 넓이 : 225π cm^2

02. 10π　　**03.** 30π cm^2　　　　**04.** 27π cm^2

05. 지안　　**06.** $135°$　　**07.** 9 cm　　**08.** ⑤

09. 둘레의 길이 : 10π cm, 넓이 : 15π cm^2

10. 둘레의 길이 : 20π cm, 넓이 : 24π cm^2

11. 둘레의 길이 : $\left(\dfrac{10}{3}\pi + 4 \right)$ cm, 넓이 : $\dfrac{10}{3}\pi$ cm^2

12. 둘레의 길이 : $(10\pi + 20)$ cm, 넓이 : $(100 - 25\pi)$ cm^2

13. ⑤　　　**14.** ③　　　**15.** $(72 - 144)$ cm^2　**16.** ①

17. 18 cm^2　**18.** (1) $60°$ (2) 4π cm (3) 84π cm^2

01 (둘레의 길이)$=2\pi\times15=30\pi$ (cm)

(넓이)$=\pi\times15^2=225\pi$ (cm^2)

02 $a=2\pi\times3\times\dfrac{240}{360}=4\pi$ ····· [40 %]

$b=\pi\times3^2\times\dfrac{240}{360}=6\pi$ ····· [40 %]

$\therefore a+b=4\pi+6\pi=10\pi$ ····· [20 %]

03 정오각형의 한 내각의 크기는

$\dfrac{180°\times(5-2)}{5}=108°$

$\therefore$ (부채꼴 BCA의 넓이)$=\pi\times10^2\times\dfrac{108}{360}$

$=30\pi$ (cm^2)

04 한 시간에 해당하는 부채꼴의 중심각의 크기는 $\dfrac{360°}{24}=15°$

이고 학교에서 생활하는 시간은 8시간이므로 학교에서 생활하는 부분에 해당하는 부채꼴의 중심각의 크기는

$15°\times8=120°$

따라서 구하는 부채꼴의 넓이는

$\pi\times9^2\times\dfrac{120}{360}=27\pi$ (cm^2)

05 지안이의 조각 피자의 넓이는

$\pi\times20^2\times\dfrac{45}{360}=50\pi$ (cm^2)

도경이의 조각 피자의 넓이는

$\pi\times24^2\times\dfrac{30}{360}=48\pi$ (cm^2)

따라서 지안이의 조각 피자가 도경이의 조각 피자보다 양이 더 많다.

06 부채꼴의 중심각의 크기를 $x°$라 하면

$2\pi\times4\times\dfrac{x}{360}=3\pi$ $\therefore x=135$

따라서 구하는 중심각의 크기는 135°이다.

07 부채꼴의 반지름의 길이를 r cm라 하면

$2\pi r\times\dfrac{160}{360}=8\pi$ $\therefore r=9$

따라서 구하는 반지름의 길이는 9 cm이다.

08 부채꼴의 반지름의 길이를 r cm라 하면

$12\pi=\dfrac{1}{2}r\times4\pi$ $\therefore r=6$

이때 부채꼴의 중심각의 크기를 $x°$라 하면

$2\pi\times6\times\dfrac{x}{360}=4\pi$ $\therefore x=120$

따라서 구하는 부채꼴의 반지름의 길이는 6 cm, 중심각의 크기는 120°이다.

09 (둘레의 길이)$=2\pi\times5\times\dfrac{1}{2}+2\pi\times3\times\dfrac{1}{2}+2\pi\times2\times\dfrac{1}{2}$

$=5\pi+3\pi+2\pi$

$=10\pi$ (cm)

(넓이)$=\pi\times5^2\times\dfrac{1}{2}+\pi\times3^2\times\dfrac{1}{2}-\pi\times2^2\times\dfrac{1}{2}$

$=\dfrac{25}{2}\pi+\dfrac{9}{2}\pi-2\pi$

$=17\pi-2\pi$

$=15\pi$ (cm^2)

10 (둘레의 길이)$=2\pi\times10\times\dfrac{1}{2}+2\pi\times6\times\dfrac{1}{2}+2\pi\times4\times\dfrac{1}{2}$

$=10\pi+6\pi+4\pi$

$=20\pi$ (cm) ····· [50 %]

(넓이)$=\pi\times10^2\times\dfrac{1}{2}-\pi\times6^2\times\dfrac{1}{2}-\pi\times4^2\times\dfrac{1}{2}$

$=50\pi-18\pi-8\pi$

$=24\pi$ (cm^2) ····· [50 %]

11 (둘레의 길이)$=2\pi\times6\times\dfrac{60}{360}+2\pi\times4\times\dfrac{60}{360}+2\times2$

$=2\pi+\dfrac{4}{3}\pi+4$

$=\dfrac{10}{3}\pi+4$ (cm)

(넓이)$=\pi\times6^2\times\dfrac{60}{360}-\pi\times4^2\times\dfrac{60}{360}$

$=6\pi-\dfrac{8}{3}\pi$

$=\dfrac{10}{3}\pi$ (cm^2)

12 (둘레의 길이)$=\left(2\pi\times5\times\dfrac{1}{2}\right)\times2+10\times2$

$=10\pi+20$ (cm)

(넓이)$=10\times10-\left(\pi\times5^2\times\dfrac{1}{2}\right)\times2$

$=100-25\pi$ (cm^2)

13 (둘레의 길이)

$=①+②+③+④\times4$

$=\left(2\pi\times4\times\dfrac{1}{2}\right)\times2$

$\quad+2\pi\times8\times\dfrac{90}{360}+8\times4$

$=8\pi+4\pi+32$

$=12\pi+32$ (cm)

14 $\overline{EB}=\overline{BC}=\overline{EC}=3$ cm이므로 △EBC는 정삼각형이다.

$\therefore \angle ABE=\angle DCE=90°-60°=30°$

∴ (넓이)
= (정사각형 ABCD의 넓이)
　－{(부채꼴 ABE의 넓이)＋(부채꼴 ECD의 넓이)}
$= 3 \times 3 - \left(\pi \times 3^2 \times \dfrac{30}{360} \right) \times 2$
$= 9 - \dfrac{3}{2}\pi \ (\text{cm}^2)$

15 구하는 넓이는 오른쪽 그림의 색칠한 부분의 넓이의 8배와 같으므로

$(\text{넓이}) = \left(\pi \times 6^2 \times \dfrac{90}{360} - \dfrac{1}{2} \times 6 \times 6 \right) \times 8$
$= (9\pi - 18) \times 8$
$= 72\pi - 144 \ (\text{cm}^2)$

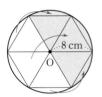

16 오른쪽 그림과 같이 도형을 이동하면

$(\text{넓이}) = \pi \times 8^2 \times \dfrac{1}{2} = 32\pi \ (\text{cm}^2)$

17 오른쪽 그림과 같이 도형을 이동하면

$(\text{넓이}) = \dfrac{1}{2} \times 6 \times 6 = 18 \ (\text{cm}^2)$

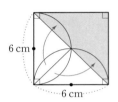

18 (1) $(\text{정육각형의 한 외각의 크기}) = \dfrac{360°}{6} = 60°$

따라서 구하는 중심각의 크기는 $60°$이다.

(2) $(\text{부채꼴 } ② \text{의 호의 길이}) = 2\pi \times 12 \times \dfrac{60}{360} = 4\pi \ (\text{cm})$

(3) (세 부채꼴의 넓이의 합)
$= \pi \times 6^2 \times \dfrac{60}{360} + \pi \times 12^2 \times \dfrac{60}{360} + \pi \times 18^2 \times \dfrac{60}{360}$
$= 84\pi \ (\text{cm}^2)$

7. 다면체와 회전체

1 다면체

개념 확인

132쪽~135쪽

1. (1) 칠면체, 꼭짓점의 개수 : 10, 모서리의 개수 : 15

　(2) 오면체, 꼭짓점의 개수 : 5, 모서리의 개수 : 8

2.

	삼각기둥	삼각뿔	삼각뿔대
밑면의 모양	삼각형	삼각형	삼각형
옆면의 모양	직사각형	삼각형	사다리꼴
면의 개수	5	4	5
꼭짓점의 개수	6	4	6
모서리의 개수	9	6	9

3. ㉠ 4 ㉡ 4 ㉢ 3 ㉣ 면

4. 정사면체

1 (3) 구는 곡면으로 둘러싸인 입체도형이므로 다면체가 아니다.

4 조건 ㈎에서 각 면이 모두 합동인 정삼각형으로 이루어진 정다면체는 정사면체, 정팔면체, 정이십면체이다.

조건 ㈏에서 각 꼭짓점에 모인 면의 개수가 3인 정다면체는 정사면체, 정육면체, 정십이면체이다.

따라서 조건 ㈎, ㈏를 모두 만족시키는 정다면체는 정사면체이다.

STEP ❶

136쪽

1-1. (1) 팔면체 (2) 칠면체

1-2. ㉡, ㉣, ㉤

2-1. (1) ○ (2) ○ (3) × (4) ○

2-2.

	오각기둥	오각뿔	오각뿔대
밑면의 모양	오각형	오각형	오각형
옆면의 모양	직사각형	삼각형	사다리꼴
면의 개수	7	6	7
꼭짓점의 개수	10	6	10
모서리의 개수	15	10	15

3-1. (1) ○ (2) × (3) × (4) × 연구 정육면체, 정십이면체

3-2.

	정사면체	정육면체	정팔면체	정십이면체	정이십면체
면의 모양	정삼각형	정사각형	정삼각형	정오각형	정삼각형
한 꼭짓점에 모인 면의 개수	3	3	4	3	5
꼭짓점의 개수	4	8	6	20	12
모서리의 개수	6	12	12	30	30

2-1 (3) 각뿔대의 두 밑면은 그 모양은 같지만 크기는 다르므로 합동이 아니다.

3-1 (2) 각 면이 모두 합동인 정다각형이고, 각 꼭짓점에 모인 면의 개수가 모두 같은 다면체를 정다면체라 한다.
(3) 각 면의 모양이 정육각형인 정다면체는 없다.
(4) 정다면체는 정사면체, 정육면체, 정팔면체, 정십이면체, 정이십면체의 5가지뿐이다.

3-2 ① 각뿔대의 두 밑면은 합동이 아니다.
② 삼각기둥, 사각뿔, 삼각뿔대는 오면체이지만 오각형인 면이 없다.
③ 각뿔은 밑면이 1개이다.
④ 오각기둥의 모서리의 개수는 15, 꼭짓점의 개수는 10이므로 그 합은 25이다.
따라서 옳은 것은 ⑤이다.

4-2 조건 ㈏, ㈐를 만족시키는 입체도형은 각뿔대이다.
구하는 입체도형을 n각뿔대라 하면 조건 ㈎에서
$2n=8$ ∴ $n=4$
따라서 구하는 입체도형은 사각뿔대이다.

5-2 ⑤ 면의 모양이 정삼각형인 정다면체는 정사면체, 정팔면체, 정이십면체이다.

6-2 (1) 면의 개수가 6이므로 정육면체이다.
(2) 주어진 전개도로 정육면체를 만들면 다음 그림과 같다.

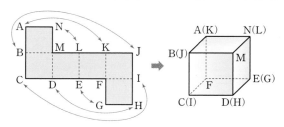

따라서 꼭짓점 A와 겹치는 점은 점 K이다.
(3) $\overline{BC}$와 겹치는 모서리는 $\overline{JI}$이다.

STEP **2**
137쪽~139쪽

1-2. ①   **1-3.** ⑤
2-2. ④, ⑤   **3-2.** ⑤
4-2. 사각뿔대   **5-2.** ⑤
6-2. (1) 정육면체 (2) 점 K (3) $\overline{JI}$

1-2 주어진 다면체의 면의 개수는 다음과 같다.
① $8+1=9$ ② $7+1=8$ ③ $6+2=8$
④ 8   ⑤ $6+2=8$
따라서 면의 개수가 나머지 넷과 다른 하나는 ①이다.

1-3 주어진 다면체의 꼭짓점의 개수는 다음과 같다.
① $9+1=10$ ② $2×4=8$ ③ $2×6=12$
④ $2×5=10$ ⑤ $2×8=16$
따라서 꼭짓점의 개수가 가장 많은 것은 ⑤이다.

2-2 ④ 삼각뿔대 — 사다리꼴
⑤ 오각기둥 — 직사각형

STEP **3**
140쪽~141쪽

01. ⑤   **02.** ⑤   **03.** 23   **04.** ②   **05.** ④
06. ③   **07.** 육각뿔대   **08.** ③   **09.** ①
10. ⑤   **11.** ③, ④   **12.** ①

01 다면체는 ㉢, ㉣, ㉧, ㉦, ㉨의 5개이다.

02 주어진 다면체의 면의 개수는 다음과 같다.
① $6+2=8$ ② $8+1=9$ ③ $8+2=10$
④ 8   ⑤ $9+2=11$
따라서 면의 개수가 가장 많은 것은 ⑤이다.

03 삼각기둥의 모서리의 개수는
$3×3=9$ ∴ $a=9$ …… [40 %]

칠각뿔대의 꼭짓점의 개수는

$2 \times 7 = 14$ ∴ $b = 14$ ····· [40 %]

∴ $a + b = 9 + 14 = 23$ ····· [20 %]

04 구하는 각뿔을 n각뿔이라 하면 면의 개수가 8이므로

$n + 1 = 8$ ∴ $n = 7$, 즉 칠각뿔

칠각뿔의 모서리의 개수는

$2 \times 7 = 14$ ∴ $a = 14$

칠각뿔의 꼭짓점의 개수는

$7 + 1 = 8$ ∴ $b = 8$

∴ $a - b = 14 - 8 = 6$

05 ④ 사각뿔대 ─ 사다리꼴

06 ③ 육각뿔대의 모서리의 개수는 $3 \times 6 = 18$이다.

07 조건 (나), (다)를 만족시키는 다면체는 각뿔대이다.

····· [50 %]

구하는 입체도형을 n각뿔대라 하면 조건 (가)에서

$n + 2 = 8$ ∴ $n = 6$ ····· [40 %]

따라서 구하는 입체도형은 육각뿔대이다.   ····· [10 %]

09 ① 한 꼭짓점에 모인 면의 개수가 3으로 모두 같다.

10 ⑤ 한 꼭짓점에 모인 면의 개수가 6인 정다면체는 없다.

참고

정다면체를 한 꼭짓점에 모인 면의 개수에 따라 분류하면 다음과 같다.

(ⅰ) 한 꼭짓점에 모인 면의 개수가 3인 정다면체

➡ 정사면체, 정육면체, 정십이면체

(ⅱ) 한 꼭짓점에 모인 면의 개수가 4인 정다면체 ➡ 정팔면체

(ⅲ) 한 꼭짓점에 모인 면의 개수가 5인 정다면체 ➡ 정이십면체

11 주어진 전개도로 만들어지는 입체도형은 오른쪽 그림과 같은 정팔면체이다.

③ $\overline{CD}$와 겹쳐지는 모서리는 $\overline{GF}$이다.

④ $\overline{AB}$와 $\overline{CJ}$는 꼬인 위치에 있다.

따라서 옳지 않은 것은 ③, ④이다.

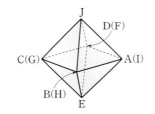

12 오른쪽 그림에서 $\overline{BG} = \overline{GD} = \overline{BD}$이므로 생기는 단면의 모양은 정삼각형이다.

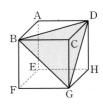

2 회전체

142쪽~143쪽

개념 확인

1.(1)   (2)

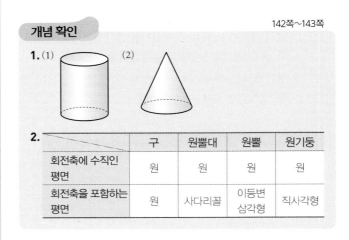

2.

	구	원뿔대	원뿔	원기둥
회전축에 수직인 평면	원	원	원	원
회전축을 포함하는 평면	원	사다리꼴	이등변 삼각형	직사각형

144쪽

STEP 1

1-1. ㉢, ㉣, ㉭ **연구** 회전체   **1-2.** ㉠, ㉡, ㉣

2-1. (1)   (2)

2-2. (1)   (2)

3-1.

(1) 원 (2) 사다리꼴

3-2.

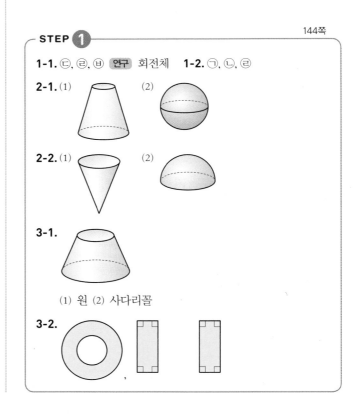

STEP ② 145쪽~146쪽

1-2. ④   **2-2.** 원기둥

3-2. 48 cm²   **4-2.** ⑤

1-2

3-2 주어진 원뿔을 회전축을 포함하는 평면
으로 자를 때 생기는 단면은 오른쪽 그
림과 같다.
따라서 구하는 단면의 넓이는

$$\frac{1}{2} \times 12 \times 8 = 48 \,(\text{cm}^2)$$

4-2 ⑤ 구는 전개도를 그릴 수 없다.

05 ㉠ 구를 회전축을 포함하는 평면으로 자를 때 생긴다.

    ㉡ 원뿔을 회전축을 포함하는 평면으로 자를 때 생긴다.

    ㉢ 오른쪽 그림과 같은 회전체를 회전축을
포함하는 평면으로 자를 때 생긴다.

06 ① 구를 회전축에 수직인 평면으로 자른 단면은 모두 원이
지만 그 크기는 다르다.

    ③ 오른쪽 그림과 같이 직각삼각형을 빗
변을 축으로 하여 1회전 시키면 원뿔
이 만들어지지 않는다.

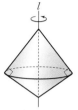

따라서 옳지 않은 것은 ①, ③이다.

STEP ③ 147쪽

01. ㉠, ㉣, ㉻   **02.** ①   **03.** 9π cm²   **04.** 12 cm²

05. ㉠, ㉡, ㉢   **06.** ①, ③

03 구를 구의 중심을 지나는 평면으로 자를 때 생기는 단면이
그 크기가 가장 크므로 가장 큰 단면은 반지름의 길이가
3 cm인 원이다.   …… [50 %]
따라서 구하는 단면의 넓이는
π × 3² = 9π (cm²)   …… [50 %]

04 회전체를 회전축을 포함하는 평면으
로 자를 때 생기는 단면의 모양은 오
른쪽 그림과 같다.
따라서 구하는 단면의 넓이는

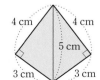

$$\left(\frac{1}{2} \times 3 \times 4\right) \times 2 = 12 \,(\text{cm}^2)$$

8. 입체도형의 겉넓이와 부피

1 기둥의 겉넓이와 부피

150쪽~152쪽

개념 확인

1. (1) 10, 10, 6 ① 24 cm² ② 240 cm² ③ 288 cm²

(2) 20, 5, 4, 6 ① 24 cm² ② 100 cm² ③ 148 cm²

2. 5, 10π, 9 ① 25π cm² ② 90π cm² ③ 140π cm²

3. (1) ① 24 cm² ② 6 cm ③ 144 cm³

(2) ① 16π cm² ② 5 cm ③ 80π cm³

1 (1) ① (밑넓이)$=\dfrac{1}{2}\times 8\times 6=24$ (cm²)

② (옆넓이)$=(8+10+6)\times 10=240$ (cm²)

③ (겉넓이)$=24\times 2+240=288$ (cm²)

(2) ① (밑넓이)$=4\times 6=24$ (cm²)

② (옆넓이)$=(4+6+4+6)\times 5=100$ (cm²)

③ (겉넓이)$=24\times 2+100=148$ (cm²)

2 ① (밑넓이)$=\pi\times 5^2=25\pi$ (cm²)

② (옆넓이)$=(2\pi\times 5)\times 9=90\pi$ (cm²)

③ (겉넓이)$=25\pi\times 2+90\pi=140\pi$ (cm²)

3 (1) ① (밑넓이)$=\dfrac{1}{2}\times 6\times 3+\dfrac{1}{2}\times 6\times 5=24$ (cm²)

② (높이)$=6$ cm

③ (부피)$=$(밑넓이)$\times$(높이)

$=24\times 6=144$ (cm³)

(2) ① (밑넓이)$=\pi\times 4^2=16\pi$ (cm²)

② (높이)$=5$ cm

③ (부피)$=$(밑넓이)$\times$(높이)

$=16\pi\times 5=80\pi$ (cm³)

STEP ❶

154쪽

1-1. (1) 166 cm² (2) 84 cm² 연구 2

1-2. (1) 132 cm² (2) 272 cm²

2-1. 풀이 참조, 192π cm² 연구 2πrh

2-2. 풀이 참조, 266π cm²

3-1. (1) 120 cm³ (2) 54π cm³

3-2. (1) 630 cm³ (2) 960π cm³

1-1 (1) (밑넓이)$=4\times 5=20$ (cm²)이고

(옆넓이)$=(4+5+4+5)\times 7=126$ (cm²)이므로

(겉넓이)$=20\times 2+126=166$ (cm²)

(2) (밑넓이)$=\dfrac{1}{2}\times 3\times 4=6$ (cm²)이고

(옆넓이)$=(3+5+4)\times 6=72$ (cm²)이므로

(겉넓이)$=6\times 2+72=84$ (cm²)

1-2 (1) (밑넓이)$=\dfrac{1}{2}\times 8\times 3=12$ (cm²)이고

(옆넓이)$=(5+8+5)\times 6=108$ (cm²)이므로

(겉넓이)$=12\times 2+108=132$ (cm²)

(2) (밑넓이)$=\dfrac{1}{2}\times(10+4)\times 4=28$ (cm²)이고

(옆넓이)$=(10+5+4+5)\times 9=216$ (cm²)이므로

(겉넓이)$=28\times 2+216=272$ (cm²)

2-1 주어진 원기둥의 전개도를 그리면 다음 그림과 같다.

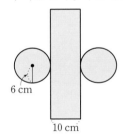

6 cm

10 cm

∴ (겉넓이)$=(\pi\times 6^2)\times 2+2\pi\times 6\times 10$

$=72\pi+120\pi=192\pi$ (cm²)

2-2 주어진 원기둥의 전개도를 그리면 다음 그림과 같다.

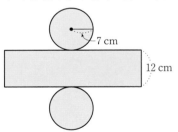

7 cm

12 cm

∴ (겉넓이)$=(\pi\times 7^2)\times 2+2\pi\times 7\times 12$

$=98\pi+168\pi=266\pi$ (cm²)

3-1 (1) (부피)$=\left(\dfrac{1}{2}\times 8\times 5\right)\times 6=120$ (cm³)

(2) (부피)$=(\pi\times 3^2)\times 6=54\pi$ (cm³)

3-2 (1) (부피)$=\left\{\dfrac{1}{2}\times(12+6)\times 7\right\}\times 10=630$ (cm³)

(2) (부피)$=(\pi\times 8^2)\times 15=960\pi$ (cm³)

155쪽~157쪽

STEP 2

1-2. (1) 겉넓이 : 480 cm², 부피 : 420 cm³

　　　(2) 겉넓이 : 246 cm², 부피 : 240 cm³

2-2. 겉넓이 : 28π cm², 부피 : 20π cm³

3-2. 겉넓이 : 268 cm², 부피 : 240 cm³

4-2. (1) 겉넓이 : $(7\pi+24)$ cm², 부피 : 6π cm³

　　　(2) 겉넓이 : $(100\pi+100)$ cm², 부피 : $\dfrac{500}{3}\pi$ cm³

5-2. 겉넓이 : 280π cm², 부피 : 400π cm³

6-2. 겉넓이 : 242π cm², 부피 : 264π cm³

1-2 (1) (겉넓이)$=\dfrac{1}{2}\times12\times5=30$ (cm²)

(옆넓이)$=(5+13+12)\times14=420$ (cm²)

$\therefore$ (겉넓이)$=30\times2+420=480$ (cm²)

(부피)$=30\times14=420$ (cm³)

(2) (밑넓이)$=\dfrac{1}{2}\times(3+9)\times8=48$ (cm²)

(옆넓이)$=(3+8+9+10)\times5=150$ (cm²)

$\therefore$ (겉넓이)$=48\times2+150=246$ (cm²)

(부피)$=48\times5=240$ (cm³)

2-2 (밑넓이)$=\pi\times2^2=4\pi$ (cm²)

(옆넓이)$=(2\pi\times2)\times5=20\pi$ (cm²)

$\therefore$ (겉넓이)$=4\pi\times2+20\pi=28\pi$ (cm²)

(부피)$=4\pi\times5=20\pi$ (cm³)

3-2 (밑넓이)$=\dfrac{1}{2}\times(3+9)\times4=24$ (cm²)

(옆넓이)$=(5+9+5+3)\times10=220$ (cm²)

$\therefore$ (겉넓이)$=24\times2+220=268$ (cm²)

(부피)$=24\times10=240$ (cm³)

4-2 (1) (밑넓이)$=\pi\times3^2\times\dfrac{60}{360}=\dfrac{3}{2}\pi$ (cm²)

(옆넓이)$=\left(2\pi\times3\times\dfrac{60}{360}+3+3\right)\times4$

　　　$=4\pi+24$ (cm²)

$\therefore$ (겉넓이)$=\dfrac{3}{2}\pi\times2+(4\pi+24)=7\pi+24$ (cm²)

(부피)$=\dfrac{3}{2}\pi\times4=6\pi$ (cm³)

(2) (밑넓이)$=\pi\times5^2\times\dfrac{240}{360}=\dfrac{50}{3}\pi$ (cm²)

(옆넓이)$=\left(2\pi\times5\times\dfrac{240}{360}+5+5\right)\times10$

　　　$=\dfrac{200}{3}\pi+100$ (cm²)

$\therefore$ (겉넓이)$=\dfrac{50}{3}\pi\times2+\left(\dfrac{200}{3}\pi+100\right)$

　　　$=100\pi+100$ (cm²)

(부피)$=\dfrac{50}{3}\pi\times10=\dfrac{500}{3}\pi$ (cm³)

5-2 (밑넓이)$=\pi\times7^2-\pi\times3^2=40\pi$ (cm²)

(옆넓이)$=(2\pi\times7)\times10+(2\pi\times3)\times10$

　　　$=140\pi+60\pi=200\pi$ (cm²)

$\therefore$ (겉넓이)$=40\pi\times2+200\pi=280\pi$ (cm²)

(부피)$=(\pi\times7^2)\times10-(\pi\times3^2)\times10$

　　　$=490\pi-90\pi=400\pi$ (cm³)

6-2 회전체는 오른쪽 그림과 같으므로

(밑넓이)$=\pi\times7^2-\pi\times4^2$

　　　$=33\pi$ (cm²)

(옆넓이)$=(2\pi\times7)\times8$

　　　$+(2\pi\times4)\times8$

　　　$=176\pi$ (cm²)

$\therefore$ (겉넓이)$=33\pi\times2+176\pi=242\pi$ (cm²)

(부피)$=(\pi\times7^2)\times8-(\pi\times4^2)\times8$

　　　$=392\pi-128\pi=264\pi$ (cm³)

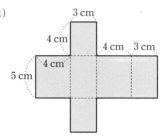

8 cm
3 cm　4 cm

STEP 3

158쪽~159쪽

01. (1) 풀이 참조 (2) 94 cm²　　**02.** 8

03. 980π cm³　　**04.** 252 cm³　　**05.** 120π cm²

06. $\dfrac{175}{2}$ cm³　　**07.** ④　　**08.** ⑤

09. 겉넓이 : $(252\pi+216)$ cm², 부피 : 648π cm³

10. ④　　**11.** (1) 442 cm² (2) 780π cm³

12. 135π cm³

---

01 (1)

3 cm
4 cm
4 cm　3 cm
4 cm
5 cm

(2) (겉넓이)$=(4\times3)\times2+(4+3+4+3)\times5$

　　　$=24+70=94$ (cm²)

02 (겉넓이)$=\left(\dfrac{1}{2}\times12\times5\right)\times2+(5+13+12)\times h$

　　　$=60+30h$ (cm²)　　　　　　…… [50 %]

이때 겉넓이가 300 cm²이므로

$60+30h=300$, $30h=240$　　$\therefore h=8$　　…… [50 %]

03 (부피)$=(\pi\times10^2)\times8+(\pi\times6^2)\times5$
$\qquad\quad=800\pi+180\pi=980\pi\ (\text{cm}^3)$

04 (밑넓이)$=8\times3+\dfrac{1}{2}\times8\times3=36\ (\text{cm}^2)$이므로
$\qquad$(부피)$=36\times7=252\ (\text{cm}^3)$

05 (B 상자의 부피)$=(\pi\times4^2)\times9=144\pi\ (\text{cm}^3)$
$\quad$이때 A, B 두 상자의 부피가 같으므로
$\quad(\pi\times6^2)\times x=144\pi\qquad\therefore x=4$
$\quad\therefore$ (A 상자의 겉넓이)$=(\pi\times6^2)\times2+(2\pi\times6)\times4$
$\qquad\qquad\qquad\qquad\qquad=120\pi\ (\text{cm}^2)$

06 (부피)$=$(정육면체의 부피)$-$(삼각기둥의 부피)
$\qquad\quad=5\times5\times5-\left(\dfrac{1}{2}\times5\times3\right)\times5$
$\qquad\quad=125-\dfrac{75}{2}=\dfrac{175}{2}\ (\text{cm}^3)$

다른 풀이
$\quad$(밑넓이)$=\dfrac{1}{2}\times(2+5)\times5=\dfrac{35}{2}\ (\text{cm}^2)$이므로
$\quad$(부피)$=\dfrac{35}{2}\times5=\dfrac{175}{2}\ (\text{cm}^3)$

07 원기둥의 밑면인 원의 반지름의 길이를 r cm라 하면
$\quad2\pi r=12\pi\qquad\therefore r=6$
$\quad\therefore$ (겉넓이)$=(\pi\times6^2)\times2+12\pi\times8$
$\qquad\qquad\qquad=72\pi+96\pi=168\pi\ (\text{cm}^2)$

08 케이크 한 조각의 밑면인 부채꼴의 중심각의 크기는
$\quad360°\div10=36°$이므로
$\quad$(겉넓이)
$\quad=\left(\pi\times10^2\times\dfrac{36}{360}\right)\times2+\left(2\pi\times10\times\dfrac{36}{360}+10+10\right)\times5$
$\quad=20\pi+10\pi+100=30\pi+100\ (\text{cm}^2)$

09 (겉넓이)
$\quad=\left(\pi\times9^2\times\dfrac{240}{360}\right)\times2+\left(2\pi\times9\times\dfrac{240}{360}+9+9\right)\times12$
$\quad=108\pi+144\pi+216=252\pi+216\ (\text{cm}^2)$ …… [60 %]
$\quad$(부피)$=\left(\pi\times9^2\times\dfrac{240}{360}\right)\times12=648\pi\ (\text{cm}^3)$ …… [40 %]

10 (부피)$=8\times8\times10-3\times3\times10$
$\qquad\quad=640-90=550\ (\text{cm}^3)$

11 회전체는 오른쪽 그림과 같다.
$\quad$(1) (밑넓이)$=\pi\times9^2-\pi\times4^2$
$\qquad\qquad\qquad=81\pi-16\pi$
$\qquad\qquad\qquad=65\pi\ (\text{cm}^2)$

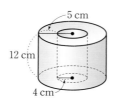

$\quad$(겉넓이)
$\qquad=65\pi\times2+(2\pi\times9)\times12+(2\pi\times4)\times12$
$\qquad=130\pi+216\pi+96\pi=442\pi\ (\text{cm}^2)$
$\quad$(2) (부피)$=(\pi\times9^2)\times12-(\pi\times4^2)\times12$
$\qquad\qquad\quad=972\pi-192\pi=780\pi\ (\text{cm}^3)$

12 병을 뒤집었을 때 물의 부피는 처음 병에 들어 있는 물의 부
$\quad$피와 같으므로 물이 있는 부분의 부피는
$\quad(\pi\times3^2)\times10=90\pi\ (\text{cm}^3)$
$\quad$또, 병을 뒤집었을 때 물이 없는 부분의 부피는
$\quad(\pi\times3^2)\times5=45\pi\ (\text{cm}^3)$
$\quad$따라서 병의 부피는
$\quad90\pi+45\pi=135\pi\ (\text{cm}^3)$

2 뿔의 겉넓이와 부피

개념 확인
160쪽~162쪽

1. 6, 3, 3 ① 9 cm² ② 36 cm² ③ 45 cm²

2. 10, 8π, 4 ① 16π cm² ② 40π cm² ③ 56π cm²

3. (1) ① 16 cm² ② 6 cm ③ 32 cm³
$\qquad$(2) ① 4π cm² ② 6 cm ③ 8π cm³

1 ① (밑넓이)$=3\times3=9\ (\text{cm}^2)$
$\quad$② (옆넓이)$=\left(\dfrac{1}{2}\times3\times6\right)\times4=36\ (\text{cm}^2)$
$\quad$③ (겉넓이)$=$(밑넓이)$+$(옆넓이)
$\qquad\qquad\qquad=9+36=45\ (\text{cm}^2)$

2 ① (밑넓이)$=\pi\times4^2=16\pi\ (\text{cm}^2)$
$\quad$② (옆넓이)$=\pi\times4\times10=40\pi\ (\text{cm}^2)$
$\quad$③ (겉넓이)$=$(밑넓이)$+$(옆넓이)
$\qquad\qquad\qquad=16\pi+40\pi=56\pi\ (\text{cm}^2)$

3 (1) ① (밑넓이)$=4\times4=16\ (\text{cm}^2)$
$\qquad$② (높이)$=6$ cm
$\qquad$③ (부피)$=\dfrac{1}{3}\times$(밑넓이)$\times$(높이)
$\qquad\qquad\qquad=\dfrac{1}{3}\times16\times6=32\ (\text{cm}^3)$
$\quad$(2) ① (밑넓이)$=\pi\times2^2=4\pi\ (\text{cm}^2)$
$\qquad$② (높이)$=6$ cm
$\qquad$③ (부피)$=\dfrac{1}{3}\times$(밑넓이)$\times$(높이)
$\qquad\qquad\qquad=\dfrac{1}{3}\times4\pi\times6=8\pi\ (\text{cm}^3)$

STEP ❶

1-1. (1) 36 cm^2 (2) 96 cm^2 (3) 132 cm^2

1-2. (1) 25 cm^2 (2) 70 cm^2 (3) 95 cm^2

2-1. 15, 5, 겉넓이 : $100\pi \text{ cm}^2$ 〔연구〕 $\pi r l$

2-2. (1) $49\pi \text{ cm}^2$ (2) $84\pi \text{ cm}^2$ (3) $133\pi \text{ cm}^2$

3-1. (1) 70 cm^3 (2) $120\pi \text{ cm}^3$ 〔연구〕 $\dfrac{1}{3}$

3-2. (1) 30 cm^3 (2) $48\pi \text{ cm}^3$

1-1 (1) (밑넓이)$=6 \times 6 = 36 \ (\text{cm}^2)$

(2) (옆넓이)$=\left(\dfrac{1}{2} \times 6 \times 8\right) \times 4 = 96 \ (\text{cm}^2)$

(3) (겉넓이)$=36 + 96 = 132 \ (\text{cm}^2)$

1-2 (1) (밑넓이)$=5 \times 5 = 25 \ (\text{cm}^2)$

(2) (옆넓이)$=\left(\dfrac{1}{2} \times 5 \times 7\right) \times 4 = 70 \ (\text{cm}^2)$

(3) (겉넓이)$=25 + 70 = 95 \ (\text{cm}^2)$

2-1 (겉넓이)$=\pi \times 5^2 + \pi \times 5 \times 15$
$$=25\pi + 75\pi$$
$$=100\pi \ (\text{cm}^2)$$

2-2 (1) (밑넓이)$=\pi \times 7^2 = 49\pi \ (\text{cm}^2)$

(2) (옆넓이)$=\pi \times 7 \times 12 = 84\pi \ (\text{cm}^2)$

(3) (겉넓이)$=49\pi + 84\pi = 133\pi \ (\text{cm}^2)$

3-1 (1) (부피)$=\dfrac{1}{3} \times (6 \times 5) \times 7 = 70 \ (\text{cm}^3)$

(2) (부피)$=\dfrac{1}{3} \times (\pi \times 6^2) \times 10 = 120\pi \ (\text{cm}^3)$

3-2 (1) (부피)$=\dfrac{1}{3} \times \left(\dfrac{1}{2} \times 5 \times 6\right) \times 6 = 30 \ (\text{cm}^3)$

(2) (부피)$=\dfrac{1}{3} \times (\pi \times 4^2) \times 9 = 48\pi \ (\text{cm}^3)$

STEP ❷

1-2. 88 cm^2 **1-3.** 5

2-2. 6 cm   **3-2.** 150°

4-2. $117\pi \text{ cm}^2$ **4-3.** 80 cm^2

5-2. (1) 40 cm^3 (2) $75\pi \text{ cm}^3$ **5-3.** 6 cm

6-2. (1) 18 cm^2 (2) 6 cm (3) 36 cm^3

7-2. $\dfrac{560}{3}\pi \text{ cm}^3$ **8-2.** $112\pi \text{ cm}^3$

1-2 (겉넓이)$=4 \times 4 + \left(\dfrac{1}{2} \times 4 \times 9\right) \times 4 = 88 \ (\text{cm}^2)$

1-3 사각뿔의 겉넓이가 96 cm^2이므로

$$6 \times 6 + \left(\dfrac{1}{2} \times 6 \times x\right) \times 4 = 96$$

$$36 + 12x = 96 \qquad \therefore x = 5$$

2-2 밑면인 원의 반지름의 길이를 $r \text{ cm}$라 하면

원뿔의 옆넓이가 $90\pi \text{ cm}^2$이므로

$$\pi \times r \times 15 = 90\pi \qquad \therefore r = 6$$

따라서 밑면인 원의 반지름의 길이는 6 cm이다.

3-2 부채꼴의 중심각의 크기를 $x°$라 하면

$$2\pi \times 12 \times \dfrac{x}{360} = 2\pi \times 5 \qquad \therefore x = 150$$

따라서 부채꼴의 중심각의 크기는 $150°$이다.

4-2 (두 밑면인 원의 넓이의 합)$=\pi \times 3^2 + \pi \times 6^2 = 45\pi \ (\text{cm}^2)$

(옆넓이)$=\pi \times 6 \times 16 - \pi \times 3 \times 8 = 72\pi \ (\text{cm}^2)$

$\therefore$ (겉넓이)$=45\pi + 72\pi = 117\pi \ (\text{cm}^2)$

4-3 (두 밑면의 넓이의 합)$=2 \times 2 + 4 \times 4 = 20 \ (\text{cm}^2)$

(옆넓이)$=\left\{\dfrac{1}{2} \times (2+4) \times 5\right\} \times 4 = 60 \ (\text{cm}^2)$

$\therefore$ (겉넓이)$=20 + 60 = 80 \ (\text{cm}^2)$

5-2 (1) (부피)$=\dfrac{1}{3} \times (5 \times 4) \times 6 = 40 \ (\text{cm}^3)$

(2) (부피)$=\dfrac{1}{3} \times (\pi \times 5^2) \times 9 = 75\pi \ (\text{cm}^3)$

5-3 원뿔의 높이를 $h \text{ cm}$라 하면

원뿔의 부피가 $98\pi \text{ cm}^3$이므로

$$\dfrac{1}{3} \times (\pi \times 7^2) \times h = 98\pi, \ \dfrac{49}{3}\pi h = 98\pi \qquad \therefore h = 6$$

따라서 원뿔의 높이는 6 cm이다.

6-2 (1) $\triangle \text{BCD} = \dfrac{1}{2} \times 6 \times 6 = 18 \ (\text{cm}^2)$

(3) (부피)$=\dfrac{1}{3} \times \triangle \text{BCD} \times \overline{\text{CG}}$
$$=\dfrac{1}{3} \times 18 \times 6 = 36 \ (\text{cm}^3)$$

7-2 (부피)$=\dfrac{1}{3} \times (\pi \times 8^2) \times 10 - \dfrac{1}{3} \times (\pi \times 4^2) \times 5$
$$=\dfrac{640}{3}\pi - \dfrac{80}{3}\pi = \dfrac{560}{3}\pi \ (\text{cm}^3)$$

8-2 (부피)$=$(큰 원뿔의 부피)$-$(작은 원뿔의 부피)
$$=\dfrac{1}{3} \times (\pi \times 8^2) \times 6 - \dfrac{1}{3} \times (\pi \times 4^2) \times 3$$
$$=128\pi - 16\pi = 112\pi \ (\text{cm}^3)$$

STEP 3

01. 125 cm²　　　**02.** 10 cm　**03.** ④　　**04.** ⑤

05. (1) 336 cm³ (2) 112 cm³ (3) 3 : 1

06. 겉넓이 : 90π cm², 부피 : 100π cm³

07. 594 cm³　　　**08.** 15번　**09.** 4　　**10.** 276 cm³

11. 256π cm²　　**12.** 84π cm³　　**13.** 28π m³

01 $(겉넓이)=5\times5+\left(\dfrac{1}{2}\times5\times10\right)\times4$

$\qquad=25+100=125\,(\mathrm{cm}^2)$

02 원뿔의 모선의 길이를 l cm라 하면

원뿔의 겉넓이가 96π cm²이므로

$\pi\times6^2+\pi\times6\times l=96\pi$

$6\pi l=60\pi\qquad\therefore l=10$

따라서 원뿔의 모선의 길이는 10 cm이다.

03 밑면인 원의 반지름의 길이를 r cm라 하면

$2\pi\times12\times\dfrac{240}{360}=2\pi r$

$16\pi=2\pi r\qquad\therefore r=8$

따라서 밑면인 원의 넓이는

$\pi\times8^2=64\pi\,(\mathrm{cm}^2)$

04 $(겉넓이)=\pi\times2^2+\pi\times5^2+(\pi\times5\times10-\pi\times2\times4)$

$\qquad=4\pi+25\pi+42\pi=71\pi\,(\mathrm{cm}^2)$

05 (1) $(각기둥의 부피)=6\times7\times8$

$\qquad\qquad=336\,(\mathrm{cm}^3)$ ……[40 %]

(2) $(각뿔의 부피)=\dfrac{1}{3}\times(6\times7)\times8$

$\qquad\qquad=112\,(\mathrm{cm}^3)$ ……[40 %]

(3) $(각기둥의 부피) : (각뿔의 부피)$

$\qquad=336 : 112=3 : 1$ ……[20 %]

06 $(겉넓이)=\pi\times5^2+\pi\times5\times13$

$\qquad\qquad=25\pi+65\pi=90\pi\,(\mathrm{cm}^2)$

$(부피)=\dfrac{1}{3}\times(\pi\times5^2)\times12=100\pi\,(\mathrm{cm}^3)$

07 $(부피)=(사각기둥의 부피)+(사각뿔의 부피)$

$\qquad\qquad=9\times9\times6+\dfrac{1}{3}\times(9\times9)\times4$

$\qquad\qquad=486+108=594\,(\mathrm{cm}^3)$

08 $(원뿔 모양의 그릇의 부피)=\dfrac{1}{3}\times(\pi\times3^2)\times5$

$\qquad\qquad\qquad=15\pi\,(\mathrm{cm}^3)$

$(원기둥 모양의 그릇의 부피)=(\pi\times5^2)\times9=225\pi\,(\mathrm{cm}^3)$

이때 $\dfrac{225\pi}{15\pi}=15$이므로 원기둥 모양의 그릇의 부피는 원뿔

모양의 그릇의 부피의 15배이다.

따라서 모래를 최소한 15번 부어야 한다.

09 그릇 A에 들어 있는 물의 양은 삼각뿔의 부피와 같으므로

$\dfrac{1}{3}\times\left(\dfrac{1}{2}\times4\times6\right)\times3=12\,(\mathrm{cm}^3)$ ……[40 %]

그릇 B에 들어 있는 물의 양은 삼각기둥의 부피와 같으므로

$\left(\dfrac{1}{2}\times3\times x\right)\times2=3x\,(\mathrm{cm}^3)$ ……[40 %]

이때 $12=3x$이므로 $x=4$ ……[20 %]

10 $(부피)=6\times8\times6-\dfrac{1}{3}\times\left(\dfrac{1}{2}\times3\times6\right)\times4$

$\qquad\qquad=288-12=276\,(\mathrm{cm}^3)$

11 회전체는 오른쪽 그림과 같으므로

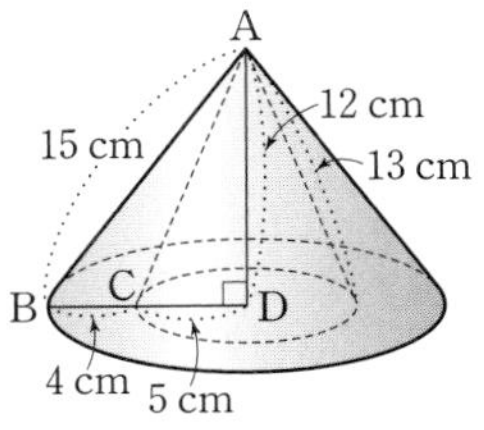

$(겉넓이)$

$=(\pi\times9^2-\pi\times5^2)$

$\quad+\pi\times9\times15+\pi\times5\times13$

$=56\pi+135\pi+65\pi$

$=256\pi\,(\mathrm{cm}^2)$

12 회전체는 오른쪽 그림과 같으므로

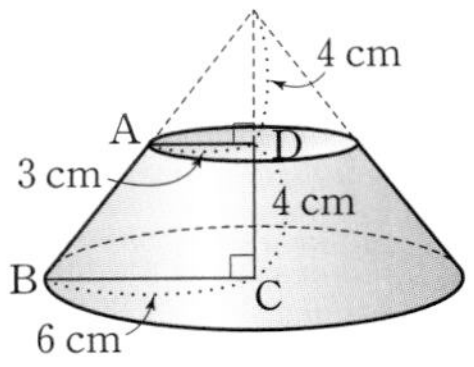

$(부피)=\dfrac{1}{3}\times(\pi\times6^2)\times8$

$\qquad\qquad-\dfrac{1}{3}\times(\pi\times3^2)\times4$

$\qquad=96\pi-12\pi$

$\qquad=84\pi\,(\mathrm{cm}^3)$

13 $(부피)=\dfrac{1}{3}\times(\pi\times4^2)\times6-\dfrac{1}{3}\times(\pi\times2^2)\times3$

$\qquad\qquad=32\pi-4\pi=28\pi\,(\mathrm{m}^3)$

3 구의 겉넓이와 부피

개념 확인

1. (1) 풀이 참조

(2) 겉넓이 : 36π cm², 부피 : 36π cm³

1 (1) (반지름의 길이)= 6 cm

$(겉넓이)=$ 4 $\pi\times$ 6 $^2=$ 144π (cm^2)

$(부피)=\dfrac{4}{3}\pi\times$ 6 $^3=$ 288π (cm^3)

(2) (겉넓이)$=4\pi\times3^2=36\pi$ (cm^2)

(부피)$=\dfrac{4}{3}\pi\times3^3=36\pi$ (cm^3)

3-2 (1) (겉넓이)$=\pi\times8^2+\dfrac{1}{2}\times(4\pi\times8^2)$

$=64\pi+128\pi=192\pi$ (cm^2)

(2) (부피)$=\dfrac{1}{2}\times\left(\dfrac{4}{3}\pi\times8^3\right)=\dfrac{1024}{3}\pi$ (cm^3)

STEP ① 172쪽

1-1. (1) 겉넓이 : 100π cm^2, 부피 : $\dfrac{500}{3}\pi$ cm^3

(2) 겉넓이 : 256π cm^2, 부피 : $\dfrac{2048}{3}\pi$ cm^3

1-2. (1) 겉넓이 : 16π cm^2, 부피 : $\dfrac{32}{3}\pi$ cm^3

(2) 겉넓이 : 324π cm^2, 부피 : 972π cm^3

2-1. (1) 3 cm (2) 3 cm 연구 (1) 36π, 9, 3 (2) 36π, 27, 3

2-2. (1) 6 cm (2) 6 cm

3-1. 풀이 참조

3-2. (1) 192π cm^2 (2) $\dfrac{1024}{3}\pi$ cm^3

1-1 (1) (겉넓이)$=4\pi\times5^2=100\pi$ (cm^2)

(부피)$=\dfrac{4}{3}\pi\times5^3=\dfrac{500}{3}\pi$ (cm^3)

(2) (겉넓이)$=4\pi\times8^2=256\pi$ (cm^2)

(부피)$=\dfrac{4}{3}\pi\times8^3=\dfrac{2048}{3}\pi$ (cm^3)

1-2 (1) (겉넓이)$=4\pi\times2^2=16\pi$ (cm^2)

(부피)$=\dfrac{4}{3}\pi\times2^3=\dfrac{32}{3}\pi$ (cm^3)

(2) (겉넓이)$=4\pi\times9^2=324\pi$ (cm^2)

(부피)$=\dfrac{4}{3}\pi\times9^3=972\pi$ (cm^3)

2-2 (1) 구의 반지름의 길이를 r cm라 하면

$4\pi r^2=144\pi$, $r^2=36$ ∴ $r=6$

(2) 구의 반지름의 길이를 r cm라 하면

$\dfrac{4}{3}\pi r^3=288\pi$, $r^3=216$ ∴ $r=6$

3-1 (1) (겉넓이)$=\pi\times\boxed{3}^2+\boxed{\dfrac{1}{2}}\times(4\pi\times\boxed{3}^2)$

$=\boxed{9\pi}+\boxed{18\pi}=\boxed{27\pi}$ (cm^2)

(2) (부피)$=\boxed{\dfrac{1}{2}}\times\left(\dfrac{4}{3}\pi\times\boxed{3}^3\right)=\boxed{18\pi}$ (cm^3)

STEP ② 173쪽~174쪽

1-2. 겉넓이 : 45π cm^2, 부피 : 45π cm^3

2-2. 겉넓이 : 153π cm^2, 부피 : 252π cm^3

3-2. 겉넓이 : 112π cm^2, 부피 : $\dfrac{512}{3}\pi$ cm^3

4-2. (1) 원뿔 : 18π cm^3, 구 : 36π cm^3, 원기둥 : 54π cm^3

(2) $1:2:3$

1-2 (겉넓이)$=\dfrac{1}{2}\times(4\pi\times3^2)+(2\pi\times3)\times3+\pi\times3^2$

$=18\pi+18\pi+9\pi=45\pi$ (cm^2)

(부피)$=\dfrac{1}{2}\times\left(\dfrac{4}{3}\pi\times3^3\right)+(\pi\times3^2)\times3$

$=18\pi+27\pi=45\pi$ (cm^3)

2-2 (겉넓이)$=\dfrac{7}{8}\times$(구의 겉넓이)$+$(부채꼴의 넓이)$\times3$

$=\dfrac{7}{8}\times(4\pi\times6^2)+\left(\pi\times6^2\times\dfrac{90}{360}\right)\times3$

$=126\pi+27\pi=153\pi$ (cm^2)

(부피)$=\dfrac{7}{8}\times\left(\dfrac{4}{3}\pi\times6^3\right)=252\pi$ (cm^3)

3-2 회전체는 오른쪽 그림과 같으므로

(겉넓이)

$=\dfrac{1}{2}\times(4\pi\times4^2)+(2\pi\times4)\times8$

$+\pi\times4^2$

$=32\pi+64\pi+16\pi=112\pi$ (cm^2)

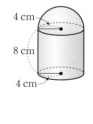

(부피)$=\dfrac{1}{2}\times\left(\dfrac{4}{3}\pi\times4^3\right)+(\pi\times4^2)\times8$

$=\dfrac{128}{3}\pi+128\pi=\dfrac{512}{3}\pi$ (cm^3)

4-2 (1) (원뿔의 부피)$=\dfrac{1}{3}\times(\pi\times3^2)\times6=18\pi$ (cm^3)

(구의 부피)$=\dfrac{4}{3}\pi\times3^3=36\pi$ (cm^3)

(원기둥의 부피)$=(\pi\times3^2)\times6=54\pi$ (cm^3)

(2) (원뿔의 부피) : (구의 부피) : (원기둥의 부피)

$=18\pi:36\pi:54\pi=1:2:3$

STEP ③

01. ㉠, ㉡, ㉣ **02.** 144π cm³

03. 겉넓이 : 72π cm², 부피 : 72π cm³ **04.** 12

05. 30π cm³ **06.** (1) $\dfrac{32000}{3}\pi$ cm³ (2) 8892π cm³

01 ㉡ (부피)$=\dfrac{4}{3}\pi\times5^3=\dfrac{500}{3}\pi$ (cm³)

㉢ (겉넓이)$=4\pi\times5^2=100\pi$ (cm²)

따라서 옳은 것은 ㉠, ㉡, ㉣이다.

02 반구의 반지름의 길이를 r cm라 하면
반구의 겉넓이가 108π cm²이므로

$\dfrac{1}{2}\times4\pi r^2+\pi r^2=108\pi$, $3\pi r^2=108\pi$

$r^2=36$ $\therefore r=6$

따라서 반구의 부피는

$\dfrac{1}{2}\times\left(\dfrac{4}{3}\pi\times6^3\right)=144\pi$ (cm³)

03 (겉넓이)$=\dfrac{1}{4}\times(4\pi\times6^2)+\left(\dfrac{1}{2}\times\pi\times6^2\right)\times2$

$=36\pi+36\pi=72\pi$ (cm²) ······ [50 %]

(부피)$=\dfrac{1}{4}\times\left(\dfrac{4}{3}\pi\times6^3\right)=72\pi$ (cm³) ······ [50 %]

04 (구의 부피)$=\dfrac{4}{3}\pi\times3^3=36\pi$ (cm³)이고

물의 부피는 구의 부피와 같으므로

$\dfrac{1}{3}\times(\pi\times3^2)\times h=36\pi$

$3\pi h=36\pi$ $\therefore h=12$

05 회전체는 오른쪽 그림과 같으므로
(부피)

$=\dfrac{1}{3}\times(\pi\times3^2)\times4+\dfrac{1}{2}\times\left(\dfrac{4}{3}\pi\times3^3\right)$

$=12\pi+18\pi=30\pi$ (cm³)

06 (1) 구 모양의 지구 모형의 반지름의 길이가 20 cm이므로

(부피)$=\dfrac{4}{3}\pi\times20^3=\dfrac{32000}{3}\pi$ (cm³)

(2) (맨틀의 부피)

$=$(지구 모형의 부피)$-$(내핵, 외핵의 부피)

$=\dfrac{4}{3}\pi\times20^3-\dfrac{4}{3}\pi\times11^3$

$=\dfrac{32000}{3}\pi-\dfrac{5324}{3}\pi=8892\pi$ (cm³)

---

9. 자료의 정리와 해석

1 줄기와 잎 그림, 도수분포표

개념 확인

1. 동호회 회원들의 나이

(1|0은 10세)

줄기	잎
1	0 2 5 7 7
2	2 2 2 4 6 9
3	0 4 4

(1) 2 (2) 5개

2. (1) 20명 (2) 2개 (3) 5개 (4) 2개 이상 4개 미만

3.

나이(세)		회원 수(명)
10이상~15미만	〢⁄	6
15 ~20	〢 〢	10
20 ~25	⁄⁄⁄⁄	4
25 ~30	⁄⁄⁄	3
30 ~35	〢	5
합계		28

2 (1) (전체 학생 수)$=2+7+4+3+4=20$(명)

STEP ①

1-1. 등교하는 데 걸리는 시간

(0|3은 3분)

줄기	잎
0	3 6 8
1	0 2 5 8 8 8
2	3 4 5 7 8
3	0 3 5 9
4	4 6

1-2. (1) 수학 성적

(6|3은 63점)

줄기	잎
6	3
7	0 5 5 8
8	1 3 5 5 7
9	2 4 6

(2) 80점대

2-1. (1)

건수(건)	학생 수(명)
0^{이상}~ 5^{미만}	2
5 ~10	4
10 ~15	6
15 ~20	5
20 ~25	3
25 ~30	4
합계	24

(2) 10건 이상 15건 미만

2-2. (1) 30분 (2) 7명 (3) 120분 이상 150분 미만

2-2 (2) 60분 이상 90분 미만의 계급의 도수는
$30-(5+4+8+6)=7$(명)

(3) 2시간은 120분이므로 인터넷 이용 시간이 2시간인 학생이 속하는 계급은 120분 이상 150분 미만이다.

STEP 2 182쪽~184쪽

1-2. (1) 3 (2) 50세 (3) 33세

1-3. ④

2-2. (1) 남학생 : 14명, 여학생 : 16명 (2) 5 (3) 53회 (4) 30 %

2-3. 여학생

3-2. (1) 11 (2) 20 cm 이상 21 cm 미만 (3) 4명

3-3. ⑤

1-2 (3) 나이가 적은 쪽에서 11번째인 사람의 나이는 33세이다.

1-3 ② 전체 학생 수는 전체 잎의 개수와 같으므로
$2+5+8+7+6=28$(명)

③ 영어 성적이 70점 미만인 학생은 7명이므로 전체의
$\dfrac{7}{28}\times100=25$ (%)이다.

④ 영어 성적이 가장 높은 학생의 점수는 99점, 가장 낮은 학생의 점수는 54점이므로 그 차는
$99-54=45$(점)

⑤ 87점은 영어 성적이 좋은 쪽에서 8번째이므로 승훈이는 반에서 8등이다.

따라서 옳지 않은 것은 ④이다.

2-2 (1) 남학생 수는 $1+1+2+3+4+3=14$(명)
여학생 수는 $4+3+3+4+1+1=16$(명)

(3) 줄넘기 횟수가 가장 많은 학생의 줄넘기 횟수는 68회, 가장 적은 학생의 줄넘기 횟수는 15회이므로 그 차는
$68-15=53$(회)

---

(4) 줄넘기 횟수가 50회 이상인 남학생은 $4+3=7$(명), 여학생은 $1+1=2$(명)이므로 전체의
$\dfrac{7+2}{14+16}\times100=\dfrac{9}{30}\times100=30$ (%)이다.

2-3 여학생의 잎이 남학생의 잎보다 대체로 줄기의 값이 큰 쪽에 더 많으므로 여학생이 남학생보다 대체로 국어능력인증시험 점수가 더 좋다고 할 수 있다.

3-2 (1) $A=33-(1+3+8+6+4)=11$

(2) 도수가 가장 큰 계급은 20 cm 이상 21 cm 미만이다.

(3) 왼손 한 뼘의 길이가 22 cm인 학생이 속하는 계급은 22 cm 이상 23 cm 미만이고 그 도수는 4명이다.

3-3 ① 계급의 크기는 10 cm이다.

② $A=30-(3+4+11+5+1)=6$

③ 멀리뛰기 기록이 200 cm 이상인 학생은
$6+1=7$(명)

④ 멀리뛰기 기록이 190 cm 이상인 학생은
$5+6+1=12$(명)이므로 전체의
$\dfrac{12}{30}\times100=40$ (%)이다.

⑤ 멀리뛰기 기록이 200 cm 이상인 학생이 7명, 190 cm 이상인 학생이 $5+6+1=12$(명)이므로 멀리뛰기 기록이 좋은 쪽에서 10번째인 학생이 속하는 계급은 190 cm 이상 200 cm 미만이고 그 도수는 5명이다.

따라서 옳은 것은 ⑤이다.

STEP 3 185쪽~186쪽

01. ⑤ **02.** 40 % **03.** ②, ④ **04.** ④

05. (1) ㉠ 75~80 ㉡ 85~90 ㉢ 1 ㉣ 4 ㉤ 16
(2) 5회 (3) 5개 (4) 70회 이상 75회 미만

06. ③ **07.** 4회 이상 6회 미만

08. $A=10, B=6, C=30$

01 ② 주희네 반의 전체 학생 수는
$3+5+6+4+2=20$(명)

⑤ 줄넘기를 적게 한 쪽에서 5번째인 학생의 줄넘기 횟수는 24회이다.

따라서 옳지 않은 것은 ⑤이다.

02 보검이네 반의 전체 학생 수는
$5+7+8+5=25$(명)이고
보검이보다 성적이 좋은 학생은 $5+5=10$(명)이므로
전체의 $\dfrac{10}{25}\times100=40$ (%)이다.

03 ① 1반 학생 수는 $3+6+5+1=15$(명)

2반 학생 수는 $2+5+7+1=15$(명)

따라서 1반 학생 수와 2반 학생 수는 15명으로 같다.

② 몸무게가 가장 많이 나가는 학생은 72 kg으로 1반에 있다.

③ 1반과 2반의 전체 학생 수는 $15+15=30$(명)이고 몸무게가 60 kg대인 학생은 $5+7=12$(명)이므로 전체의 $\frac{12}{30}\times100=40$ (%)이다.

④ 몸무게가 가벼운 쪽에서 9번째인 학생의 몸무게는 52 kg이다.

⑤ 2반 학생들의 잎이 1반 학생들의 잎보다 대체로 줄기의 값이 큰 쪽에 더 많으므로 2반 학생들이 1반 학생들보다 대체로 몸무게가 더 많이 나가는 편이다.

따라서 옳지 않은 것은 ②, ④이다.

04 ① 각 계급에 속하는 자료의 개수를 도수라 한다.

② 도수분포표에서는 실제 자료의 값을 알 수 없다.

③ 도수분포표를 만들 때, 계급의 크기는 같게 해야 한다.

⑤ 도수분포표에서 계급의 개수는 5개~15개가 적당하다.

따라서 옳은 것은 ④이다.

06 ① $A=30-(8+6+9+2)=5$

③ 도수가 가장 큰 계급은 6시간 이상 9시간 미만이다.

④ 독서 시간이 6시간 이상 9시간 미만인 학생은 9명이므로 전체의 $\frac{9}{30}\times100=30$ (%)이다.

⑤ 독서 시간이 12시간 이상인 학생이 2명, 9시간 이상인 학생이 $5+2=7$(명)이므로 독서 시간이 많은 쪽에서 5번째인 학생이 속하는 계급은 9시간 이상 12시간 미만이고 그 도수는 5명이다.

따라서 옳지 않은 것은 ③이다.

07 8회 이상 10회 미만인 계급의 도수는

$20-(4+6+7+2)=1$(명) ⋯⋯ [40 %]

물수제비를 6회 이상 뜬 학생이 $2+1=3$(명), 4회 이상 뜬 학생이 $7+2+1=10$(명)이므로 물수제비를 4번째로 많이 뜬 학생이 속하는 계급은 4회 이상 6회 미만이다.

⋯⋯ [60 %]

08 조건 ㈎에 의하여 $A=5\times2=10$

일일 방문자 수가 95명 미만인 날수는 $1+4+10=15$(일)이고 조건 ㈏에 의하여 일일 방문자 수가 95명 미만인 날수는 전체의 50 %이므로

$\frac{15}{C}\times100=50$ ∴ $C=30$

∴ $B=30-(1+4+10+5+4)=6$

2 히스토그램과 도수분포다각형

개념 확인

188쪽, 190쪽

1.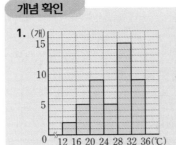

2. (1) 6개 (2) 1초 (3) 8초 이상 9초 미만 (4) 3명 (5) 42명

3.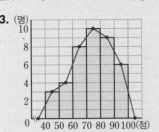

4.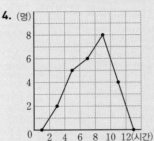

5. (1) 10분 (2) 6개 (3) 50명 (4) 30분 이상 40분 미만

2 (4) 도수가 가장 작은 계급은 12초 이상 13초 미만이고 그 도수는 3명이다.

(5) (전체 학생 수)$=5+12+10+7+5+3$
$=42$(명)

5 (3) (전체 학생 수)$=6+8+16+14+4+2$
$=50$(명)

STEP 1

191쪽

1-1. $A=28$, $B=8$, $C=70$ **연구** ① 크기 ② 도수

1-2. (1) 5개 (2) 10점 (3) 25명 (4) 15명 (5) 250

2-1. (1) ○ (2) × (3) ○ (4) ○ (5) ×

2-2. (1) 10분 (2) 40명 (3) 40분 이상 50분 미만 (4) 18명

(5) 400

1-1 $C=4+10+28+20+8=70$

1-2 (3) (전체 학생 수)$=3+7+8+5+2=25$(명)

(4) 수학 성적이 60점 이상 80점 미만인 학생 수는

$7+8=15$(명)

(5) (직사각형의 넓이의 합)

$=$(계급의 크기)$\times$(도수의 총합)

$=10\times25=250$

2-1 (2) 계급의 개수는 6개이다.

(4) (전체 학생 수)$=4+6+14+8+6+2=40$(명)

(5) (나)의 그래프에서 도수분포다각형과 가로축으로 둘러싸인 부분의 넓이는 (가)의 그래프에서 직사각형의 넓이의 합과 같으므로 두 그래프의 색칠한 부분의 넓이는 서로 같다.

2-2 (2) (전체 학생 수)$=2+6+14+9+6+3=40$(명)

(4) 등교하는 데 걸리는 시간이 40분 이상인 학생 수는

$9+6+3=18$(명)

(5) (도수분포다각형과 가로축으로 둘러싸인 부분의 넓이)

$=$(계급의 크기)$\times$(도수의 총합)

$=10\times40=400$

192쪽~195쪽

STEP 2

1-2. (1) 40명 (2) 12명 (3) 15 % (4) 4만 원 이상 5만 원 미만

1-3. 200

2-2. (1) 계급의 크기 : 5 kg, 계급의 개수 : 6개

(2) 50 kg 이상 55 kg 미만 (3) 20 % (4) 5명

2-3. 300   **3-2.** 13송이

4-2. 10명   **5-2.** 남학생

5-3. 20 %

1-2 (1) (전체 학생 수)$=4+10+12+8+5+1=40$(명)

(2) 도수가 가장 큰 계급은 3만 원 이상 4만 원 미만이고 그 도수는 12명이다.

(3) 한 달 용돈이 5만 원 이상인 학생은 $5+1=6$(명)이므로 전체의 $\dfrac{6}{40}\times100=15$ (%)이다.

(4) 한 달 용돈이 5만 원 이상인 학생은 $5+1=6$(명)이고 4만 원 이상인 학생은 $8+5+1=14$(명)이므로 용돈을 많이 받는 쪽에서 10번째인 학생이 속하는 계급은 4만 원 이상 5만 원 미만이다.

1-3 (직사각형의 넓이)

$=$(계급의 크기)$\times$(도수의 총합)

$=10\times(2+2+5+7+4)$

$=10\times20=200$

2-2 (3) (전체 학생 수)$=3+5+9+7+4+2=30$(명)

이때 몸무게가 60 kg 이상인 학생은 $4+2=6$(명)이므로 전체의 $\dfrac{6}{30}\times100=20$ (%)이다.

(4) 몸무게가 45 kg 미만인 학생은 3명이고, 50 kg 미만인 학생은 $3+5=8$(명)이므로 몸무게가 가벼운 쪽에서 8번째인 학생이 속하는 계급은 45 kg 이상 50 kg 미만이고 그 도수는 5명이다.

2-3 전체 학생 수는 $2+3+9+7+5+4=30$(명)이므로

(도수분포다각형과 가로축으로 둘러싸인 부분의 넓이)

$=$(히스토그램의 직사각형의 넓이의 합)

$=$(계급의 크기)$\times$(도수의 총합)

$=10\times30=300$

3-2 무게가 90 g 이상 110 g 미만인 포도의 수는

$50\times\dfrac{40}{100}=20$(송이)

따라서 110 g 이상 120 g 미만인 계급의 도수는

$50-(3+20+9+5)=13$(송이)

4-2 독서 시간이 75분 미만인 학생 수는

$35\times\dfrac{60}{100}=21$(명)

따라서 독서 시간이 75분 이상 90분 미만인 학생 수는

$35-(21+4)=10$(명)

5-2 남학생의 그래프가 여학생의 그래프보다 왼쪽으로 더 치우쳐 있으므로 남학생이 여학생보다 달리기 기록이 더 좋은 편이다.

5-3 (여학생 수)$=5+4+3+2=14$(명)

(남학생 수)$=3+5+2+4+2=16$(명)

이때 한 달 동안의 이용 횟수가 10회 이상 12회 미만인 학생은 $4+2=6$(명)이므로 전체의

$\dfrac{6}{14+16}\times100=20$ (%)이다.

STEP 3

01. ④   02. ③, ④   03. ②   04. 10개

05. 풀이 참조   06. ①, ④   07. 360

08. (1) 11명 (2) 45 % 09. ①, ④

---

01 ③ (전체 학생 수)=1+4+6+10+7+5+4=37(명)
④ 수학 성적이 가장 낮은 학생의 점수는 알 수 없다.
⑤ (직사각형의 넓이의 합)
=(계급의 크기)×(도수의 총합)
=10×37=370
따라서 옳지 않은 것은 ④이다.

02 ① 계급의 크기는 10 mm이다.
② (전체 조사 대상 지역 수)
=3+5+11+8+6+2+1=36(곳)
③ 강수량이 20 mm 이상 40 mm 미만인 지역은
5+11=16(곳)
④ 강수량이 50 mm 이상인 지역은 6+2+1=9(곳)이므
로 전체의 $\frac{9}{36}×100=25$ (%)이다.
⑤ 강수량이 20 mm 미만인 지역은 3곳, 30 mm 미만인
지역은 3+5=8(곳)이므로 강수량이 적은 쪽에서 4번
째인 지역이 속하는 계급은 20 mm 이상 30 mm 미만
이다.
따라서 옳은 것은 ③, ④이다.

03 ② 고무 동력기가 가장 멀리 날아간 거리는 알 수 없다.

04 회원 수가 30명 미만인 동아리 수가 전체의 40 %이므로
(전체 동아리 수)×$\frac{40}{100}=4+6$
∴ (전체 동아리 수)=25(개)
따라서 회원 수가 30명 이상 40명 미만인 동아리 수는
25−(4+6+3+2)=10(개)

05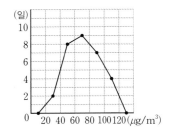

---

06 ① 계급의 개수는 7개이다.
② (전체 학생 수)=2+6+7+10+8+5+2=40(명)
③ 수학 성적이 60점인 학생이 속하는 계급은 60점 이상
70점 미만이고 그 도수는 10명이다.
④ 수학 성적이 90점 이상인 학생은 2명, 80점 이상인 학
생은 5+2=7(명)이므로 수학 성적이 높은 쪽에서 7번
째인 학생이 속하는 계급은 80점 이상 90점 미만이고 그
도수는 5명이다.
⑤ 수학 성적이 50점 미만인 학생은 2+6=8(명)이므로
전체의 $\frac{8}{40}×100=20$ (%)이다.
따라서 옳지 않은 것은 ①, ④이다.

07 (도수분포다각형과 가로축으로 둘러싸인 부분의 넓이)
=(계급의 크기)×(도수의 총합)
=10×(4+6+8+11+7)
=10×36=360

08 (1) 영어 성적이 60점 이상 70점 미만인 학생 수는
$40×\frac{25}{100}=10$(명)
따라서 영어 성적이 70점 이상 80점 미만인 학생 수는
40−(3+5+10+7+4)=11(명)   ······ [60 %]
(2) 영어 성적이 70점 미만인 학생은 3+5+10=18(명)이
므로 전체의 $\frac{18}{40}×100=45$ (%)이다.   ······ [40 %]

09 ① (여학생 수)=2+6+10+7+4+1=30(명)
(남학생 수)=3+5+11+7+3+1=30(명)
따라서 남학생 수와 여학생 수는 같다.
② 남학생의 그래프가 여학생의 그래프보다 오른쪽으로
더 치우쳐 있으므로 남학생이 여학생보다 몸무게가 더
무거운 편이다.
③ 남학생의 그래프에서 도수가 가장 큰 계급은 50 kg 이
상 55 kg 미만이고 그 도수는 11명이다.
④ 여학생 중 몸무게가 50 kg 이상인 학생은
7+4+1=12(명)이므로 전체의
$\frac{12}{30}×100=40$ (%)이다.
⑤ 남학생 수와 여학생 수가 같으므로 각각의 도수분포다
각형과 가로축으로 둘러싸인 부분의 넓이는 서로 같다.
따라서 옳지 않은 것은 ①, ④이다.

3 상대도수

개념 확인

198쪽~200쪽

1. (1) 5, 50, 0.1 (2) 15, 50, 0.3 (3) 0.2, 10 (4) 1

2. 0.25, 0.45, 0.1

봉사 활동 시간 (시간)		도수(명)
12 이상 ~ 16 미만		2
16 ~ 20		10
20 ~ 24		18
24 ~ 28		6
28 ~ 32		4
합계		40

3. 수영: 1, 다은: 1, 3

2 12시간 이상 16시간 미만인 계급의 도수는
$40 \times 0.05 = 2$(명)
16시간 이상 20시간 미만인 계급의 도수는
$40 \times 0.25 = 10$(명)
20시간 이상 24시간 미만인 계급의 도수는
$40 \times 0.45 = 18$(명)
24시간 이상 28시간 미만인 계급의 도수는
$40 \times 0.15 = 6$(명)
28시간 이상 32시간 미만인 계급의 도수는
$40 \times 0.1 = 4$(명)

STEP 1

201쪽

1-1. 상대도수는 차례로 0.1, 0.2, 0.25, 0.35, 0.1, 1

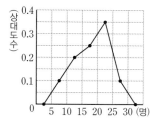

연구 도수의 총합

1-2. $A = 0.25$, $B = 8$, $C = 6$, $D = 1$

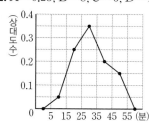

2-1. (1) 6시 40분 이상 7시 미만 (2) 8명   연구 (2) 상대도수

2-2. (1) 35 % (2) 20명

1-2 $A = \dfrac{10}{40} = 0.25$, $B = 40 \times 0.2 = 8$, $C = 40 \times 0.15 = 6$

2-1 (2) 7시 20분 이상 7시 40분 미만인 계급의 상대도수가 0.16
이므로 그 계급의 도수는
$50 \times 0.16 = 8$(명)

2-2 (1) 기다린 시간이 40분 이상인 학생은 전체의
$(0.25 + 0.1) \times 100 = 35$ (%)이다.
(2) 기다린 시간이 20분 이상 40분 미만인 학생 수는
$40 \times (0.2 + 0.3) = 20$(명)

STEP 2

202쪽~206쪽

1-2. (1) 50개 (2) $A = 0.18$, $B = 13$, $C = 8$, $D = 0.16$, $E = 1$
(3) 24 %

1-3. 7개   **2-2.** 40명

3-2. 16명   **4-2.** 138명

5-2. (1) 12명 (2) 25 %   **6-2.** B형, O형

6-3. 여학생

7-2. (1) × (2) × (3) × (4) ○

7-3. (1) B의 팬클럽 (2) 80명

1-2 (1) (전체 귤의 개수) $= \dfrac{3}{0.06} = 50$(개)

(2) $A = \dfrac{9}{50} = 0.18$
$B = 50 \times 0.26 = 13$
$E = 1$
$D = 1 - (0.18 + 0.06 + 0.26 + 0.3 + 0.04) = 0.16$
$C = 50 \times 0.16 = 8$

(3) 무게가 100 g 미만인 계급의 상대도수의 합은
$0.18 + 0.06 = 0.24$이므로 전체의
$0.24 \times 100 = 24$ (%)이다.

1-3 상대도수의 합은 항상 1이므로 70 dB 이상 75 dB 미만인
계급의 상대도수는
$1 - (0.04 + 0.2 + 0.3 + 0.26 + 0.06) = 0.14$
따라서 소음도가 70 dB 이상 75 dB 미만인 지역의 수는
$50 \times 0.14 = 7$(개)

2-2 (도수의 총합) $= \dfrac{6}{0.15} = 40$(명)

3-2 기록이 200 cm 이상 240 cm 미만인 계급의 상대도수의
합은 0.24+0.4=0.64
따라서 기록이 200 cm 이상 240 cm 미만인 학생 수는
25×0.64=16(명)

4-2 봉사 활동 시간이 15시간 이상인 계급의 상대도수의 합은
0.06+0.03=0.09이고 학생 수가 54명이므로
(전체 학생 수)=$\frac{54}{0.09}$=600(명)
따라서 봉사 활동 시간이 9시간 이상 12시간 미만인 학생
수는 600×0.23=138(명)

5-2 (1) 60점 이상 70점 미만인 계급의 상대도수는
$1-(0.1+0.15+0.2+0.2+0.05)=0.3$
따라서 구하는 학생 수는 40×0.3=12(명)
(2) 국어 성적이 80점 이상인 계급의 상대도수의 합은
0.2+0.05=0.25이므로 전체의 0.25×100=25 (%)
이다.

6-2 각 혈액형의 상대도수를 구하면 다음 표와 같으므로 H 중
학교 학생들보다 C 중학교 학생들의 비율이 더 높은 혈액형
은 B형, O형이다.

혈액형	상대도수	
	C 중학교	H 중학교
A	0.2	0.35
B	0.3	0.25
O	0.32	0.2
AB	0.18	0.2
합계	1	1

6-3 책을 3권 미만 읽은 학생의 비율은 남학생은 $\frac{12}{40}$=0.3,
여학생은 $\frac{14}{50}$=0.28이므로 여학생이 더 낮다.

7-2 (1) 상대도수의 그래프만으로는 두 학교의 전체 학생 수를
알 수 없다.
(2) A 중학교 학생들의 상대도수가 B 중학교 학생들의 상
대도수보다 큰 계급은 12권 이상 15권 미만, 15권 이상
18권 미만의 2개이다.
(3) 상대도수의 그래프만으로는 자료의 도수를 알 수 없으
므로 두 학교의 학생 수를 비교할 수 없다.

7-3 (1) 40세 이상 50세 미만인 계급의 상대도수가 A의 팬클럽
은 0.2, B의 팬클럽은 0.24이므로 나이가 40세 이상 50
세 미만인 회원의 비율은 B의 팬클럽이 A의 팬클럽보
다 더 높다.

(2) A의 팬클럽의 그래프에서 10세 이상 20세 미만인 계급
의 상대도수가 0.2이므로 그 회원 수는
400×0.2=80(명)

STEP **3**

01. ⑤   **02.** (1) ㉠ 0.4 ㉡ 8 ㉢ 40 ㉣ 1 (2) 0.4 (3) 25 %
03. ②   **04.** 0.125   **05.** ②   **06.** ③, ④   **07.** 80명
08. ③, ⑤   **09.** ⑤

01 ⑤ 상대도수의 합은 항상 1이다.

02 (1) ㉢=$\frac{4}{0.1}$=40
㉠=$\frac{16}{40}$=0.4
㉡=40×0.2=8
㉣=1   ······ [40 %]
(2) 도수가 가장 큰 계급은 40분 이상 60분 미만이고 그 계
급의 상대도수는 0.4이다.   ······ [30 %]
(3) 게임 시간이 80분 이상 100분 미만인 계급의 상대도수
는 1-(0.1+0.25+0.4+0.2)=0.05
게임 시간이 60분 이상인 계급의 상대도수의 합은
0.2+0.05=0.25이므로 전체의 0.25×100=25 (%)
이다.   ······ [30 %]

03 수학 문제집을 3권 가지고 있는 학생의 상대도수는
1-(0.2+0.38+0.27+0.02)=0.13
따라서 수학 문제집을 3권 이상 가지고 있는 학생은 전체의
(0.13+0.02)×100=15 (%)이다.

04 전체 달걀의 개수는 $\frac{6}{0.05}$=120(개)이므로 45 g 이상 50 g
미만인 계급의 상대도수는 $\frac{15}{120}$=0.125

05 기록이 220 cm 이상인 계급의 상대도수의 합은
0.4+0.08=0.48
따라서 기록이 220 cm 이상인 학생 수는
25×0.48=12(명)

06 ② 독서량이 14권 이상인 계급의 상대도수의 합은
$0.3+0.25+0.1=0.65$이므로 전체의
$0.65 \times 100 = 65 \, (\%)$이다.

③ 책을 12권 읽은 학생이 속하는 계급은 12권 이상 14권 미만이고 이 계급의 도수는 $40 \times 0.2 = 8$(명)

④ 독서량이 가장 많은 학생이 읽은 책의 수는 알 수 없다.

⑤ 책을 14권 미만 읽은 학생 수는
$40 \times (0.15+0.2) = 14$(명),
책을 16권 미만 읽은 학생 수는
$40 \times (0.15+0.2+0.3) = 26$(명)
이므로 독서량이 적은 쪽에서 15번째인 학생이 속하는 계급은 14권 이상 16권 미만이다.

따라서 옳지 않은 것은 ③, ④이다.

07 (전체 학생 수)$= \dfrac{20}{0.1} = 200$(명) ⋯⋯ [30 %]

이때 9초 이상 10초 미만 계급의 상대도수는
$1-(0.02+0.1+0.22+0.2+0.06)=0.4$ ⋯⋯ [40 %]
따라서 구하는 학생 수는
$200 \times 0.4 = 80$(명) ⋯⋯ [30 %]

08 주어진 표를 보고 도수를 구하면 다음과 같다.

과학 성적(점)	도수 (명)	
	남학생	여학생
$60^{이상}$ ~ $70^{미만}$	5	4
70 ~ 80	6	6
80 ~ 90	4	2
90 ~ 100	5	4
합계	20	16

③ 80점 이상 90점 미만인 남학생 수는 4명, 여학생 수는 2명이므로 다르다.

⑤ 80점 이상인 학생의 비율은 남학생은 $0.2+0.25=0.45$,
여학생은 $0.125+0.25=0.375$이므로 남학생이 여학생보다 더 높다.

따라서 옳지 않은 것은 ③, ⑤이다.

09 ①, ③, ④ 상대도수의 그래프만으로는 자료의 도수를 알 수 없으므로 작년과 올해의 수확량을 비교할 수 없다.

② 상대도수의 합은 항상 1이다.

⑤ 70 g 이상 80 g 미만인 계급의 상대도수는 작년은 0.2,
올해는 0.35이므로 70 g 이상 80 g 미만인 감자의 비율은 올해가 작년보다 더 높다.

따라서 옳은 것은 ⑤이다.

1쪽~5쪽

❶ 기본 도형 ~ ❹ 작도와 합동

01. ③	**02.** ②	**03.** 4 cm	**04.** ⑤	**05.** ①
06. 60°	**07.** ①	**08.** ③	**09.** ②	**10.** 4
11. ⑤	**12.** ④	**13.** ⑤	**14.** ⑤	**15.** ①
16. ②	**17.** ⑤	**18.** ①	**19.** ③	**20.** ④
21. ②	**22.** ⑤	**23.** ③	**24.** 64°	**25.** ①, ③
26. ③	**27.** ④	**28.** ④	**29.** ②	**30.** ③
31. ④				

01 $a=7, b=12, c=7$

∴ $a+b+c=7+12+7=26$

02 ① $\overrightarrow{AB} \neq \overrightarrow{AC}$

③ $\overrightarrow{AB}$와 $\overrightarrow{BA}$는 시작점과 방향이 모두 다르므로

$\overrightarrow{AB} \neq \overrightarrow{BA}$

④ 선분과 반직선은 다르므로 $\overrightarrow{AC} \neq \overrightarrow{AC}$

⑤ 직선과 반직선은 다르므로 $\overleftrightarrow{DB} \neq \overrightarrow{DB}$

따라서 옳은 것은 ②이다.

03 $\overline{AM}=\overline{MB}=\dfrac{1}{2}\overline{AB}=\dfrac{1}{2}\times16=8\ (\text{cm})$ ······ [50 %]

∴ $\overline{AN}=\dfrac{1}{2}\overline{AM}=\dfrac{1}{2}\times8=4\ (\text{cm})$ ······ [50 %]

04 ① 예각 ② 직각 ③ 둔각 ④ 평각

따라서 옳은 것은 ⑤이다.

05 ㈎에서 맞꼭지각의 크기는 서로 같으므로

$\angle x+15°=70°$ ∴ $\angle x=55°$

㈏에서 평각의 크기는 $180°$이므로

$(160°-3\angle y)+90°+35°=180°$

$3\angle y=105°$ ∴ $\angle y=35°$

∴ $\angle x+\angle y=55°+35°=90°$

06 $\angle AOB+\angle BOC+\angle COD+\angle DOE=180°$에서

$\angle AOC+\angle COD+2\angle COD=180°$

$3\angle BOC+3\angle COD=180°$

∴ $\angle BOC+\angle COD=60°$

∴ $\angle BOD=\angle BOC+\angle COD=60°$

07 오른쪽 그림에서

$2\angle x+(4\angle x-5°)+(\angle x+10°)$

$=180°$

$7\angle x=175°$

∴ $\angle x=25°$

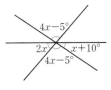

08 점 A와 직선 l 사이의 거리는 $\overline{AD}$의 길이이다.

09 ② $\overline{AB}$와 $\overline{CD}$의 길이가 같은지 알 수 없다.

10 반직선은 $\overrightarrow{AC}$, $\overrightarrow{BA}$, $\overrightarrow{BC}$, $\overrightarrow{CA}$의 4개이므로

$x=4$ ······ [40 %]

선분은 $\overline{AB}$, $\overline{AC}$, $\overline{BC}$의 3개이므로 $y=3$ ······ [40 %]

∴ $3+x-y=3+4-3=4$ ······ [20 %]

11 ④ 평면 BFHD에 평행한 모서리는 $\overline{AE}$, $\overline{CG}$의 2개이다.

⑤ $\overline{BF}$와 꼬인 위치에 있는 모서리는 $\overline{AD}$, $\overline{CD}$, $\overline{EH}$, $\overline{GH}$의 4개이다.

따라서 옳지 않은 것은 ⑤이다.

12 면 AGLF와 평행한 모서리는 $\overline{BH}$, $\overline{CI}$, $\overline{DJ}$, $\overline{EK}$, $\overline{CD}$, $\overline{IJ}$의 6개이다.

13 ① 면 ABC와 수직인 모서리는 $\overline{AD}$, $\overline{BE}$, $\overline{CG}$의 3개이다.

③ 모서리 CG를 포함하는 면은 면 ADGC, 면 CFG의 2개이다.

④ 모서리 BF와 한 점에서 만나는 면은 면 ABC, 면 ABED, 면 DEFG, 면 CFG의 4개이다.

⑤ 모서리 AB와 꼬인 위치에 있는 모서리는 $\overline{DG}$, $\overline{EF}$, $\overline{CG}$, $\overline{CF}$의 4개이다.

따라서 옳지 않은 것은 ⑤이다.

14 ⑤ $P /\!/ l$, $P /\!/ m$이면 직선 l과 m은 한 점에서 만나거나 평행하거나 꼬인 위치에 있다.

15 $\angle b$의 동위각은 $\angle e$이므로 $\angle e=180°-135°=45°$

$\angle d$의 엇각은 $\angle c$이므로 $\angle c=180°-60°=120°$

따라서 구하는 각의 크기의 합은

$45°+120°=165°$

16 ① $\angle e$의 엇각은 $\angle c$이다.

③ $\angle a$의 동위각은 $\angle e$, $\angle l$이다.

④ $\angle b$의 동위각은 $\angle f$, $\angle i$이다.

⑤ $\angle d$의 동위각은 $\angle h$, $\angle k$이다.

따라서 옳은 것은 ②이다.

17 ⑤ 오른쪽 그림에서 엇각의 크기가 $45°$, $35°$로 같지 않으므로 두 직선 l, m은 서로 평행하지 않다.

18

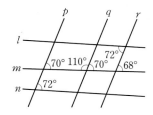

① 두 직선 p, q가 직선 m과 만나서 생기는 동위각의 크기 가 같으므로 $p /\!/ q$이다.

② 두 직선 q, r가 직선 m과 만나서 생기는 동위각의 크기 가 $70°$, $68°$로 같지 않으므로 두 직선 q, r는 서로 평행하 지 않다.

③ 두 직선 p, r가 직선 m과 만나서 생기는 동위각의 크기 가 $70°$, $68°$로 같지 않으므로 두 직선 p, r는 서로 평행하 지 않다.

④ 두 직선 l, m이 직선 r와 만나서 생기는 엇각의 크기가 $72°$, $68°$로 같지 않으므로 두 직선 l, m은 서로 평행하 지 않다.

⑤ 두 직선 m, n이 직선 p와 만나서 생기는 동위각의 크기 가 $70°$, $72°$로 같지 않으므로 두 직선 m, n은 서로 평행 하지 않다.

따라서 바르게 짝 지은 것은 ①이다.

19 오른쪽 그림에서 $l /\!/ m$이므로
$\angle b = 60°$ (맞꼭지각)
한편 삼각형의 세 각의 크기의
합은 $180°$이므로
$\angle a + 45° + 60° = 180°$ ∴ $\angle a = 75°$
∴ $\angle a - \angle b = 75° - 60° = 15°$

20 오른쪽 그림과 같이 두 직선 l, m에
평행한 직선 n을 그으면
$\angle x + 35° = 90°$
∴ $\angle x = 55°$

21 오른쪽 그림과 같이 두 직선 l, m에
평행한 두 직선 p, q를 그으면
$\angle x = 35° + 75° = 110°$

22 오른쪽 그림과 같이 두 직선 l, m에
평행한 두 직선 p, q를 그으면
$(\angle x - 30°) + (\angle y - 55°) = 180°$
$\angle x + \angle y - 85° = 180°$
∴ $\angle x + \angle y = 265°$

23 오른쪽 그림과 같이 두 직선 l, m에
평행한 두 직선 p, q를 그으면
$\angle x = 60° + 20° = 80°$

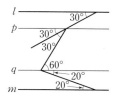

24 $\overline{AD} /\!/ \overline{BC}$이므로
$\angle EGF = \angle DEG = 58°$ (엇각) ······ [30 %]
$\angle FEG = \angle DEG = 58°$ (접은 각) ······ [30 %]
삼각형 EFG에서 삼각형의 세 각의 크기의 합은 $180°$이므로
$\angle x + 58° + 58° = 180°$
∴ $\angle x = 64°$ ······ [40 %]

25 ② 두 점을 지나는 선분을 그릴 때에는 눈금 없는 자를 사용 한다.
④ 선분의 길이를 재어 옮길 때에는 컴퍼스를 사용한다.
⑤ 눈금 없는 자와 컴퍼스만을 사용하여 도형을 그리는 것 을 작도라 한다.
따라서 옳은 것은 ①, ③이다.

26 ③ $\overline{PC}$와 $\overline{CD}$의 길이가 같은지 알 수 없다.

27 ④ 작도 순서는 ㉢ → ㉡ → ㉣ → ㉠ → ㉤ → ㉥이다.

28 (i) 9가 가장 긴 변의 길이인 경우
$9 < 5 + x$ ∴ $x + 5 > 9$
(ii) x가 가장 긴 변의 길이인 경우
$x < 5 + 9$ ∴ $x < 14$
(i), (ii)에 의해 x의 값이 될 수 있는 자연수는 $5, 6, 7, 8, 9,$
$10, 11, 12, 13$의 9개이다.

29 ㉠ $\angle B$, $\overline{AB}$, $\overline{BC}$
➡ 두 변의 길이와 그 끼인각의 크기가 주어졌으므로
$\triangle ABC$는 하나로 정해진다.
㉢ $\angle B$, $\overline{AB}$, $\angle A$
➡ 한 변의 길이와 그 양 끝 각의 크기가 주어졌으므로
$\triangle ABC$는 하나로 정해진다.

30 ㉢에서 나머지 한 각의 크기는
$180° - (45° + 35°) = 100°$
즉 ㉢과 ㉥은 대응하는 두 변의 길이가 각각 같고, 그 끼인각 의 크기가 같으므로 SAS 합동이다.

31 $\triangle ABC$와 $\triangle ADE$에서
$\overline{AB} = \overline{AD}$, $\angle ABC = \angle ADE$, $\angle A$는 공통이므로
$\triangle ABC \equiv \triangle ADE$ (ASA 합동) (㉣)
∴ $\angle AED = \angle ACB$ (㉡), $\overline{BC} = \overline{DE}$ (㉤)

❺ 다각형 ~ ❻ 원과 부채꼴

01. ④	**02.** ③	**03.** 72°	**04.** ③	**05.** ②
06. 96°	**07.** ③	**08.** ⑤	**09.** ④	**10.** ④
11. ③	**12.** ④	**13.** 50°	**14.** ④	**15.** ①
16. ②	**17.** ④	**18.** ③	**19.** ①	**20.** ④
21. ④	**22.** ①			

23. 둘레의 길이: 7π cm, 넓이: 3π cm² **24.** ④

25. ① **26.** $(2\pi-4)$ cm² **27.** ③

01 구하는 다각형을 n각형이라 하면
$n-3=7$ ∴ $n=10$, 즉 십각형
따라서 십각형의 꼭짓점의 개수는 10이다.

02 6명이 양옆에 앉은 두 사람을 제외한 모든 사람과 서로 한 번 씩 악수를 하는 횟수는 육각형의 대각선의 개수와 같으므로
$$\frac{6\times(6-3)}{2}=9(번)$$

03 삼각형의 세 내각의 크기의 합은 180°이므로 가장 큰 내각의 크기는
$$180°\times\frac{6}{4+5+6}=180°\times\frac{2}{5}=72°$$

04 $\angle x+(2\angle x-10°)=110°$이므로
$3\angle x=120°$ ∴ $\angle x=40°$

05 △ABD에서 $\angle y=35°+60°=95°$
△ADC에서 $\angle x+95°+55°=180°$
∴ $\angle x=30°$

06 △ABC에서 $\overline{AB}=\overline{AC}$이므로
$\angle ACB=\angle ABC=32°$
∴ $\angle CAD=32°+32°=64°$ ······ [35 %]
△CAD에서 $\overline{CA}=\overline{CD}$이므로
$\angle CDA=\angle CAD=64°$ ······ [35 %]
따라서 △DBC에서
$\angle x=32°+64°=96°$ ······ [30 %]

07 △ABC에서 $\angle ACD=40°+28°=68°$
△CDE에서 $\angle x=68°+55°=123°$

08 △ABC에서 $\angle ACB=180°-(70°+40°)=70°$
이때 $\angle ACD=\frac{1}{2}\angle ACB=\frac{1}{2}\times70°=35°$이므로
△ADC에서
$\angle x=70°+35°=105°$

09 △ABC에서
$\angle ABC+\angle ACB=180°-68°=112°$
∴ $\angle DBC+\angle DCB=\frac{1}{2}(\angle ABC+\angle ACB)$
$$=\frac{1}{2}\times112°=56°$$
따라서 △DBC에서
$\angle x=180°-(\angle DBC+\angle DCB)$
$$=180°-56°=124°$$

10 △ACG에서
$\angle AGE=\angle x+\angle z$
△FBD에서
$\angle EFD=27°+33°=60°$
따라서 △EFG에서
$\angle y+60°+(\angle x+\angle z)=180°$
∴ $\angle x+\angle y+\angle z=120°$

11 구하는 다각형을 n각형이라 하면
$\frac{n(n-3)}{2}=44$, $n(n-3)=88$
$n(n-3)=11\times8$ ∴ $n=11$, 즉 십일각형
따라서 십일각형의 내각의 크기의 합은
$180°\times(11-2)=1620°$

12 오각형의 내각의 크기의 합은
$180°\times(5-2)=540°$이므로
$110°+\angle x+140°+100°+95°=540°$
∴ $\angle x=95°$

13 오각형의 외각의 크기의 합은 360°이므로
$(\angle x+10°)+2\angle x+50°+60°+90°=360°$
······ [50 %]
$3\angle x+210°=360°$, $3\angle x=150°$
∴ $\angle x=50°$ ······ [50 %]

14 주어진 정다각형의 한 내각의 크기는 다음과 같다.
① $\frac{180°\times(5-2)}{5}=108°$ ② $\frac{180°\times(6-2)}{6}=120°$
③ $\frac{180°\times(8-2)}{8}=135°$ ④ $\frac{180°\times(10-2)}{10}=144°$
⑤ $\frac{180°\times(12-2)}{12}=150°$
따라서 옳은 것은 ④이다.

15 구하는 정다각형을 정n각형이라 하면
$180°\times(n-2)=2880°$, $n-2=16$
∴ $n=18$, 즉 정십팔각형
따라서 정십팔각형의 한 외각의 크기는 $\frac{360°}{18}=20°$

16 정오각형의 한 외각의 크기는 $\dfrac{360°}{5}=72°$이므로

$\angle DEF = \angle EDF = 72°$

따라서 $\triangle EDF$에서

$\angle x = 180° - (72° + 72°) = 36°$

17 ④ $\overline{AC}$는 원의 지름이면서 가장 긴 현이다.

18 $\angle AOB : \angle BOC : \angle COA = \overparen{AB} : \overparen{BC} : \overparen{CA}$

$= 3 : 5 : 7$

$\therefore \angle BOC = 360° \times \dfrac{5}{3+5+7} = 360° \times \dfrac{1}{3} = 120°$

19 $\overline{CO} /\!/ \overline{DB}$이므로

$\angle OBD = \angle AOC = 20°$ (동위각)

오른쪽 그림과 같이 $\overline{OD}$를 그으면

$\triangle OBD$에서 $\overline{OB} = \overline{OD}$이므로

$\angle ODB = \angle OBD = 20°$

$\therefore \angle DOB = 180° - (20° + 20°) = 140°$

따라서 $\overparen{AC} : \overparen{BD} = \angle AOC : \angle DOB$이므로

$\overparen{AC} : 14 = 20 : 140$, 즉 $\overparen{AC} : 14 = 1 : 7$에서

$7\overparen{AC} = 14$ $\therefore \overparen{AC} = 2$ (cm)

20 ④ 현의 길이는 중심각의 크기에 정비례하지 않으므로

$\overline{CE} \neq 2\overline{AB}$

21 부채꼴의 중심각의 크기를 $x°$라 하면

$2\pi \times 8 \times \dfrac{x}{360} = 6\pi$ $\therefore x = 135$

따라서 구하는 부채꼴의 중심각의 크기는 $135°$이다.

22 (넓이) $= \dfrac{1}{2} \times 9 \times 4\pi = 18\pi$ (cm²)

23 (어두운 부분의 둘레의 길이)

$= \dfrac{1}{2} \times 2\pi \times \dfrac{7}{2} + \dfrac{1}{2} \times 2\pi \times 2 + \dfrac{1}{2} \times 2\pi \times \dfrac{3}{2}$

$= \dfrac{7}{2}\pi + 2\pi + \dfrac{3}{2}\pi$

$= 7\pi$ (cm) ······ [50 %]

(어두운 부분의 넓이)

$= \dfrac{1}{2} \times \pi \times \left(\dfrac{7}{2}\right)^2 - \dfrac{1}{2} \times \pi \times 2^2 - \dfrac{1}{2} \times \pi \times \left(\dfrac{3}{2}\right)^2$

$= \dfrac{49}{8}\pi - 2\pi - \dfrac{9}{8}\pi$

$= 3\pi$ (cm²) ······ [50 %]

24 (어두운 부분의 둘레의 길이)

$= 2\pi \times 6 \times \dfrac{60}{360} + 2\pi \times 3 \times \dfrac{60}{360} + 3 + 3$

$= 2\pi + \pi + 6$

$= 3\pi + 6$ (cm)

25 오른쪽 그림과 같이 $\overline{EF}, \overline{FG}$를 그으면

(어두운 부분의 넓이)

$=$ (사각형 AEFG의 넓이)

$\quad -$ (부채꼴 AEF의 넓이)

$\quad +$ (삼각형 GFD의 넓이)

$= 10 \times 10 - \pi \times 10^2 \times \dfrac{90}{360} + \dfrac{1}{2} \times 10 \times 10$

$= 100 - 25\pi + 50$

$= 150 - 25\pi$ (cm²)

26

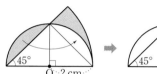 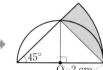

위의 그림과 같이 도형의 일부분을 옮기면

(어두운 부분의 넓이)

$= \pi \times 4^2 \times \dfrac{45}{360} - \dfrac{1}{2} \times 4 \times 2$

$= 2\pi - 4$ (cm²)

27 정삼각형의 한 외각의 크기는 $\dfrac{360°}{3} = 120°$

$\therefore$ (어두운 부분의 넓이)

$= \pi \times 2^2 \times \dfrac{120}{360} + \pi \times 4^2 \times \dfrac{120}{360} + \pi \times 6^2 \times \dfrac{120}{360}$

$= \dfrac{4}{3}\pi + \dfrac{16}{3}\pi + 12\pi$

$= \dfrac{56}{3}\pi$ (cm²)

10쪽~13쪽

❼ 다면체와 회전체 ~ ❽ 입체도형의 겉넓이와 부피

01. ④	02. ②	03. ④	04. ③	05. ③
06. ③	07. ①	08. ③	09. ④	10. ⑤
11. ④	12. 45π cm³		13. ⑤	14. ④

15. 56π cm² 16. 겉넓이: 24π cm², 부피: 12π cm³

17. ③ 18. $\dfrac{12}{5}$ cm 19. ③ 20. 360π cm²

21. ⑤ 22. ④ 23. ② 24. ④

25. (1) $1 : 2 : 3$ (2) 구: 4π cm³, 원뿔: 2π cm³

01 $a = 7$, $b = 12$, $c = 7$이므로

$a + b + c = 7 + 12 + 7 = 26$

02 ① 오면체 $-$ 삼각기둥

③ 칠면체 $-$ 오각뿔대

④ 육면체 ─ 사각기둥
⑤ 육면체 ─ 오각뿔
따라서 옳게 짝 지어진 것은 ②이다.

03 ① 칠면체이다.
② 모서리의 개수는 15이다.
③ 옆면의 모양은 사다리꼴이다.
⑤ 두 밑면은 모양은 같지만 크기가 다르므로 합동이 아니다.
따라서 옳은 것은 ④이다.

04 ③ 각 면은 모두 합동인 정삼각형이고, 한 꼭짓점에 모인 면의 개수가 3인 정다면체는 정사면체이다.

06 ③ 원뿔 ─ 이등변삼각형

07 ② ③

④ ⑤

따라서 단면의 모양이 될 수 없는 것은 ①이다.

08 회전체를 회전축을 포함하는 평면으로 자를 때 생기는 단면의 모양은 오른쪽 그림과 같다.

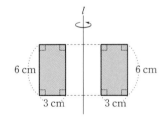

∴ (단면의 넓이)
$= (3 \times 6) \times 2$
$= 36 \ (\text{cm}^2)$

09 ④ 원뿔대의 두 밑면은 모양은 원이지만 크기가 다르므로 합동이 아니다.

10 (겉넓이) $= \left(\dfrac{1}{2} \times 3 \times 4 \right) \times 2 + (3 + 4 + 5) \times 7$
$= 12 + 84$
$= 96 \ (\text{cm}^2)$

11 (겉넓이) $= (\pi \times 3^2) \times 2 + (2\pi \times 3) \times 4$
$= 18\pi + 24\pi$
$= 42\pi \ (\text{cm}^2)$

12 생기는 회전체는 오른쪽 그림과 같은 원기둥이다. ······ [50 %]
∴ (부피) $= (\pi \times 3^2) \times 5$
$= 45\pi \ (\text{cm}^3)$
······ [50 %]

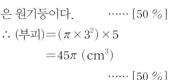
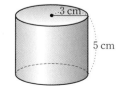

13 (겉넓이)
$= \left(\pi \times 6^2 \times \dfrac{270}{360} \right) \times 2 + \left(2\pi \times 6 \times \dfrac{270}{360} + 6 + 6 \right) \times 7$
$= 54\pi + 63\pi + 84$
$= 117\pi + 84 \ (\text{cm}^2)$

14 (부피) $= (\pi \times 5^2) \times 8 - (\pi \times 2^2) \times 8$
$= 200\pi - 32\pi = 168\pi \ (\text{cm}^3)$

15 밑면인 원의 반지름의 길이를 r cm라 하면
$2\pi \times 10 \times \dfrac{144}{360} = 2\pi r$ ∴ $r = 4$
∴ (겉넓이) $= \pi \times 4^2 + \pi \times 4 \times 10$
$= 16\pi + 40\pi = 56\pi \ (\text{cm}^2)$

16 (겉넓이) $= \pi \times 3^2 + \pi \times 3 \times 5$
$= 9\pi + 15\pi$
$= 24\pi \ (\text{cm}^2)$ ······ [50 %]
(부피) $= \dfrac{1}{3} \times (\pi \times 3^2) \times 4 = 12\pi \ (\text{cm}^3)$ ······ [50 %]

17 그릇에 들어 있는 물의 양은 삼각뿔의 부피와 같다.
∴ (물의 양) $= \dfrac{1}{3} \times \left(\dfrac{1}{2} \times 9 \times 12 \right) \times 6 = 108 \ (\text{cm}^3)$

18 원기둥에 채워진 물의 높이를 h cm라 하면 원뿔 모양의 그릇에 가득 채운 물의 양과 원기둥 모양의 그릇에 채워진 물의 양이 같으므로
$\dfrac{1}{3} \times (\pi \times 6^2) \times 20 = (\pi \times 10^2) \times h$ ······ [60 %]
$240\pi = 100\pi h$ ∴ $h = \dfrac{12}{5}$
따라서 원기둥에 채워진 물의 높이는 $\dfrac{12}{5}$ cm이다.
······ [40 %]

19 (부피) $= \dfrac{1}{3} \times (12 \times 12) \times 12 - \dfrac{1}{3} \times (6 \times 6) \times 6$
$= 576 - 72 = 504 \ (\text{cm}^3)$

20 생기는 회전체는 오른쪽 그림과 같은 원뿔대이다.
∴ (겉넓이)
$= \pi \times 6^2 + \pi \times 12^2$
$\quad + (\pi \times 12 \times 20 - \pi \times 6 \times 10)$
$= 36\pi + 144\pi + 180\pi$
$= 360\pi \ (\text{cm}^2)$

21 (겉넓이) $= \dfrac{1}{2} \times (4\pi \times 4^2) + \pi \times 4^2$
$= 32\pi + 16\pi = 48\pi \ (\text{cm}^2)$

22 구의 반지름의 길이를 r cm라 하면

$4\pi r^2 = 36\pi$, $r^2 = 9$ ∴ $r = 3$

∴ (부피) $= \frac{4}{3}\pi \times 3^3 = 36\pi$ (cm³)

23 구 모양의 쇳덩이의 부피는

$\frac{4}{3}\pi \times 6^3 = 288\pi$ (cm³)

원뿔 모양의 쇳덩이의 부피는

$\frac{1}{3} \times (\pi \times 3^2) \times 4 = 12\pi$ (cm³)

따라서 원뿔 모양의 쇳덩이를 최대 $\frac{288\pi}{12\pi} = 24$(개)까지 만들 수 있다.

24 생기는 회전체는 오른쪽 그림과 같다.

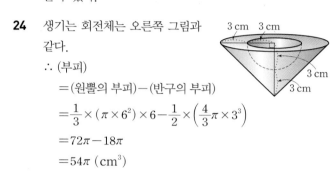

∴ (부피)

= (원뿔의 부피) − (반구의 부피)

$= \frac{1}{3} \times (\pi \times 6^2) \times 6 - \frac{1}{2} \times \left(\frac{4}{3}\pi \times 3^3\right)$

$= 72\pi - 18\pi$

$= 54\pi$ (cm³)

25 (1) (원뿔의 부피) : (구의 부피) : (원기둥의 부피) $= 1 : 2 : 3$

$\cdots\cdots$ [40 %]

(2) (구의 부피) = (원기둥의 부피) $\times \frac{2}{3}$

$= 6\pi \times \frac{2}{3} = 4\pi$ (cm³) $\cdots\cdots$ [30 %]

(원뿔의 부피) = (원기둥의 부피) $\times \frac{1}{3}$

$= 6\pi \times \frac{1}{3} = 2\pi$ (cm³) $\cdots\cdots$ [30 %]

14쪽~16쪽

⑨ 자료의 정리와 해석

01. ④	**02.** ④	**03.** ③	**04.** ⑤	**05.** 65 kg
06. ⑤	**07.** 20	**08.** 13명	**09.** ④, ⑤	

10. (1) $A = 8$, $B = 0.24$, $C = 7$, $D = 50$, $E = 1$ (2) 40 %

11. ⑤ **12.** ④ **13.** ③

14. (1) 풀이 참조 (2) A 마을 **15.** ③, ④

01 ② (전체 학생 수) $= 4 + 7 + 6 + 3 = 20$(명)

④ 국어 성적이 70점 미만인 학생 수는 4명이므로 전체의 $\frac{4}{20} \times 100 = 20$ (%)이다.

⑤ 호성이보다 점수가 높은 학생은 87점, 89점, 91점, 96점, 97점의 5명이다.

따라서 옳지 않은 것은 ④이다.

02 ① 상국이네 반과 경환이네 반의 학생 수는 20명으로 같다.

② 줄넘기를 가장 많이 한 학생의 기록은 57회로 경환이네 반에 있다.

④ 줄넘기 기록이 20회 이하인 학생 수는 7명이므로 전체의 $\frac{7}{40} \times 100 = 17.5$ (%)이다.

⑤ 상국이네 반의 잎이 경환이네 반의 잎보다 줄기의 값이 큰 쪽에 치우쳐 있으므로 상국이네 반이 경환이네 반보다 줄넘기 기록이 더 좋은 편이다.

따라서 옳지 않은 것은 ④이다.

03 ① $A = 30 - (8 + 6 + 9 + 2) = 5$

③ 도수가 가장 큰 계급은 6시간 이상 9시간 미만이다.

④ 독서 시간이 6시간 이상 9시간 미만인 학생은 9명이므로 전체의 $\frac{9}{30} \times 100 = 30$ (%)이다.

⑤ 독서 시간이 12시간 이상인 학생은 2명, 독서 시간이 9시간 이상인 학생은 $2 + 5 = 7$(명)이므로 독서 시간이 긴 쪽에서 5번째인 학생이 속하는 계급은 9시간 이상 12시간 미만이다.

따라서 옳지 않은 것은 ③이다.

04 ⑤ 히스토그램에서 최고 점수는 알 수 없다.

05 (전체 학생 수) $= 4 + 6 + 11 + 7 + 2 = 30$(명)이므로 몸무게가 무거운 쪽에서 30 % 안에 드는 학생 수는

$30 \times \frac{30}{100} = 9$(명)이다.

이때 몸무게가 70 kg 이상인 학생은 2명, 65 kg 이상인 학생은 $2 + 7 = 9$(명)이므로 몸무게가 무거운 쪽에서 30 % 안에 들려면 적어도 65 kg 이상이어야 한다.

06 기록이 15 m 미만인 학생 수는 $30 \times \frac{60}{100} = 18$(명)이므로 기록이 10 m 이상 15 m 미만인 학생 수는

$18 - (3 + 6) = 9$(명)

07 (도수분포다각형과 가로축으로 둘러싸인 부분의 넓이)
$=$(계급의 크기)$\times$(도수의 총합)
$=1\times(3+5+10+1+1)$
$=1\times20=20$

08 저축액이 8만 원 미만인 학생 수는
$40\times\dfrac{45}{100}=18$(명) ······ [60 %]
따라서 저축액이 8만 원 이상 10만 원 미만인 학생 수는
$40-(18+8+1)=13$(명) ······ [40 %]

09 ① (1반의 학생 수)$=2+3+5+8+10+8+4=40$(명)
(2반의 학생 수)$=3+5+6+10+9+5+2=40$(명)
이므로 1반의 학생 수와 2반의 학생 수는 같다.
③ 성적이 70점 이상인 학생 수는
1반 : $10+8+4=22$(명)
2반 : $9+5+2=16$(명)
이므로 1반이 2반보다 더 많다.
④ 성적이 가장 낮은 학생은 어느 반에 있는지 알 수 없다.
⑤ 1반의 그래프가 2반의 그래프보다 오른쪽으로 더 치우쳐 있으므로 1반 학생들의 성적이 2반 학생들의 성적보다 더 좋은 편이다.
따라서 옳지 않은 것은 ④, ⑤이다.

10 (1) $D=\dfrac{20}{0.4}=50$, $A=50\times0.16=8$, $B=\dfrac{12}{50}=0.24$
$C=50\times0.14=7$, $E=1$
(2) $(0.16+0.24)\times100=40$ (%)

11 ⑤ 두 집단의 도수의 총합이 다르면 어떤 계급의 도수가 같아도 그 계급의 상대도수는 다르다.

12 대기 시간이 30분 이상 40분 미만인 계급의 상대도수의 합은 $0.16+0.04=0.2$이므로 전체 사람 수는
$\dfrac{40}{0.2}=200$(명)

13 운동 시간이 6시간 이상 7시간 미만인 계급의 상대도수는
$1-(0.04+0.16+0.28+0.12+0.08)=0.32$
따라서 구하는 학생 수는
$25\times0.32=8$(명)

14 (1)

나이(세)	A 마을		B 마을	
	주민 수 (명)	상대도수	주민 수 (명)	상대도수
20이상 ~ 30미만	5	0.05	6	0.03
30 ~ 40	7	0.07	12	0.06
40 ~ 50	37	0.37	64	0.32
50 ~ 60	25	0.25	70	0.35
60 ~ 70	26	0.26	48	0.24
합계	100	1	200	1

······ [50 %]

(2) 나이가 40세 이상 50세 미만인 주민의 비율은 그 계급의 상대도수가 A 마을이 B 마을보다 크므로 A 마을이 B 마을보다 더 높다. ······ [50 %]

15 ① B 중학교의 그래프가 A 중학교의 그래프보다 오른쪽으로 더 치우쳐 있으므로 B 중학교 학생들이 A 중학교 학생들보다 수학 성적이 더 좋은 편이다.
③ 수학 성적이 가장 좋은 학생은 어느 중학교에 있는지 알 수 없다.
④ 수학 성적이 80점 이상인 학생의 비율은
A 중학교 : $0.06+0.04=0.1$
B 중학교 : $0.18+0.06=0.24$
이므로 B 중학교가 A 중학교보다 높다.
⑤ 각 중학교의 상대도수의 분포를 나타낸 그래프와 가로축으로 둘러싸인 부분의 넓이는 10으로 서로 같다.
따라서 옳지 않은 것은 ③, ④이다.

개념 해결의 법칙

memo